LES GRANDS PROCÈS DE L'HISTOIRE

Frédéric Pottecher

Les grands procès de l'Histoire

Fayard

Préface

Ce livre n'est pas plus un ouvrage historique qu'il n'est une étude sur la justice. Grâce à la collaboration de Philippe Keyzin, Jean-François Himonet, Patrick Goubier et Pierre Peuchmaurd, cet ouvrage veut être une transcription des grands procès que l'on a évoqués sur les antennes de Radio-Monte-Carlo. On a tenté de rendre présents et vivants ces instants de colère, de passion, où se lisent, à des époques données de notre histoire, le crime et la vertu, l'erreur et la lâcheté, le courage et la raison.

Tout dire, tout décrire est impossible. Il y faudrait des tonnes de papier et des milliers d'heures de radio. Toutefois ces « instants » précieux que nous avons choisis suffisent, nous semble-t-il, pour donner une appréciation exacte des faits et mettre en évidence des personnages dont les noms chantent parfois dans nos mémoires. On a dit que les procès politiques marquaient des moments de crise. *C'est sans doute vrai. Peut-être peut-on dire aussi que les grands procès criminels résultent de moments d'aberration, d'erreurs, où le mal et le bien, le vice et la vertu se combattent et parfois se confondent.*

Criminels ou politiques, ces combats — parfois douteux — trahissent le style, la psychologie, les tendances d'une époque. La justice de notre fin du XXe *siècle est différente de celle du* XIXe *siècle. Ces différences sont parfois passionnantes à observer. Nous n'y puisons pas que des exemples et des enseignements, nous y trouvons aussi de précieuses informations sur les manières et les façons de penser, sur le langage et les habitudes, et aussi sur les « milieux ».*

On a évité de déformer, d'interpréter ou de transposer. Tous les aveux, les cris, les vérités et les mensonges rapportés dans ce livre sont vrais.

Notre histoire, pleine de gloire et de tumultes, est comme ponctuée par ces procès dont certains ont été déterminants pour la vie de la nation. Les grandeurs et les faiblesses de certains héros de notre interminable passé réservent toutes sortes de surprises et d'étonnements. Bien souvent un court procès nous en dit plus que de longues études.

Que reste-t-il de toutes les guerres, les révolutions et régimes qui se sont succédé tout au long de cette histoire, sinon des rancunes, des revendications, des règlements de compte entre les nations ou les hommes ? C'est l'heure de la justice et parfois celle de la vérité.

Ainsi se découvrent et s'apprennent des héros : des hommes et des femmes qui ont étonné ou scandalisé leurs contemporains. Il suffit d'une brève synthèse, d'une phrase, d'un mot, d'une attitude pour les déterminer, les fixer et les voir vivre. Mais les juges eux aussi sont marqués par leur époque. Il est rare qu'un juge puisse totalement faire abstraction de son temps et plonger objectivement dans le magma des vérités d'un autre âge. On sait aussi que les situations politiques astreignent les juges à des débats de conscience souvent déchirants. C'est dire la difficulté et l'intérêt des recherches historico-judiciaires auxquelles se sont livrés tous ceux de notre équipe.

Nous avons choisi, dans la longue liste des grands procès politiques ou criminels qui jalonnent notre histoire, ceux qui ont laissé une empreinte dans nos mœurs, et qui ont insensiblement mais sûrement façonné nos manières d'être et nos manières de juger les hommes, les gouvernements et les faits.

Nous ne prétendons pas avoir découvert des sources nouvelles ; nous croyons seulement qu'en ressuscitant de vieilles affaires exemplaires qui ont ému nos pères, nous donnons à nos lecteurs-auditeurs l'occasion de connaître ou de mieux comprendre des acteurs, des juges, des témoins, et des moments importants de notre passé.

F. POTTECHER

1. L'assassin de Jaurès

Ce 24 mars 1919 des policiers en armes interdisent l'accès du palais de justice de Paris. Les portes sont fermées, les grilles tirées. Des gardes à cheval, casqués, le sabre au côté, attendent sur les quais, prêts à intervenir. L'île de la Cité est en état de siège. Il y a foule, c'est vrai, mais une foule silencieuse et comme recueillie.

Hommes en chapeaux mous et femmes en cheveux, immobiles, se serrent les uns contre les autres. Quelques gosses sont perchés sur les parapets du pont Saint-Michel. Des brassards rouges, frappés de lettres d'or, éclairent çà et là les manches des redingotes : les socialistes sont descendus des faubourgs et des banlieues, tous sont au rendez-vous, au cœur de Paris. Ils sont là pour témoigner de leur affection à Jaurès, ils sont là aussi pour voir Raoul Villain, l'assassin de Jaurès, ce Raoul Villain qui a tiré à bout portant sur le leader socialiste, au *Café-du-Croissant,* le 31 juillet 1914, à la veille de cette guerre interminable, dont beaucoup d'ouvriers commencent à penser qu'ils s'y sont fait casser la figure pour rien et dont ils se jurent bien qu'elle sera la « der des der ». Cette guerre que l'assassin appelait de tous ses vœux et que Jaurès, lui, voulait éviter à tout prix...

C'est à cause de cette maudite guerre, qui a coûté un million et demi de morts à la France, que le procès de Raoul Villain a été sans cesse ajourné jusqu'à ce 24 mars 1919. On a voulu éviter de dresser une moitié de la France contre l'autre, préserver l'Union sacrée face aux Allemands. On a voulu ainsi donner à la colère et aux passions le temps de s'apaiser.

Mais aujourd'hui, la guerre est finie, la démobilisation est même entamée ; on ne pouvait plus différer davantage l'ouverture du procès. Et cependant, le climat social est tendu, et le chômage qui attendait les « poilus » au sortir des tranchées est venu les rappeler aux réalités politiques. Aussi, bien que l'on soit à la veille d'élections législatives difficiles pour le gouvernement de Georges Clemenceau – Clemenceau, le plus vieil ennemi de Jaurès – on a extrait Raoul Villain de la prison où on le tenait caché depuis plus de quatre ans pour le faire passer en jugement, et se résoudre à ce que soient enfin posées les questions restées en suspens.

Car on ne sait toujours pas qui a armé le bras de Villain. L'extrême droite ? L'Action française qui, chaque jour, injuriait Jaurès dans ses journaux ? La police du tsar, comme le prétendent certains socialistes ? Ou bien encore les Allemands qui, en supprimant Jaurès, espéraient plonger la France dans le chaos et la guerre civile, comme le laissent entendre les milieux nationalistes ?

Autant de questions explosives et qui expliqueraient, paraît-il, la prudence de M. Clemenceau qui a interdit l'accès de la cour d'assises au public, afin d'éviter tout désordre. Depuis 1917, Clemenceau dirige le pays d'une main de fer, et chacun sait que celui qui s'intitule lui-même « le premier flic de France » ne supporte pas le désordre. Tout comme il ne supportait pas Jaurès.

Pourtant, ce luxe de précautions paraît bien superflu aujourd'hui. Dans les yeux de ces hommes et de ces femmes qui se pressent devant le palais de justice, on ne lit plus ni haine ni colère. Rien que de la tristesse et beaucoup de curiosité. Ils veulent voir et ils veulent savoir. Après tout ce temps, ils estiment qu'ils en ont le droit.

Mais ce droit, en cette première journée du procès de Raoul Villain, seuls les journalistes sont autorisés à l'exercer. Eux seuls pourront voir l'accusé retranché dans son box comme un employé de banque derrière son guichet, un employé de banque falot et insipide qui aurait tué sa maîtresse dans un accès de jalousie... car l'image que donne, ce 24 mars 1919, l'assassin de Jaurès, est celle d'un pauvre hère, d'un minus blond au visage pâle, à la moustache rognée.

Quand il est apparu dans le prétoire, il n'y a eu qu'un seul cri sur les bancs de la presse : « Dire que c'est *ça,* qui a tué Jaurès !... »

« Ça », ce chétif insignifiant, ce Villain, qui, d'une simple pression du doigt sur une détente, a réussi à supprimer une des plus hautes intelligences de notre époque !

Il affirme, avec un niais contentement, qu'il était, au moment du crime, « étudiant » à l'École du Louvre, oubliant de préciser qu'il avait auparavant été chassé d'un emploi d'ingénieur agronome pour incompétence et congédié du collège Stanislas à Paris, où il était surveillant, pour manque d'autorité.

Il répond d'une voix sans timbre aux questions du président Boucart, petit homme barbichu au regard doux, derrière ses binocles embués.

– Vous n'avez pour ainsi dire jamais connu votre mère ?

– Non, monsieur le président. Elle a été atteinte d'aliénation mentale juste après ma naissance. Le seul souvenir que j'en aie est celui d'une femme malade qui ne s'occupait pas de moi.

Le ton est donné. Pendant de longues minutes, Villain va essayer d'apitoyer l'assistance sur son sort. Un père, greffier au tribunal de Reims, égoïste et coureur, une mère et une grand-mère, toutes deux murées dans leur folie, un frère aîné trop occupé par ses études pour lui prêter attention, tout le portrait, un peu chargé, apparemment, d'une enfance solitaire et misérable.

En réalité, le père n'est pas si mauvais que le fils le prétend. Il veille sur son enfance, lui donne l'argent nécessaire lorsqu'il est adolescent. Plus tard, il continue à subvenir à ses besoins et lui offre même des voyages à l'étranger, en Grèce, en Angleterre, en Allemagne. En revanche, il est vrai que Raoul Villain cherche désespérément une mère. D'une pudibonderie maladive, il n'a jamais connu de femme. Profondément catholique, il croit en l'amour chaste et pur, et voue à Jeanne d'Arc un culte à la fois maniaque et exalté. Quand il adhère au Sillon, le mouvement social-chrétien, plutôt de gauche, de Marc Sangnier, c'est par un malentendu : en fait, il trouve en Mme Sangnier mère, la mère qu'il n'a jamais eue, et en Marc, le frère aîné qui lui manque. Il quittera d'ailleurs le Sillon après la condamnation de celui-ci par le pape.

Plus sérieuse, plus déterminante pour la suite des événements, est son adhésion à la Ligue des jeunes amis de l'Alsace-Lorraine, dont les membres honoraires sont Maurice Barrès, Paul Déroulède et Jules Siegfried. Une ligne réactionnaire que Villain tente de présenter comme une association des plus anodines.

— Ah non, monsieur le président ! Je n'ai jamais fait de politique ! J'ai cela en horreur ! Avec mes amis de la Ligue, nous souhaitions seulement que la guerre éclate au plus vite pour que nous puissions enfin arracher l'Alsace et la Lorraine à l'Allemagne.

— Tout de même, s'étonne le président, vous lisiez les journaux ! Vous saviez bien que vouloir ou non la guerre, c'était faire de la politique.

— Non, monsieur le président ! Seule, la patrie me préoccupait. Je pensais que tous les Français avaient la même attitude que moi, et c'est précisément en découvrant dans un journal que ce M. Jaurès était contre la guerre que la colère m'a pris. Pour moi, il ne pouvait s'agir que d'un traître ! J'ai décidé de le tuer.

Et voilà ! C'est aussi simple que ça. Il n'y aurait dans l'attentat contre Jaurès aucun mystère, aucun complot. Son assassin serait un simple crétin qui aurait agi impulsivement.

Mais le président ne semble pas s'émouvoir de la tournure que prennent les débats. Il appelle maintenant à la barre les témoins du crime. On reparle de cette lourde soirée du 31 juillet 1914, de la rue du Croissant où s'imprimait *L'Humanité,* de la tristesse de Jaurès au cours du dîner. Il savait que la guerre était désormais inévitable. On évoque les va-et-vient incessants autour de la table, les visages curieux ou hostiles qui observent le tribun socialiste par la fenêtre ouverte. Puis, le rideau qui se soulève, le revolver, les deux coups de feu, les cris : « Ils ont tué Jaurès ! Ils ont tué Jaurès !... » Enfin, la bousculade et l'arrestation de Villain qui se tient seul, comme hébété, sur le trottoir.

Le président se tourne vers l'accusé.

— Villain, avez-vous quelque chose à ajouter ?

— Oui, monsieur le président. J'ai des sentiments très religieux et pourtant aucune objection ne s'est présentée à ma conscience au moment où j'ai tiré. Je vous le répète, je ne pensais qu'à la patrie.

— Au fond, vous avez agi dans un moment de colère patriotique ?

— C'est ça, monsieur le président, c'est tout à fait ça !

Villain, manifestement, est ravi que le président lui ait soufflé la formulation du mobile de son crime. Un crime passionnel, en somme ! A ce train-là, le procès pourrait se terminer ce soir... On sait l'indulgence des jurés pour les crimes passionnels. Surtout en cette année 1919, au lendemain de la victoire, quand la passion invoquée est celle de la patrie...

Au sortir de la deuxième journée du procès Villain, ce 25 mars 1919, il est difficile de savoir si l'on a assisté au jugement d'un assassin ou si l'on a participé, avec cinq ans de retard, aux obsèques solennelles de Jean Jaurès.

Sans doute, dix-sept témoins de la partie civile ont-ils défilé à la barre. Mais de l'assassin et de l'assassinat, il n'a été question à aucun moment. Personne n'a interrogé Raoul Villain. Personne ne s'est occupé de lui. Ces dix-sept témoins ont prononcé dix-sept oraisons funèbres de Jaurès. On a vanté les mérites de sa politique, le rôle bénéfique qu'il a joué pour la France et pour les travailleurs, son immense talent d'orateur, ses qualités de cœur, tout a été évoqué, recensé, répété, jusqu'à l'ennui.

Le seul spectacle, si l'on peut dire, était celui qu'offraient les jurés : deux représentants de commerce, un vétérinaire, un propriétaire, un artisan, trois industriels, deux rentiers, un négociant et un employé de commerce. C'est-à-dire un salarié pour onze *bourgeois* ! Des bourgeois que tous ces discours sur le socialisme de Jaurès agacent manifestement. Ils ont des gestes d'impatience, des haussements d'épaules, des rictus qui en disent long. Ils ne cachent pas leur antipathie pour la victime, et il était à la fois maladroit et inutile de leur rappeler que Jaurès faisait chanter le cœur des ouvriers, qu'il était l'espoir des humbles, le défenseur des humiliés, alors que tous ces hommes ne demandent, précisément, qu'à laisser Jaurès de côté pour tenter de juger « objectivement » les faits. Villain est-il ou n'est-il pas un assassin ? A-t-il prémédité son acte ? Faisait-il ou non partie d'un complot ? Avait-il des complices ? Autant de questions que la partie civile semble, pour l'instant, vouloir ignorer, comme si les circonstances de la mort de Jaurès et la responsabilité du ou des assassins avaient moins d'importance que l'héritage politique que les uns ou les autres prétendent avoir reçu du grand leader disparu. Un héritage avec lequel on prend d'ailleurs quelques libertés. En écoutant ces messieurs, on s'aperçoit que le Parti socialiste, qui a participé à l'Union sacrée contre les Allemands et qui a été représenté au cabinet de guerre, ne veut plus rien devoir à Jaurès le pacifiste. Il faut maintenant que ce soit Jaurès qui ressemble au nouveau parti socialiste, plus respectable, plus « national ».

On se garde bien, par exemple, de rappeler que quelques heures avant sa mort il avait dit au secrétaire d'État Abel Ferry : « Si vous décrétez la mobilisation générale, nous continuerons à nous opposer à la guerre et nous nous ferons fusiller s'il le faut ! » Non, ça on l'a oublié. On préfère discourir sur ce qu'aurait fait Jaurès pendant la guerre s'il n'avait pas été assassiné, disserter à perte de vue sur ses conceptions militaires et souligner son attachement profond à la nation, lui qui a passé sa vie à militer pour l'Internationale socialiste.

Gaston Thomson, un républicain de centre gauche, le compare même à Gambetta. « Jaurès, s'exclame-t-il, a déclaré que la patrie planait bien au-dessus de toutes les divergences d'opinion, de toutes les luttes, de tous les chocs de classe ! En toute occasion, il a manifesté une admiration profonde pour Gambetta dont il continuait la politique à l'égard de l'Alsace et de la Lorraine... » Quand au député d'Estournelles de Constant, il vient affirmer à la barre : « Jaurès était le patriotisme incarné, mais on ne l'a pas compris ! »

Adolphe Messimy, ancien ministre de la Guerre et général du cadre de réserve, va plus loin : « Jaurès, dit-il, aurait joué un rôle considérable pendant la guerre ! Il se serait donné sans réserve à la défense nationale ! S'il avait vécu en août 1914, il serait venu me dire : « Mes prévisions se réalisent, l'enveloppement commence par l'aile droite allemande. Il faut pour l'instant nous tenir sur la défensive. »

On croit rêver ! Après « saint Jaurès » voici le « général Jaurès », à la fois stratège et chantre du nationalisme. Cette fois, ce ne sont plus les jurés qui sont agacés, c'est le public, qui, en ce second jour des débats, a été enfin admis dans la salle. Tous ces ouvriers et ces militants socialistes ne reconnaissent plus « leur » Jaurès. Sur les bancs de la presse, il y a quelques remous. Georges Pioch, chroniqueur du journal *Les Hommes du Jour*, ironise : « Raoul Villain dans son box doit se demander s'il n'y a pas eu erreur, s'il n'as pas tué Déroulède au lieu de Jaurès !... »

Mais tout le monde n'a pas envie de rire. Paul Vaillant-Couturier, tendu, nerveux, dit à son voisin :

– Tout cela est ridicule ! Pourquoi faire de Jaurès cette carte postale patriotique ? Il y a quelque chose d'écœurant à l'assimiler de la sorte à ceux qui, au moins moralement, ont été ses assassins !

En fait, ce procès fait éclater au grand jour les divergences qui, depuis de longs mois, déchirent le Parti socialiste. L'aile droite et l'aile gauche s'affrontent désormais autour du cadavre de Jaurès. Les uns tentent d'en faire un respectable député, digne des aspirations ministérielles qui sont les leurs. Les autres le comparent à Lénine, le chef de ces bolcheviques qui viennent de prendre le pouvoir en Russie et qui ont installé à Moscou le premier gouvernement ouvrier de l'histoire. Chez les socialistes, on ne parle plus seulement de dissensions, on laisse entendre qu'une scission est possible.

Et soudain, dans la salle, une vieille femme se lève et lance à la cantonade, avant de quitter rageusement le prétoire : « C'est le second assassinat de Jaurès ! Mais cette fois, ce sont les siens qui le tuent... »

Cet incident, le seul qui ait marqué l'audience de ce jour, est vite oublié. Les témoins de la partie civile poursuivent leur ronde incantatoire. Le public ne s'étonne même plus. Il dort.

C'est maintenant au tour de Léon Blum. Elégant, la voix vibrante, le geste sobre, il fait une déposition inattendue : il n'y est question ni de politique, ni de patriotisme, et encore moins de l'assassinat, mais de littérature.

– Jaurès, dit-il, égalait Hugo comme poète, Mirabeau et Bossuet comme orateur, Michelet comme historien, Rousseau comme écrivain politique...

Le public continue de somnoler. Les jurés s'impatientent et les journalistes de droite ricanent sournoisement.

Un autre écrira : « On a fait venir nos meilleurs orateurs

pour expliquer à Villain qui était sa victime. Mais... est-ce bien là le procès ? »

Un nouveau témoin s'approche de la barre. Murmures et commentaires cessent un instant. Il s'agit du député Pierre Renaudel. Il va essayer de réveiller la salle.

– Je déposerai sans haine, dit-il, car l'homme qui est là (il désigne d'un geste Raoul Villain)..., l'homme qui est là ne compte pas ! Je déposerai sans crainte, car c'est la mémoire de Jaurès que nous avons à défendre contre les calomnies qui ont conduit au meurtre et qui ne sont pas éteintes !

L'attention se relâche à nouveau ; il n'y a pas moyen d'entrer dans le vif du sujet. Non seulement Raoul Villain « ne compte pas », comme vient de le dire Renaudel, mais on dirait qu'il n'intéresse même pas la partie civile !

Et, au bout du compte, c'est l'un des gardes qui raccompagne Villain dans sa cellule, à la fin de l'audience, qui résume le mieux cette journée : « Si ça continue comme ça, dit-il, ils vont finir par le faire acquitter ! »

Il est vrai que tout le monde sent que le vrai débat est soigneusement évité ; comme dans un jeu où les cartes seraient biseautées.

Dès le premier jour, on s'en souvient, le président Boucart, interrogeant Raoul Villain, lui avait dit avec une politesse et une douceur inhabituelles : « Au fond, vous avez tué Jaurès dans un moment de colère patriotique. » C'est un crime passionnel et voilà tout !... On pense bien que Villain s'est empressé d'adopter cette thèse ! Le président, d'ailleurs, est manifestement pressé d'en finir avec cette affaire vieille de cinq ans, qui risque de ranimer de mauvaises querelles d'avant-guerre, et il ne montre aucune curiosité quant aux mobiles et aux circonstances du crime. Toutefois, on espère que la partie civile, au nom de la famille Jaurès et du parti socialiste, posera à l'accusé les vraies questions et citera des témoins capables d'apporter des révélations. Mais, là encore, il faut déchanter. La partie civile ne s'intéresse pas à Raoul Villain. Cet homme ne « compte pas » a dit l'un des témoins ; ce n'est qu'un instrument. Ce qui importe, c'est la campagne de haine orchestrée par l'extrême droite, une campagne à laquelle il faut répondre point par point pour sauvegarder la mémoire de Jaurès et, incidemment, justifier les actions passées et présentes du Parti socialiste. Bref, le procès Villain n'est plus qu'un prétexte à joutes politiques et le palais de justice une annexe de la Chambre des députés.

Mauvais calcul ! Le fastidieux défilé des témoins de la partie civile va seulement réussir à indisposer les jurés, à décevoir le public et à faire sourire les journalistes.

C'est dans ce climat d'amertume et de déception que commence le 26 mars 1919 l'audition des témoins de la défense. Cette fois encore on craint d'assister à un long défilé d'amis de la famille Villain qui, tous, viendront dire et répéter qu'ils ne comprennent pas qu'un si gentil garçon ait pu accomplir un geste aussi monstrueux. Va-t-on seulement aborder le véritable objet de ce procès : l'assassinat de Jean Jaurès, l'assassinat d'un homme ?

Eh bien oui, on va en parler ! Mais ce ne sera pas pour en démonter les rouages, ni pour en expliquer la préparation et l'exécution ; ce sera pour le justifier !

Face à face ce 26 mars, toutes barbes et décorations dehors, les avocats de la défense et de la partie civile. Jusqu'à présent, ils s'étaient peu manifestés, mais aujourd'hui ils vont se rattraper. C'est une bataille d'avocats qui s'engage par témoins interposés, une bataille dont les principaux acteurs semblent, une fois de plus dans cet étrange procès, avoir interverti leurs rôles.

Du côté de la défense, Alexandre Zévaés, 45 ans, ancien député socialiste, ancien journaliste, chauvin et autoritaire. Il parle bien, mais il est très laid et il gesticule beaucoup. Il a été commis par le bâtonnier Henri Robert, non sans quelque malice : « Votre passé socialiste, lui avait dit le bâtonnier, vous permettra de défendre votre client sans pour autant salir la mémoire de Jaurès. »

La famille Villain, pour sa part, a choisi Me Henri Geraud, 47 ans. Cet as du trémolo porte sa barbe comme un drapeau, ressemble à un ecclésiastique et affiche des opinions nettement réactionnaires.

Les deux hommes se complètent à merveille et adoptent d'emblée une attitude agressive qui va contraindre les avocats de la partie civile Mes Paul-Boncour et Ducos de la Haille, à la défensive.

Paul-Boncour, ancien ministre socialiste, a 40 ans, les cheveux déjà blancs, le teint rouge brique et, sur la poitrine, la médaille militaire et la croix de guerre. Il a la confiance de la gauche du Parti socialiste, tandis que son collègue, Ducos de la Haille, représente l'aile droite. Ducos a 50 ans, c'est un gros homme à la barbe en pointe. Son éloquence est froide, un peu conventionnelle.

Le premier témoin cité par la défense se présente à la barre. C'est un ami de Villain, le peintre Anquetin. Il décrit l'accusé :

– Il était très doux, très enthousiaste sur les questions d'art, mais il donnait une impression d'inquiétude et d'agitation.

Bénédite, le professeur de Villain à l'école du Louvre, lui succède :

– C'était un jeune homme rangé, timide, effacé, se tenant à distance, dit-il, mais un étrange malaise se dégageait de lui.

Puis, c'est le tour de l'abbé Charles, professeur au collège Stanislas, où Villain a été surveillant.

– Il portait sa vie comme un cilice, dit-il. Il semblait habité par un terrible secret.

Sur le banc de la partie civile, Me Paul-Boncour éclate :

– Je vous en prie, messieurs, n'insistez pas tant sur le caractère étrange et lunatique de l'accusé ! Les médecins ont déjà tranché : Villain n'est pas fou.

Aussitôt, Me Henri Geraud se dresse, la barbe haute.

— Si Villain était fou, nous ne serions pas là ! Je ne plaide pas *folie,* je plaide *maladie de la volonté.*

Paul-Boncour ne veut pas entendre ce subtil distinguo. Il s'adresse au témoin :

— Monsieur l'abbé Charles, répondez-moi franchement... L'accusé lisait-il des journaux de droite ?

L'abbé semble embarrassé :

— Euh... Oui... Oui, il lisait *La Liberté,* très régulièrement.

— Merci, monsieur l'abbé. Je précise à la cour qu'il y avait dans ce journal des appels au meurtre contre Jaurès, que l'on appelait « Herr Jaurès »...

La défense, cette fois, ne réagit pas. Elle ne cherche pas à dissimuler les opinions de l'accusé, bien au contraire. La déposition du témoin suivant le prouve. C'est un certain Roger Paulain.

— Je ne comprends pas, dit-il, pourquoi on traite Villain comme un criminel. S'il a tué Jaurès, c'est par amour de la France... On a fait ces jours-ci un portrait de Jaurès qui ne correspond pas à la réalité. En 1914, Jaurès était l'homme du désarmement. Nous étions une majorité à penser qu'il était dangereux pour la patrie !

Me Ducos de la Haille l'interrompt :

— Le témoin n'est pas professeur d'histoire ! Qu'il s'en tienne aux faits !

Et Paul-Boncour renchérit :

— Je suis heureux de savoir l'opinion que l'on avait de Jaurès dans les milieux que fréquentait Villain.

— C'était l'opinion du bon sens ! réplique le témoin, tandis que Me Geraud, sentant que l'on va parler de « complot », vient à son secours :

— Croyez-vous, monsieur Paulain, que l'accusé était capable de subir une influence quelconque ?

— Non, répond le témoin, Villain est un homme qui suit son idée. Il n'accepte pas facilement les opinions des autres.

A la barre se trouve maintenant le lieutenant de Chaumont-Quitry dont la tunique s'orne de nombreuses décorations. Ce témoin est le président de la ligue à laquelle appartenait Villain, la Ligue des jeunes amis de l'Alsace-Lorraine. Lui aussi est là pour attaquer :

— Notre génération, commence-t-il d'une voix forte, a eu le don de prophétie. Nous sentions venir la guerre et nous nous y préparions... Et je puis dire en toute sincérité que nous haïssions tous ceux qui, comme Jaurès, s'opposaient à la loi des trois ans qui a permis d'avoir suffisamment d'hommes sous les drapeaux pour soutenir le choc de l'attaque allemande... » ; et il ajoute, en se tournant vers les jurés : « en tuant Jaurès, Villain n'a pas su se réfréner, c'est certain, mais a cru servir son pays. Et je voudrais vous faire part de l'émotion qui est la mienne aujourd'hui, en venant déposer à ce procès, quand je songe qu'en laissant Villain en prison, on a privé la patrie de l'un de ses défenseurs qui, malgré le crime commis, eût pu, peut-être, se conduire en héros sur le champ de bataille !

Tout cela frise l'indécence, mais personne n'a l'air de s'en apercevoir. A la fin de cette journée, Villain fait presque figure de victime, et Jaurès d'accusé !... Ce personnage falot, frileusement assis dans son box, est donc seulement coupable de ne pas avoir su réfréner un juste courroux, partagé par tous les bons Français qui ont gagné la guerre ! Les avocats de la partie civile sont accablés. Ils s'aperçoivent, un peu tard, de l'erreur qu'ils ont faite en plaçant le débat sur le plan politique.

27 mars 1919. Quatrième journée du procès de Raoul Villain. Débat surprenant... A écouter les plaidoiries des avocats des parties civiles, on a l'impression que la victime, Jean Jaurès, était quelque chose comme un traître à la patrie, en intelligence avec l'ennemi allemand, s'efforçant de démoraliser l'armée, menaçant de provoquer la

grève générale et sabotant l'appareil militaire de la France en guerre !

Me Paul-Boncour plaide « non coupable »; lui, qui devait attaquer et confondre, se défend. Ou plutôt, il défend la mémoire de Jaurès. Telle est en effet la situation absurde dans laquelle on aboutit à la fin de ce procès, tant par la faute de la partie civile qui a voulu d'emblée politiser le débat au lieu de s'attacher aux faits, qu'en raison du cynisme de la défense, qui n'a pas craint, en citant à comparaître des témoins triés sur le volet, de « justifier » l'assassinat de Jaurès par Raoul Villain, en présentant ce meurtre comme un acte patriotique et en cherchant à enfermer le tribunal dans un syllogisme douteux : pour la France, la guerre était inévitable; or Jaurès était contre la guerre; il était donc souhaitable, sinon légitime, de tuer Jaurès...

La fausseté de ce raisonnement le dispute à sa sottise. Et pourtant, dans le climat de nationalisme délirant de ce lendemain de victoire, personne n'a seulement protesté ! Dans ces conditions, bien sûr, les avocats de la partie civile se devaient de défendre Jaurès contre ces attaques et ces accusations de trahison à peine voilées. C'est ce que fait Paul-Boncour, avec beaucoup de talent :

– Voulant éviter la guerre, Jaurès fit ce rêve, c'est vrai, d'émouvoir contre la guerre jusqu'aux profondeurs du peuple allemand lui-même. Il l'interpella directement par-dessus la tête de ses maîtres. Il l'interpella au nom de cette Internationale à laquelle sans doute il eût cru, même mutilée, même impuissante, et momentanément dérisoire...

Et Paul-Boncour poursuit :

– Ah ! sans doute, lorsqu'au jour de la mobilisation, l'Internationale ne put que prendre acte de la trahison d'une partie des social-démocrates allemands et de la pusillanimité des autres, et j'en sais qui se sont dit que le revolver de Villain avait au moins épargné à Jaurès ce qui est la plus grande douleur pour l'homme de pensée, celle d'assister vivant à l'écroulement de son rêve.

Après un silence, et alors que la salle attentive ne quitte pas des yeux l'avocat, Paul-Boncour aborde le délicat problème de la grève générale et de l'insurrection préconisée par Jaurès en cas de guerre.

– Cette terrible hypothèse, explique-t-il, ne devait jouer pour Jaurès que si, par avance, les différentes sections de l'Internationale s'étaient engagées à faire de même. Elle ne devait jouer que contre le gouvernement qui serait démontré responsable de la guerre, contre le gouvernement qui se serait refusé à l'arbitrage. A aucun moment, ceci ne pouvait s'appliquer à la France, qui avait tout fait avant le conflit pour concilier les uns et les autres.

La salle est émue, mais les jurés restent de marbre. Après avoir demandé un verdict de justice et d'union nationale, Paul-Boncour se rassoit. On ne sait pas à cet instant si l' « accusé » Jaurès sera pardonné, mais on a totalement oublié, une fois de plus, l'accusé Raoul Villain.

Me Ducos de la Haille se lève à son tour. Sa silhouette épaisse s'avance dans le prétoire. Sa barbe en pointe lui donne un air un peu inquiétant. Avant de commencer sa plaidoirie, il tient à ajouter une dernière touche au portrait de Jaurès que vient de brosser son confrère, en rappelant que Louis, le fils unique du tribun socialiste, a bien compris, lui, les leçons de son père, puisqu'il est mort au front, en héros, le 3 juin 1918, et qu'il a été cité à l'ordre de la nation par le général Mangin.

Puis, Ducos de la Haille se tourne brusquement vers Raoul Villain qui somnole dans son box.

– Et maintenant, messieurs, s'écrie-t-il d'une voix forte, permettez-moi de revenir au criminel ! On s'est demandé si c'était là le crime d'un isolé, mais on ne s'est pas donné la peine de répondre. L'instruction présente de singulières lacunes. Dans la procédure même, il y avait des noms, des indications qui auraient permis d'aller plus avant. On ne l'a pas fait !

C'est la première fois qu'on entend un langage aussi clair depuis le début de ce procès qui n'en finit pas. Et à mesure que Me Ducos de la Haille parle, on découvre enfin des choses du plus haut intérêt. Par exemple que Villain entretenait des contacts très étroits avec *l'Action française*.

C'est ainsi qu'un certain Striber, qui n'a pas été cité à comparaître, a affirmé au juge d'instruction que Villain appartenait aux Camelots du roi et qu'il avait été désigné par le sort pour tuer Jaurès. Ses amis lui ayant naturellement fait promettre qu'il nierait farouchement toute attache avec le mouvement royaliste. Ce même Striber a raconté au juge que le 30 juillet, veille du crime, il se trouvait au *Café du Croissant* et qu'il y avait vu trois membres de *l'Action française* qui semblaient repérer les lieux.

D'autre part, ce même 30 juillet, trois témoins : Dulac, Poudret et Grandidier, se trouvaient vers 22 h 30 sur le trottoir en face du siège de *L'Humanité*, le journal de Jaurès. Ils ont vu Villain se rendre au journal et questionner le concierge – ce que l'enquête a confirmé. Puis, en sortant de *L'Humanité*, Villain se serait dirigé vers la rue Réaumur et se serait entretenu avec deux individus. « Il m'a semblé qu'il leur communiquait ce qu'avait pu lui dire la concierge », a précisé Dulac.

Qui sont ces deux mystérieux individus. Les instigateurs du crime ? Les complices de Villain ? Autant de questions qui ne paraissent pas avoir intéressé le juge d'instruction. Pour la bonne raison que les trois témoins, Dulac, Poudret et Grandidier, étaient d'anciens anarchistes, donc des gens indignes de témoigner.

Enfin, pourquoi ne pas avoir entendu l'abbé Calvet, directeur des études littéraires au collège Stanislas, dont Villain était le secrétaire particulier ? Il aurait pu dire bien des choses, lui aussi. Notamment que le dimanche précédant le crime Raoul Villain s'était entraîné toute la journée à tirer au revolver dans le stand d'une kermesse catholique.

Cette fois, tout le monde a écouté l'avocat avec passion. Le procès se termine par où il aurait dû commencer. On a enfin posé les vraies questions. Du coup, on se reprend à espérer. Ducos de la Haille va-t-il réussir à démasquer Villain ? Non, sa péroraison est terminée. Il s'est contenté de souligner les anomalies de l'enquête, et il conclut : « Quoi qu'il en soit, je dois bien reconnaître que nous n'avons pas la preuve de l'existence d'un complice de Villain. »

Enfin, l'avocat aborde le problème de la sanction.

— Quelle peine doit-on prononcer contre l'assassin ? lance-t-il à la Cour. Si elle devait être proportionnée au crime, elle ne pourrait consister que dans la mort !

Me Geraud, l'avocat de la défense, se dresse comme un diable hors de sa boîte.

— Vous n'avez pas le droit ! Vous n'êtes pas l'avocat général !

Ducos de la Haille enfle la voix :

— Je vous en prie, Me Geraud, vous avez tort de m'interrompre avant de savoir ce que je vais dire... Je dis, messieurs, que le crime est si grand que la seule sanction qui s'impose est la mort. Et cependant, nous ne la réclamons pas, nous ne la voulons pas...

L'avocat s'interrompt un instant :

— Il ne s'agit pas pour nous d'avoir pitié de cet homme qui n'a même pas l'excuse de la folie. Non, c'est seulement par fidélité à Jaurès, Jaurès qui fut l'ennemi de la peine de mort et dont la grande ombre protège encore son assassin.

Étrange procès, décidément. Déjà la partie civile n'attaquait pas, et voilà maintenant qu'elle se met à défendre l'accusé contre le bourreau !

Les jurés, eux, sont restés impassibles.

28 mars 1919. Dernière journée du procès de l'« assassin de Jaurès ». L'homme offre si peu d'intérêt que c'est à peine si l'on retient son nom. Dans le public, on l'appelle : « l'assassin », « l'accusé », ou « le salaud », mais jamais on ne dit : Raoul Villain.

Seuls ses amis lui donnent un nom. Ses amis ou ses partisans. Car il faut bien avouer que l'assassin de Jean Jaurès ne manque pas de partisans.

Sur le moment, bien sûr, ils ne se sont pas montrés. Le 31 juillet 1914, tout le monde a condamné l'acte de Raoul Villain, même ceux qui, à l'extrême droite, étaient les plus enragés contre le leader socialiste, et qui avaient peut-être armé le bras du meurtrier. La mort de Jaurès, à la veille de la guerre, cela était trop grave, trop lourd de conséquences. On craignait des émeutes, une insurrection populaire, la guerre civile peut-être. Aussi, dans les milieux ultranationalistes, s'était-on bien gardé de manifester publiquement sa joie. On se contentait de trinquer en famille à la disparition de « Herr Jaurès »...

Mais, aujourd'hui, les choses ont changé. Les socialistes sont divisés. Ils ont mal supporté l'épreuve de la guerre. La victoire semble avoir donné raison aux amis de Raoul Villain : le pacifisme de Jaurès est mort dans les tranchées. Cinq mois après la victoire, la France est encore en pleine ivresse, les esprits submergés de surenchère nationaliste, et certains ne craignent plus, maintenant, de dire haut et fort que la fin tragique de Jean Jaurès a été un bienfait pour le pays.

Cette atmosphère a empoisonné le procès. La partie civile, au lieu d'attaquer et de demander des comptes à l'assassin, est restée sur la défensive. Quant aux avocats de Raoul Villain, ils n'ont pas hésité, après avoir tenté de plaider l'irresponsabilité de leur client, à transformer son geste meurtrier en un acte patriotique!

C'est maintenant au tour de l'avocat général de prendre la parole. Sur les bancs de la presse, on note une certaine curiosité. Que va bien pouvoir requérir le ministère public après que la partie civile a, hier, par avance, refusé de s'associer à une éventuelle demande de condamnation à mort? Ducos de la Haille, avocat du parti socialiste et de la famille Jaurès, a été formel : Jean Jaurès était un farouche adversaire de la peine capitale. Ce serait faire injure à sa mémoire que d'exécuter son assassin! Mais on va très vite s'apercevoir que Raoul Villain n'avait nul besoin de la protection posthume de sa victime. L'avocat général Béguin, un peu triste, appliqué, n'a nullement l'intention de demander la mort.

Au contraire, il attire d'emblée l'attention des jurés sur le fait que Raoul Villain a déjà passé cinquante-six mois en prison avant d'être jugé. Il leur demande d'en tenir compte au moment où ils prononceront leur verdict et il rappelle que, de toute façon, la détention préventive se déduit de la peine qui sera infligée à l'accusé.

Cela dit, l'avocat général change de ton et lance un avertissement :

– Le crime commis par Villain, dit-il, déconcerte la raison et ne peut trouver d'atténuation, de mesure dans son châtiment, que selon la responsabilité de son auteur.

Et Beguin va s'attacher précisément à démontrer que Villain est entièrement responsable de son acte et qu'il n'est pas du tout le déséquilibré qu'on a voulu présenter aux jurés. Il n'en veut pour preuve que cette lettre que l'accusé a envoyée à Bardelle, l'un des témoins sur lequel il pensait pouvoir compter, lettre dans laquelle il lui dicte le témoignage qu'il attend de lui : son ami devra déclarer qu'il était un peu fou, très patriote, mais pas le moins du monde politisé.

– Est-ce là la lettre d'un dément ? demande l'avocat général. Est-ce qu'elle ne prouve pas au contraire cette parfaite lucidité, ce sens du calcul, dont les médecins ont d'ailleurs parlé dans leur rapport d'expertise ?

Et puis, il y a cette autre lettre, adressée à son frère, celle-là. Villain, non seulement n'y manifeste aucun remords, mais il y étale sa satisfaction d'avoir tué Jaurès : « J'ai donc abattu le grand porte-drapeau, écrit-il une semaine après son crime, j'ai abattu le grand traître de l'époque de la loi des trois ans, la grande gueule qui couvrait tous les appels de l'Alsace-Lorraine, je l'ai puni et c'était un symbole de l'heure nouvelle, et pour les Français et pour l'étranger. »

Et l'avocat général Beguin, s'adressant aux défenseurs de Villain, lance d'une voix forte :

— Me Geraud, vous disiez l'autre jour : « Une minute et Jaurès était mort. » Oui, une minute a suffi, mais pendant quinze mois Villain l'a condamné à mort et cette volonté qui a explosé en ce qu'il appelle une minute de folie, ou un acte de colère patriotique, cette volonté était l'explosion fatale ou forcenée de ce long vouloir de mort, obstinément entretenu dans son esprit pendant des mois. Voilà le crime de cet homme ; il s'en est rendu compte, il l'a commis et analysé consciemment.

Et Beguin conclut en demandant aux jurés « un verdict de condamnation, mais de condamnation atténuée », en raison des circonstances très particulières dans lesquelles le crime a été commis. Autrement dit, en raison des motivations patriotiques du crime.

Ainsi, même l'avocat général, qui a remarquablement fait son travail, se laisse influencer par le climat ultranationaliste de cette année 1919... et il n'y aura aucune protestation !

Ce climat, la défense va le mettre à profit pour faire basculer les jurés de son côté. Me Zévaès parle le premier. Cet ancien ami de Jaurès, ancien député socialiste, affirme haut et fort qu'il est mieux placé que personne pour savoir que le « regretté Jaurès a toujours prôné un rapprochement avec l'Allemagne et que la reconquête de l'Alsace et de la Lorraine n'était pas sa préoccupation essentielle ».

Zévaès insiste sur le fait que Raoul Villain a commis un crime patriotique, pour lequel il demande un acquittement pur et simple au nom de la « victoire », au nom de « tous les espoirs qu'elle permet et qu'elle commande ».

C'est ensuite Me Geraud qui prend la parole. Lui aussi va s'appliquer à démontrer que la passion qui a armé le bras de Villain, si elle est « terrible dans son application, est noble dans ses origines ». Il va tenter de faire admettre que Villain n'avait pas l'intention de tuer, mais qu'il s'est laissé emporter par l'excitation générale de l'immédiat avant-guerre, qu'il s'est laissé submerger par la vague de haine répandue par certains journaux. Et il s'écrie à l'adresse des jurés :

— Si je vous montre que c'est entre le 27 et le 31 juillet que la pensée du crime s'est précisée, mais n'a pas encore été préméditée, est-ce que vous n'aurez pas pour Villain une certaine pitié, en mettant en parallèle trente années de conduite exemplaire et trois jours d'excitation morbide et de mauvaises pensées ?...

Et, à son tour, Me Geraud sollicite « le pardon, à cause des cinquante-six mois de détention préventive ; le pardon à cause de ses proches, à cause de ce frère aviateur qui s'est conduit en héros pendant la guerre, car les mérites des uns, conclut-il, doivent effacer les méfaits et les inconsciences des autres... »

Il est presque 19 heures. Les jurés se retirent pour délibérer.

Tout sera réglé en une demi-heure. Par onze voix contre une, le jury déclare Raoul Villain non coupable. Le président Boucart n'a plus qu'à prononcer son acquittement. Et, détail affreux, c'est Mme Jaurès, partie civile, qui est condamnée aux dépens du procès...

Non coupable !

En ce même mois de mars 1919, un autre procès a lieu à Paris, devant un conseil de guerre, celui-là. Le procès du jeune anarchiste Émile Cottin, dit Milou, qui le 19 février dernier a tiré plusieurs coups de feu sur la Rolls Royce de Georges Clemenceau. Le président du Conseil n'a été que légèrement blessé. Quant à Émile Cottin, on n'a pas mis cinq ans à le traîner en justice, lui. Verdict : la mort. Oui, à quelques jours d'intervalle, la mort pour avoir tiré sur « le premier flic de France », l'acquittement pour avoir tué Jaurès.

Il y a un épilogue à cette histoire. Raoul Villain est libre, sans doute, mais il est seul. Ses « amis », tous ceux qui ont approuvé son geste, se détournent de lui ou, plus simplement, s'en désintéressent. Les seuls à se souvenir de lui, ce sont les gens du peuple, les orphelins de Jaurès. On le montre du doigt, on lui tourne le dos. Il doit changer de nom, déménager sans cesse. Dans l'impossibilité de trouver un emploi fixe, il commet de menues escroqueries. Un jour, enfin, il choisit de disparaître tout à fait. Il part pour l'Espagne et va s'installer aux Baléares, à Ibiza. Pour vivre, il fabrique des bibelots de verre destinés aux touristes. Il est seul, seul avec une grande Jeanne d'Arc de plâtre achetée à Barcelone et devant laquelle, chaque nuit, il fait brûler des cierges.

Mais Villain n'est pas si seul, bien des habitants d'Ibiza peuvent le penser. Quand éclate la guerre civile espagnole, on se souvient que cet étrange verrier d'art à l'allure hagarde est aussi, est d'abord, l'homme qui a tué Jaurès, et, un jour de printemps 1937, on vient le chercher dans sa villa. Raoul Villain, assassin d'une des plus grandes figures du socialisme français, acquitté par la justice de son pays, est exécuté par les Républicains espagnols.

Peu de temps auparavant, un autre Français est mort en Espagne. Finalement, gracié par Clemenceau et libéré après quelques années de prison, Émile Cottin avait lui aussi franchi les Pyrénées pour rejoindre les rangs républicains.

2. *Le procès de Jeanne d'Arc*

C'est dans le décor impressionnant et glacial de la chapelle du château de Rouen que s'ouvre, le 21 février 1431, le procès de Jeanne la Pucelle. Glacial, comme ce tribunal de quarante-cinq hommes d'Eglise – prêtres, moines et docteurs de l'université de Paris – groupés en demi-cercle autour de Jean Lemaître, vicaire de la Sainte Inquisition à Rouen, et de l'évêque de Beauvais, Pierre Cauchon, qui a mené l'instruction et qui préside le tribunal.

Un cliquetis de chaînes annonce l'arrivée de Jeanne. Elles lui entravent les pieds et on ne les lui enlève jamais, même pour dormir.

C'est la première fois que la plupart de ces hommes voient celle qu'ils appellent « la sorcière ». La sorcière a 19 ans. C'est une belle fille brune, assez grande, et qui le paraît davantage encore dans son costume de page gris et noir, son costume d'*homme*. Elle se tient très droite. Les neuf mois passés en prison depuis sa capture au siège de Compiège, en mai dernier, n'ont laissé aucune trace sur elle.

Jeanne s'assoit sur un petit tabouret, au centre du demi-cercle, et l'évêque Cauchon ouvre le procès. L'accusée, déclare-t-il, a commis de nombreux actes contraires à la foi, et c'est comme hérétique qu'elle sera jugée. Ces actes contraires à la foi, ce sont ces visions d'anges et de saints qu'elle dit avoir chaque jour ou presque et qu'elle appelle bizarrement son « Conseil ».

En réalité, personne n'est dupe. On sait bien que ce ne sont pas les voix de Jeanne que l'on juge, mais ce que ces voix lui ont conseillé de faire. C'est pour leur obéir, en effet, que la Pucelle a chassé les Anglais d'Orléans, en mai 1429, et fait couronner roi de France, deux mois plus tard, sous le nom de Charles VII, celui qui n'était jusqu'alors que le dauphin, à la place du jeune souverain anglais Henri VI.

C'est cela, le véritable crime de Jeanne d'Arc. Et c'est pour cela que le procès a lieu ici, à Rouen, capitale des Anglais en France, avec un tribunal entièrement dévoué à la cause anglaise.

L'évêque Cauchon plante son regard dans les yeux de la Pucelle.

« Jeanne, veuillez prêter serment sur l'Évangile de dire la vérité sur toutes les questions que nous vous poserons. »

Dès la première réponse, c'est la stupeur :

– Je ne sais pas sur quoi vous voulez m'interroger, dit-elle doucement. Il y a peut-être des questions auxquelles je ne répondrai pas.

– Il s'agira de questions touchant la foi, explique l'évêque, visiblement interloqué.

Le ton de Jeanne s'est affirmé :

– Sur ma famille et mes actions, je prêterai bien volontiers serment. Mais quant à mes révélations, je n'en ai jamais parlé qu'à Charles, mon roi. Dussiez-vous me couper la tête, je n'en dirai rien, car mes visions m'ont interdit de le faire.

L'évêque, qui ne s'attendait pas à tant d'entêtement, répète sa question :

– Voulez-vous prêter serment de dire la vérité sur les questions qui touchent à notre foi ?

Un des assesseurs se lève pour aller présenter un missel

à l'accusée. Jeanne s'agenouille, pose les deux mains sur le livre et jure de dire la vérité sur les questions de foi, mais sur celles-là seulement.

L'évêque s'impatiente. On le sent pressé d'en venir au fait.

— Vos nom et surnom ?

— Chez moi, on m'appelait Jeannette. Maintenant, Jeanne. Je ne me connais pas de surnom.

Est-ce par pudeur que Jeanne fait semblant de ne pas savoir que tout le monde l'appelle « la Pucelle » ?

— Lieu de naissance ?

— Domremy, près de Greux, en Lorraine.

Jeanne évoque un instant le petit village de Domremy, son père, Jacques d'Arc, paysan relativement aisé, sa mère, Isabelle, qui lui a appris à coudre et à filer. Passent aussi des images plus sombres. Le pays est sans cesse parcouru par des bandes de soldats bourguignons, alliés des Anglais, qui pillent et incendient, et parfois il faut quitter le village pour se mettre à l'abri.

La suite de l'interrogatoire d'identité montre une jeune paysanne comme les autres, qui aurait mené une existence comme les autres, s'il n'y avait eu, un jour, ces fameuses voix.

Tout cela agace souverainement l'évêque Cauchon. Brusquement, il ordonne à Jeanne de lui réciter le *Notre Père*.

— Entendez-moi en confession, répond-elle, et je vous le dirai volontiers.

Jeanne, habilement, vient de mettre l'évêque dans une situation embarrassante. En effet, seul son confesseur peut lui ordonner de réciter une prière. Et comment Cauchon pourrait-il être à la fois son confesseur et son juge ? Même sur les « questions de foi », comme dit l'évêque, la Pucelle n'a pas l'air décidé à s'en laisser conter.

— Je vous requiers de dire le *Notre Père* ! tonne Cauchon.

— Entendez-moi d'abord en confession, redit Jeanne, imperturbable.

L'évêque, décidément, n'obtiendra rien de cette fille. Embarrassé, il change de sujet. Il lui rappelle qu'il lui est interdit de sortir de sa prison, sous peine d'excommunication ? C'est assez inattendu de prime abord. On ne voit pas très bien comment Jeanne, enchaînée et surveillée nuit et jour par plusieurs hommes d'armes qui dorment dans sa cellule, pourrait sortir de sa prison.

– Je n'accepte pas cette interdiction, réplique-t-elle. Et si je m'échappais, personne ne pourrait me reprocher d'avoir rompu mon serment, car je n'ai rien promis.

L'évêque encaisse, et demande.

– Avez-vous à vous plaindre de quelque chose ?

– Oui, j'ai à me plaindre de ces chaînes que j'ai aux pieds !

Cette fois, Cauchon s'emporte.

– Vous avez tenté de vous évader, voilà pourquoi vous êtes aux fers !

Et, en effet, avant d'être livrée aux Anglais par les Bourguignons, qui l'avaient capturée à Compiègne, la Pucelle a fait une tentative d'évasion en se lançant du haut de la tour du château de Beaurevoir, où elle était détenue. Tentative d'évasion ou tentative de suicide ? Jeanne était tombée dans l'eau d'une douve et avait mis plusieurs jours à se remettre de sa chute.

– C'est vrai, dit-elle, j'ai voulu m'évader, et je le souhaite encore, comme il est normal pour un prisonnier.

L'évêque a un geste dont on ne sait pas s'il est d'impatience ou de découragement, et décide de passer à autre chose.

– Quand avez-vous commencé à entendre des voix ?

Nous y voilà, Jeanne va-t-elle répondre ou « passer outre », comme elle l'a annoncé ?

Elle répond :

– J'avais 13 ans quand j'eus une voix venant de Dieu pour m'aider à me conduire.

Et Jeanne raconte combien cette voix l'a effrayée, la première fois qu'elle l'a entendue. C'était un jour d'été, vers midi, dans le jardin de son père, et la voix venait du côté de l'église, accompagnée d'une grande clarté.

– Et qui vous parlait ainsi ? demande Cauchon.

– C'était une bien noble voix, poursuit Jeanne. Lorsque je l'entendis pour la troisième fois, je reconnus que c'était la voix d'un ange. Elle m'a toujours bien conseillée et je l'ai toujours bien comprise.

– Sous quelle forme cette voix vous est-elle apparue ?

Silence. La Pucelle se referme.

– Vous n'aurez pas cela de moi !

Pourtant une autre question de l'évêque la relance, et Jeanne explique que cette voix, elle l'entendait deux ou trois fois par semaine et qu'elle lui répétait de quitter son village et le duché de Lorraine pour se rendre au royaume de France, afin d'y délivrer Orléans assiégée par les Anglais et faire couronner le dauphin.

Les indications de la voix étaient même extraordinairement précises, puisque c'est elle encore qui lui conseilla d'aller d'abord à Vaucouleurs trouver le sire de Baudricourt, capitaine de la place, qui lui donnerait des armes et une escorte pour se rendre ensuite à Chinon, où se tenait le dauphin. Tout se passa comme l'avait dit la voix et, en mars 1429, un mois après son départ, Jeanne était à Chinon.

– Comptiez-vous être reçue par le roi ? s'étonne Cauchon.

– La voix m'avait promis que le roi me recevrait dès mon arrivée.

– Pourquoi vous fit-il accueil ?

Le ton de Jeanne est simple et merveilleux comme ce qu'elle énonce ensuite.

– Ceux de mon parti savaient bien que la voix m'était venue de Dieu. Quant à mon roi, il eut de nombreuses et belles révélations.

– Quelles révélations ?

– Je ne vous le dirai pas. Allez le lui demander vous-même !

Cette fois, Jeanne se tait pour de bon. Il est évident qu'on ne tirera plus rien d'elle aujourd'hui, et l'évêque préfère lever la séance. Hérétique ou pas, Jeanne d'Arc n'est plus du tout la naïve petite paysanne de Domremy et tout s'est passé aujourd'hui comme si la femme de guerre était de taille à tenir tête aux hommes d'Eglise.

Nouvelle audience le samedi 24 février. D'entrée de jeu, l'évêque Cauchon s'efforce d'obtenir de la Pucelle ce qu'il n'a pu lui arracher jusqu'ici : qu'elle jure de répondre sans réserve à toutes les questions qu'on pourra lui poser.

Jeanne s'y attendait. C'est d'une voix très tranquille, très assurée, qu'elle répond seulement :

– Par ma foi, vous pourriez bien me demander telle chose que je ne vous dirai pas !

Puis après un silence :

– Je ne vous dirai pas la vérité sur mes révélations. Si je le faisais, je risquerais de dire telle chose que j'ai juré de ne pas dire. Alors, ajoute-t-elle avec un sourire malicieux, je serais parjure, ce que vous ne pouvez certainement pas vouloir.

Décidément, cette Pucelle est bien habile. Mais le bonheur avec lequel elle manie l'ironie irrite un peu plus encore l'évêque Cauchon, qui revient à la charge et lui ordonne une nouvelle fois de prêter serment.

On piétinerait, si Jeanne ne décidait tout d'un coup de hausser le ton.

– Faites bien attention quand vous vous dites mon juge ! lance-t-elle à l'évêque. C'est une grande charge que vous prenez là, et moi, vous me chargez trop.

Est-ce que cela signifie que Jeanne récuse ses juges, qu'elle estime ce tribunal incompétent ? C'est en tout cas ce que tout le monde comprend, et pour qu'il n'y ait pas d'équivoque, elle ajoute, en relevant la tête d'un air de défi :

– Je suis venue de par Dieu et je n'ai rien à faire ici. Je demande qu'on me renvoie à Dieu, d'où je suis venue.

L'évêque a du mal à réprimer un mauvais sourire. Jeanne a beau faire la fière, elle vient de tomber dans le piège qu'il lui tendait. Ce qu'elle est en train de dire, c'est qu'il n'y a pas d'intermédiaire entre Dieu et elle, et que, pour elle, l'Église est quantité négligeable. Voilà bien l'hérésie. Voilà bien ce que Cauchon voulait lui faire dire.

Il a ferré sa proie. Il s'en tiendra là pour aujourd'hui et laisse à Me Jean Beaupère, docteur de l'université de Paris, le soin de poursuivre l'interrogatoire. Celui-ci en vient immédiatement à ce qui paraît obséder le tribunal : les voix de Jeanne.

— Quand avez-vous entendu votre voix pour la dernière fois ? demande-t-il d'abord.

— Je l'ai entendue hier et aujourd'hui.

Jeanne a répondu très vite.

— A quelle heure ?

— Je l'ai entendue trois fois, l'une au matin, l'autre à l'heure des Vêpres, et la troisième fois lorsqu'on sonnait pour l'*Ave Maria*.

Et, de nouveau avec ce sourire qui exaspère ses juges :

— En vérité, je l'ai entendue plus souvent que je ne vous le dis.

Jean Beaupère feint d'ignorer cette provocation :

— Que faisiez-vous, hier matin, quand la voix est venue à vous ?

— Je dormais, et la voix m'a réveillée !

— Vous a-t-elle réveillée en vous touchant le bras ?

Étrange question. Comment une voix toucherait-elle un bras ? Et surtout, comment ce docteur en théologie peut-il espérer que Jeanne se laissera prendre à des ruses aussi grossières ?

Elle répond pourtant avec la douceur rêveuse qu'elle a chaque fois qu'elle parle de sa voix :

— J'ai été réveillée sans toucher.

Beaupère insiste :

— La voix était-elle dans votre cellule ?

— Non, mais elle était dans le château.

— Avez-vous remercié cette voix ? Vous êtes-vous mise à genoux ?

– Oui, dit Jeanne. Je me suis assise sur mon lit, j'ai joint les mains et je lui ai demandé secours.

Elle marque un temps d'arrêt et, relevant la tête :

– La voix m'a dit de répondre hardiment.

Puis, comme excédée par la sottise de cet interrogatoire, à moins que ce ne soit pour manifester cette hardiesse que lui a conseillée la voix, Jeanne se tourne brusquement vers l'évêque Cauchon qui l'écoutait en silence, et elle lui jette le même défi hautain que tout à l'heure. Mais cette fois, c'est plus qu'un défi, c'est une menace :

– Vous qui dites que vous êtes mon juge, prenez bien garde à ce que vous faites, car en vérité je suis envoyée de Dieu et vous vous mettez en grand danger...

Cauchon laisse passer l'orage. On devine sa jubilation. Qui est cette fille pour se dire envoyée par Dieu ? Ce n'est plus de l'hérésie, c'est du sacrilège. D'un seul coup, on a l'impression de voir déjà danser les flammes du bûcher sur les hauts murs gris de la salle.

– Voyons, Jeanne, reprend insidieusement maître Beaupère, croyez-vous que cela déplaise à Dieu qu'on dise la vérité ?

Jeanne esquive :

– La voix m'a dit de parler à mon roi, pas à vous. Cette nuit même, elle m'a dit beaucoup de choses pour le bien de mon roi, que je voudrais qu'il sache à présent.

On ne saura pas quelles choses, ce n'est même pas la peine de le lui demander. Me Beaupère prend un autre biais :

– Ne pourriez-vous faire en sorte que cette voix vous obéisse et porte ce message à votre roi ?

C'est encore un piège. Si la voix vient de Dieu, comment obéirait-elle à Jeanne ? Mais, cette fois encore, on a sous-estimé la Pucelle.

– Je ne sais si la voix voudrait obéir, dit-elle, à moins que ce ne soit la volonté de Dieu. Sans la grâce de Dieu, je ne saurais rien faire.

Cette fille est impossible ! Me Beaupère s'impatiente :

– Cette voix a-t-elle un visage, des yeux ?

La réponse était évidente :

– Je ne vous le dirai pas.

Et Jeanne ajoute, à la fois espiègle et brutale :

– Le dicton des petits enfants est que souvent des hommes sont pendus pour avoir dit la vérité.

On a l'impression qu'elle voudrait poursuivre. Me Beaupère ne lui en laisse pas le temps. Avec une espèce de férocité dans la voix, il lâche soudain une question terrible, la question majeure :

– Savez-vous si vous êtes en la grâce de Dieu ?

Jeanne n'a pas un instant d'hésitation. On sent que ses mots viennent droit du cœur.

– Si je n'y suis, Dieu m'y mette. Et si j'y suis, Dieu m'y garde !

Un silence énorme se fait dans la salle, le silence de la stupéfaction. Cette question, combien des doctes théologiens qui sont là pour juger la jeune fille, combien de ces maîtres de l'Église auraient su y répondre ? Lequel d'entre eux aurait su faire preuve d'une telle audace dans la pureté ? Oui, on le sent bien à ce moment-là, Jeanne est vraiment dans la grâce de Dieu.

Mais le tribunal n'est pas là pour s'émerveiller. Il est là pour condamner une hérétique. Il s'agit de dissiper au plus vite le trouble qui s'est emparé de l'assistance. Que faire ? L'évêque Cauchon suspend l'audience.

A la reprise des débats, quelques instants plus tard, l'accusation se place sur un autre terrain. Pour effacer l'impression lumineuse produite par la dernière réponse de Jeanne, on va tenter de montrer qu'elle est bien une hérétique.

C'est de nouveau Me Beaupère qui l'interroge, et il demande à Jeanne, si, dans sa jeunesse, elle allait s'ébattre dans les champs avec les autres enfants de Domremy et y garder les bêtes du village.

– Oui, dit Jeanne, mais seulement quand j'étais petite.

— Alors, dit Me Beaupère, vous connaissez l'Arbre aux fées.

Il s'agit d'un grand hêtre au bord d'une fontaine, près de Domremy. Les gens du village affirmaient que l'eau de la fontaine guérissait les maladies et que l'arbre lui-même était visité par les fées. Jeanne allait-elle là-bas, au fond de la forêt, dans le domaine de l'obscur, du magique, du diabolique ?

— J'y allais quelquefois, dit Jeanne, en été, avec d'autres jeunes filles, et nous y tressions des couronnes de roses. Mais je n'ai jamais vu de fée, ni là ni ailleurs, et je n'ai jamais cru qu'il y en ait.

Cette fois encore, Me Beaupère n'a pas eu de chance. Il essaye autre chose.

— Jeanne, voulez-vous porter l'habit de femme ?

— Donnez-m'en un, dit-elle. Je le prendrai et m'en irai d'ici. Autrement, je ne le prendrai pas. Je suis contente de celui-ci, puisqu'il plaît à Dieu que je le porte.

Personne ne s'y trompe, c'est là un des points importants du procès. L'évêque Cauchon avait déjà souligné que le port de l'habit d'homme, cet habit qui fait de Jeanne un *guerrier*, était un « crime abominable aux yeux de Dieu ».

Ce n'est pas l'avis de Jeanne. Pour elle, ce vêtement est un symbole : celui de la guerre de libération qu'elle a menée, celui de la femme de guerre, de la rebelle à la loi anglaise qu'on est en train de juger en réalité, derrière la comédie du procès religieux. D'où le nouveau défi que constitue sa réponse et qu'elle va porter plus haut encore avec une phrase terrible dont ses juges se souviendront longtemps.

A Me Beaupère, qui lui demandait si elle voyait de la lumière quand sa voix lui parlait, Jeanne, se redressant, a jeté :

— Il y a beaucoup de lumière, oui. Toute lumière ne vient pas que pour vous !

Ce samedi 17 mars 1431, cela fait une semaine que Jeanne d'Arc n'est plus sortie de sa prison. C'est sans doute l'insolence de la jeune femme à l'égard de ses juges qui lui vaut ce traitement spécial. Toujours est-il que les audiences ont maintenant lieu à huis clos, à l'intérieur même de la prison. Cette mesure vient s'ajouter à une liste déjà longue de brimades et d'irrégularités.

D'abord, Jeanne est enfermée dans une prison laïque, et confiée à la garde de soldats anglais, alors que le droit canonique est formel : un accusé qui comparaît devant un tribunal d'Église doit être détenu dans une prison d'Église. Dans le cas de Jeanne, elle devrait en outre se trouver dans une prison de femmes, et gardées par des femmes.

Mais le plus grave, peut-être, c'est qu'on ne lui a donné ni avocat ni conseiller et qu'elle doit se défendre seule. Comment s'en étonner d'ailleurs, quand on sait que tous les frais du procès sont à la charge des Anglais, les juges payés par eux, et qu'il a été annoncé, avant même l'ouverture du procès, que dans le cas, bien improbable, où Jeanne serait reconnue innocente des accusations d'hérésie et de sorcellerie, elle serait aussitôt rendue aux Anglais, qui la jugeraient à leur tour. C'est assez dire que le procès religieux n'est là que pour masquer l'autre procès, le vrai : celui que fait l'Angleterre à cette fille qui avait juré de « bouter les Anglais hors de France », et qui a bien failli y réussir.

C'est donc dans la cellule de Jeanne qu'a lieu cette nouvelle audience. L'évêque Cauchon est là, bien sûr, ainsi que l'inquisiteur de Rouen, Jean Lemaître, un huissier, un moine et deux docteurs de l'université de Paris. C'est Me Jean de La Fontaine qui procède à l'interrogatoire.

— Voulez-vous soumettre à l'appréciation de notre Sainte Mère l'Église tous vos faits, soit en bien, soit en mal ? commence-t-il.

Cette question est de première importance. Jeanne, d'ailleurs, ne s'y trompe pas. Elle s'efforce de nuancer sa réponse :

— J'aime l'Église, je voudrais la soutenir de tout mon pouvoir et ce n'est pas moi qu'on devrait empêcher d'aller entendre la messe comme vous le faites. Quant à mes actions, je m'en rapporte au roi du Ciel qui m'a envoyée à Charles, le vrai roi de France.

Réponse prudente, bien que ferme. Mais, cette fois encore, Jeanne ne peut s'empêcher d'y ajouter un défi à ses juges. Elle reprend :

– Vous verrez que les Français gagneront bientôt une grande bataille. Je le dis pour que, quand cela arrivera, vous vous souveniez que je vous l'avais dit.

Jean de la Fontaine n'a aucune envie de s'engager sur ce terrain-là. Il revient à son sujet :

– Acceptez-vous, pour vos propos et vos actions, le jugement de l'Église ?

A plusieurs reprises, Jeanne a récusé le tribunal qui la juge. Va-t-elle se soumettre, cette fois ? Non, elle n'a qu'un langage :

– Je m'en rapporte à Dieu, qui m'a envoyée. M'est avis que Dieu et l'Église, c'est une seule et même chose. Pourquoi faites-vous des difficultés avec cela ?

Pourquoi ? Jean de La Fontaine, plus patient que l'évêque Cauchon, va le lui expliquer :

– Il y a une Église triomphante, dit-il, où sont Dieu, les saints et les anges. Et il y a une Église militante, qui comprend le pape, les cardinaux et prélats, le clergé et tous les bons chrétiens. Cette Église ne peut se tromper, car elle est animée par le Saint-Esprit. Voulez-vous vous en remettre à l'Église militante, celle qui est sur terre ?

C'est clair. Si Jeanne refuse de faire sa soumission à la hiérarchie religieuse, elle sera déclarée hérétique.

La Pucelle a parfaitement compris, mais il y a longtemps qu'elle a fait son choix.

– Je suis venue au roi de France de par Dieu, répond-elle une fois de plus. Et à Dieu, je soumets tout ce que j'ai fait et ferai.

En tout cas, la voilà prévenue. Jean de la Fontaine pose une dernière question, un peu imprudemment :

– Répondriez-vous plus pleinement la vérité à Notre

Seigneur Pape sur toutes les questions touchant la foi que vous ne le faites avec nous ?

Jeanne bondit sur l'occasion :

– Parfaitement. Je demande à être conduite devant Notre Seigneur Pape, et je répondrai devant lui tout ce que je devrai répondre.

Là encore, Jeanne montre toute son habileté en prenant ses juges au mot. Mais ce n'est pas au pape qu'ils doivent remettre la Pucelle, c'est aux Anglais. Jean de la Fontaine s'empresse de changer de sujet.

La question suivante est étrange. C'est presque un aveu. Après tout, cet homme n'est-il pas d'abord un serviteur des Anglais ?

– Dieu déteste-t-il les Anglais ?

Jeanne a un sourire.

– J'ignore tout de l'amour ou de la haine que Dieu a pour les Anglais, dit-elle, et j'ignore ce qu'il fait de leurs âmes. Mais je sais bien qu'ils seront chassés de France, à l'exception de ceux qui y mourront.

Pour le coup, Jeanne se retrouve sur son terrain, sur son champ de bataille, brandissant son étendard. Est-ce que Jean de la Fontaine a senti passer ce souffle ? En tout cas, c'est précisément sur cet étendard qu'il se met à interroger Jeanne, cet étendard sur lequel elle a fait représenter deux anges, excellent prétexte à une accusation d'idolâtrie.

– Qui vous a poussée à faire peindre des anges avec des bras, des pieds, des jambes et des vêtements ? demande-t-il. Est-ce ainsi qu'ils vous apparaissent ?

– C'est ainsi qu'ils sont peints dans les églises.

– Pourquoi n'y avait-il que deux anges ?

Visiblement, la futilité de cet interrogatoire commence à agacer la Pucelle, qui répond sèchement :

– Tout l'étendard était commandé de la part de Dieu par les voix de sainte Catherine et de sainte Marguerite, qui m'avaient dit : « Prends l'étendard, de par le roi du Ciel ! » Je vous répète que j'ai tout fait par le commandement de Dieu.

Mais Jean de la Fontaine poursuit son idée d'idolâtrie :

– Aviez-vous demandé à ces deux saintes si la vertu de cet étendard vous donnerait la victoire ?

– Elles me dirent de le prendre hardiment, et que Dieu m'aiderait.

Ce n'est pas ce que le juge veut entendre. Il revient à la charge.

– L'espoir de la victoire était-il fondé sur l'étendard ou sur vous-même ?

– Il était fondé sur Notre Seigneur, et sur lui seulement.

Jean de la Fontaine insiste :

– Mais si quelqu'un d'autre avait porté cet étendard, aurait-il eu aussi bonne fortune que quand vous l'aviez ?

– Je n'en sais rien, dit Jeanne. Je m'en rapporte à Dieu !

Jean de la Fontaine lâche prise. Il n'est pas plus facile de convaincre la Pucelle d'idolâtrie que de sorcellerie. Un dernier point, pourtant :

– Pourquoi votre étendard fut-il davantage porté à l'église de Reims, pour le couronnement de votre roi, que l'étendard des autres capitaines ?

La réponse arrive aussitôt, cinglante :

– Il avait été à la peine. Il était juste qu'il fût à l'honneur.

Réponse de soldat, qui fait apparaître plus incongrue la question suivante :

– Que dites-vous de cet habit de femme qui vous est offert pour que vous puissiez aller entendre la messe ?

C'est en effet le marché qu'on a proposé à Jeanne : la possibilité d'assister à la messe en échange du renoncement à cet habit d'homme qui scandalise ses juges et que Jeanne, par défi, par défi guerrier, s'entête à porter – jusqu'à ce qu'elle soit relâchée, leur a-t-elle dit.

– Votre habit de femme, répond Jeanne, je ne le prendrai que lorsqu'il plaira à Dieu.

Jean de la Fontaine se fait doucereux.

– Mais alors, suggère-t-il, puisque vous avez dit que vous prendriez l'habit de femme si on vous laissait partir, croyez-vous qu'à ce moment-là cela plairait à Dieu ?

Le juge croit sans doute avoir fait preuve d'humour, ou d'ironie. Il a seulement lancé une perche à Jeanne pour un nouveau défi.

– Si vous me laissiez partir, dit-elle, je me remettrais aussitôt en habit d'homme, et je ferais ce qui m'a été commandé par Dieu. Je vous ai déjà dit que pour rien au monde je ne vous ferai le serment de ne pas reprendre les armes.

Du fond de la pièce où il s'était tenu tout ce temps sans intervenir, l'évêque Cauchon grommelle qu'il en a assez entendu pour aujourd'hui. La lourde porte de la cellule se referme derrière les juges. Une fois de plus, Jeanne se retrouve seule avec ses gardiens anglais.

Le lundi 28 mai 1431, l'évêque Cauchon, accompagné de quelques-uns de ses assesseurs, se rend en grande hâte dans la cellule de Jeanne. Cette fois, il la tient. Jeanne a repris l'habit d'homme. Elle est donc *relapse*, comme disent ses juges. Récidiviste. Le piège qu'il lui avait tendu a parfaitement fonctionné.

Il y a trois mois que le procès dure. Trois mois que Jeanne est enchaînée, surveillée nuit et jour, qu'elle n'a pas un instant de répit. Trois mois que ses juges la harcèlent, posant et reposant indéfiniment les mêmes questions. Et il y a trois mois qu'elle leur tient tête. Rien ne l'a ébranlée, rien ne lui a fait peur, pas même la menace de la torture. Il fallait en finir. Voilà pourquoi à la mi-mai, l'université de Paris, réunie en séance plénière, a adopté une liste de douze chefs d'accusation qui lui était soumise par l'évêque Cauchon, accompagnée d'une lettre du roi d'Angleterre. Ces douze articles permettent de déclarer Jeanne coupable d'hérésie, de sorcellerie et d'idolâtrie. On l'accuse aussi, parce qu'elle a tué des Anglais, d'être « assoiffée de sang chrétien ».

Le 23 mai, on l'a solennellement exhortée à renoncer à ses « erreurs et scandales ».

Jeanne n'a pas bronché.

– Je maintiens tout ce que j'ai toujours dit, a-t-elle simplement répondu. Puis, avec un éclair dans les yeux : « Et même si je voyais le bûcher dressé, le bourreau prêt à y mettre le feu et que je sois dedans, je soutiendrais ce que j'ai dit jusqu'à la mort ! »

Le bûcher ? Ses juges vont la prendre au mot. On verra bien, pensent-ils. C'est qu'il ne s'agit pas seulement pour eux de la condamner... Il faut encore qu'elle se renie elle-même, qu'elle abjure tout ce qu'elle a juré.

D'où la grande mise en scène du lendemain, 24 mai, destinée à faire plier la Pucelle. Un bûcher et des tribunes sont dressés dans le cimetière Saint-Ouen de Rouen. Jeanne va y être conduite et menacée de feu si elle n'abjure pas publiquement.

Il y a foule pour assister au spectacle, on se presse au pied des tribunes où ont pris place les membres du tribunal et plusieurs dignitaires anglais, parmi lesquels le vrai maître de l'Angleterre, l'évêque de Winchester, grand-oncle du jeune roi Henri VI. Jeanne leur fait face, sur une autre tribune.

Les choses commencent par un sermon de maître Guillaume Erard, ami personnel de Cauchon. En fait de sermon, c'est une bordée d'injures !

– Jeanne, hurle Me Erard, vous êtes magicienne, hérétique, schismatique. Il n'y a jamais eu de monstre pareil à vous. Et votre roi, qui a voulu récupérer son royaume grâce à une femme comme vous, est votre semblable.

Et comme Jeanne veut protester :

– Taisez-vous ! crie-t-il.

Puis d'un ton plus doux, presque mielleux :

– Jeanne, nous avons pitié de vous. Il faut que vous rétractiez ce que vous avez dit, ou alors nous vous remettrons à la justice séculière.

La justice séculière, c'est-à-dire les Anglais. Le bûcher est là, au centre du cimetière, pour donner du poids aux paroles de Guillaume Erard.

— Vous vous donnez beaucoup de mal pour me séduire, répond Jeanne.

Mais cette fois, il passe plus de tristesse que de défi dans sa voix. Il y a un silence, puis, à la stupéfaction générale, Jeanne dit simplement :

— Je ferai ce que vous voudrez.

Aussitôt, un certain Jacques Calot, secrétaire du roi d'Angleterre, tire de sa manche une feuille de papier sur laquelle sont écrites sept ou huit lignes. Ainsi le texte d'abjuration était tout préparé, et préparé par les Anglais !

Jeanne a un mouvement de recul. Va-t-elle changer d'avis ? Me Erard ne lui en laisse pas le temps. Il s'écrie, la tutoyant tout d'un coup :

— Signe maintenant, sinon tu finiras tes jours par le feu !

D'une voix faible, Jeanne murmure que oui, qu'elle préfère signer plutôt qu'être brûlée. Mais elle ajoute qu'elle ne sait ni lire ni écrire.

Me Erard, alors, lui lit à haute voix les quelques mots par lesquels Jeanne se renie elle-même. Elle doit répéter après lui et on lui tient la main pendant qu'elle signe d'une croix. Oui, elle accepte le jugement d'hérésie, non elle n'a jamais entendu de voix. Elle ne portera plus jamais l'habit d'homme.

Mais, alors, se produit là une chose incroyable. En prononçant son abjuration, Jeanne éclate de rire !

Sur la tribune, les dignitaires anglais étouffent de fureur. Certains tirent même leur épée pour en menacer l'évêque Cauchon. Ils crient qu'il y a eu traîtrise, que Jeanne vient de leur échapper puisqu'on lui a promis la liberté en échange de son reniement. Cauchon les rassure. Ils auront bien la Pucelle.

— Afin que tu fasses pénitence salutaire, lui dit-il, nous te condamnons à la prison perpétuelle, au pain de douleur et à l'eau de tristesse, pour que tu pleures tes péchés et que tu n'en commettes plus.

Jeanne pâlit. Ainsi, tout ce qu'ils voulaient, c'était l'humilier, la forcer à se renier. Bien sûr, ils ne peuvent plus la brûler, puisqu'elle a abjuré, mais elle passera le reste de sa vie en prison !

Les Anglais, de leur côté, sont furieux. Ils n'ont pas organisé et payé ce procès, ils n'ont pas acheté Jeanne à leurs alliés dix mille écus d'or, pour qu'elle s'en tire comme ça ! Ils veulent la brûler.

De retour dans sa cellule, Jeanne a donc repris, comme elle s'y était engagée, un habit de femme. Et voilà que trois jours plus tard, le dimanche 27 mai, elle est de nouveau habillée en homme. Que s'est-il passé ? Cela semble insensé. L'explication est très simple.

Jeanne est toujours prisonnière des Anglais, gardée par eux. Dès lors, il leur suffit d'obliger la Pucelle de se vêtir de nouveau en homme pour qu'elle soit déclarée *relapse* et, par là, se condamne elle-même au bûcher. C'est ce qui est arrivé, et c'est pourquoi, ce lundi 28 mai, le tribunal est de nouveau réuni dans la cellule de Jeanne.

— Pourquoi avez-vous repris cet habit d'homme ? demande Cauchon.

Jeanne hésite un instant :

— Je l'ai pris parce que c'était plus convenable d'avoir un habit d'homme, puisque je suis avec des hommes. Et je l'ai repris parce que CE QUI M'AVAIT ÉTÉ PROMIS N'A PAS ÉTÉ TENU !...

Ce n'est pas tout à fait ça.

En réalité, les gardiens de Jeanne lui ont tout simplement confisqué ses habits de femme. D'autres assurent même qu'un grand seigneur anglais a tenté d'abuser d'elle dans sa cellule, et que Jeanne aurait alors demandé à se vêtir de nouveau en homme, s'estimant ainsi mieux protégée. Provocation, évidemment !

Mais cela, Jeanne ne le dit pas. Par pudeur, sans doute. Et aussi parce qu'elle s'est ressaisie depuis l'autre jour.

Cauchon insiste, impitoyable :

— N'aviez-vous pas fait abjuration et promis spécialement de ne pas reprendre l'habit d'homme ?

– J'aime mieux mourir que de rester enchaînée, soupire Jeanne. Mais s'il m'est permis d'aller à la messe, qu'on me délivre de mes fers et que je sois gardée par des femmes, je serai bonne et ferai ce que l'Église voudra.

Il faut remarquer que la demande de Jeanne d'être gardée par des femme semble bien confirmer l'hypothèse de la tentative de viol.

L'évêque se garde bien de répondre. Il a mené jusqu'à son terme la farce du procès religieux, il doit maintenant passer la main à ses maîtres anglais et il n'est venu là que pour porter le coup de grâce. Une chose, pourtant, le tourmente :

– Depuis votre abjuration, avez-vous entendu vos voix ?

– Oui, répond Jeanne, et Dieu m'a fait savoir par elles que j'avais commis une grande trahison en faisant abjuration, et que je me damnais pour sauver ma vie. C'est vrai que Dieu m'a envoyée, et tout ce que j'ai révoqué, je l'ai fait seulement par peur du feu.

L'évêque revient à la charge :

– Vous avez pourtant dit sur la tribune, devant nous, vos juges, et devant le peuple, que vous abjuriez et que c'était mensongèrement que vous vous étiez vantée d'entendre des voix.

Jeanne ne peut plus que se répéter, et c'est la dernière fois qu'elle a l'occasion de défier ses juges :

– C'était par peur du feu ! Mais j'aime mieux mourir que de rester plus longtemps en prison. Je n'ai jamais rien fait contre Dieu ni contre la foi, et ce qu'on m'a fait abjurer je ne le comprenais pas.

C'est son dernier mot. Celui de Cauchon va être terrible. Les Anglais lui ont bien fait comprendre qu'ils étaient pressés d'en finir. Ils sont là, derrière la porte, qui attendent. Cauchon sort de la cellule et se dirige vers le comte de Warwick.

– Adieu ! lui dit-il en passant devant lui. C'est fait. Faites bonne chère.

« Faites bonne chère », c'est cela le dernier mot, le mot atroce de l'évêque Cauchon. Il vient de livrer Jeanne au bûcher !

Ils l'ont brûlée le surlendemain.

Quand on est venu la chercher, elle s'est exclamée :

– On me traite bien cruellement. Pourquoi faut-il que mon corps, qui ne fut jamais corrompu, soit aujourd'hui consumé et réduit en cendre !

Puis, se tournant vers Cauchon :

– Évêque, je meurs par vous !

Sur la place du Vieux Marché, à Rouen, où l'on avait dressé le bûcher, on a vite expédié le dernier sermon adressé à la « sorcière » et la lecture de la sentence.

Dans le feu, Jeanne, qui ne quittait pas des yeux la croix qu'on lui tendait, a crié six fois : « Jésus ! Jésus ! »

Ses cendres ont été jetées dans la Seine.

Le 7 juillet 1456, à 9 heures du matin, la foule se presse dans la grande salle du palais archiépiscopal de Rouen, pour assister à l'événement que toute la ville attend depuis vingt-cinq ans !

Il y a là l'archevêque de Reims, l'évêque de Paris, l'évêque de Coutances, le grand inquisiteur Jean Bréhal. Il y a aussi, à la barre, le frère de la Pucelle, Jean d'Arc. Après les préambules et formalités d'usage, l'évêque de Reims se lève. L'instant est venu.

– Attendu la requête de la famille d'Arc commence l'évêque, vu les informations et consultations juridiques, vu les faits, nous, siégeant à notre tribunal et ayant Dieu seul devant les yeux, déclarons que lesdits procès et sentence, entachés d'iniquité, de contradictions et d'erreurs manifestes en droit et en fait, sont nuls, sans valeur, sans effet et anéantis. Nous les cassons, annulons et déclarons qu'ils doivent être lacérés. Nous proclamons que Jeanne n'a contracté aucune sorte d'infamie et nous l'en lavons absolument.

Un murmure d'approbation parcourt la foule. Il y a même des cris de joie. L'un des exemplaires de l'acte d'accusation de 1431 est déchiré symboliquement. Puis, l'assemblée se transporte au cimetière de Saint-Ouen, où, en 1431, avait eu lieu la fameuse abjuration de Jeanne. Là, l'arrêt de l'évêque est prononcé une nouvelle fois.

Vingt-cinq ans ! Il aura fallu attendre vingt-cinq ans pour que soit enfin reconnue innocente celle que d'autres ecclésiastiques français avaient livrée au bûcher dans cette même ville de Rouen.

En réalité, le processus de réhabilitation n'a démarré qu'il y a sept ans, en 1449. Pourquoi si tard ? Simplement parce que la guerre entre la France et l'Angleterre n'a pris fin qu'à cette date. Charles VII, le roi de France, le roi de Jeanne, est bien entré à Paris en 1437, réalisant ainsi la prophétie de la Pucelle qui disait, peu avant de mourir, en 1431, qu'avant sept ans les Anglais perdraient le plus grand gage qu'ils aient eu en France. Le plus grand gage, c'était Paris. Charles VII, lui, attend le *recouvrement* de Normandie pour faire son entrée dans Rouen, en novembre 1449. Il sait bien qu'il n'a rien fait pour celle à qui il devait son trône. Pas une expédition militaire, pas même une offre de rançon pour libérer Jeanne, rien.

Il faut dire aussi que toutes les pièces du procès étaient conservées à l'archevêché de Rouen, et qu'aucune action judiciaire ne pouvait être entreprise avant que la ville ne soit redevenue française.

Le 15 février 1450, à Rouen, quelques jours après la mort d'Agnès Sorel, Charles VII dicte à l'un de ses conseillers, le chanoine Guillaume Bouillé, une lettre par laquelle il le charge de faire la vérité sur le procès de la Pucelle.

Moins de trois semaines après la lettre royale, comparaît le premier témoin. Il s'agit de Guillaume Manchon, un des notaires du procès de Jeanne. Il a assisté à toutes les audiences, il a tout noté, apposé sa signature sur chaque page des minutes. Six autres témoins sont entendus le lendemain. L'affaire est bien engagée, et, dès ces premiers jours, on est fixé sur les nombreuses irrégularités du procès.

On apprend par exemple qu'un certain Loiseleur, qui se présentait à Jeanne comme son confesseur, et son « ami », rapportait aux juges les confidences de la pucelle, fournissant ainsi au tribunal de précieuses indications. A l'audience, le même Loiseleur, caché derrière un rideau, rédigeait un compte rendu systématiquement faux des déclarations de l'accusée.

Pourtant, provisoirement, les choses ne peuvent aller plus loin. Mené par un tribunal d'inquisition, le procès de Jeanne ne peut être révisé que par l'Inquisition.

En février 1452, le légat du pape, Guillaume d'Estouteville, après un entretien avec Charles VII, charge le nouvel inquisiteur général de France, Jean Bréhal, de prendre en main la cause de Jeanne. Les deux ecclésiastiques se mettent au travail ensemble, et rédigent un interrogatoire destiné aux témoins qu'ils veulent citer.

Les premiers d'entre eux comparaissent le 2 mai. Il y a beaucoup d'absents. Cauchon est mort il y a deux ans ; le promoteur de la cause, Jean d'Estivet, avait été retrouvé noyé dans un égout ; on a perdu la trace de l'inquisiteur Jean Lemaître. Les réponses des survivants vont pourtant soulever tant d'interrogations nouvelles qu'il faut bientôt dresser un second questionnaire, beaucoup plus approfondi que le précédent. Ce second questionnaire va servir de base à tout le procès de réhabilitation. Les interrogatoires reprennent le 8 mai. Ce sont eux qui vont mettre en lumière la véritable nature du procès de Jeanne, sa nature politique.

Procès politique, car c'était bien la femme de guerre, la « libératrice », qui était jugée, et on ne lui a fait un procès religieux, un procès d'hérétique, que pour mieux détruire le prestige dont l'auréolaient sa réputation de sainteté, et ses exploits militaires. Et surtout, au-delà de sa personne, il s'agissait d'établir le caractère illégitime des prétentions au trône, puis du couronnement, d'un roi, Charles VII, qui s'appuyait sur une sorcière pour arriver à ses fins.

D'où, comme dans tout procès politique, l'accumulation scandaleuse d'irrégularités. La première, la plus lourde de conséquences, avait été la détention de Jeanne dans une prison anglaise au lieu d'une prison d'Église. Mais aussi l'absence d'avocat, les manœuvres d'intimidation, la non-lecture à l'accusée de l'acte d'accusation et la substitution d'un texte d'abjuration à un autre. Celui que Jeanne a effectivement prononcé au cimetière de Saint-Ouen, et qui était très bref, a mystérieusement disparu au profit d'un autre, beaucoup plus long et détaillé, dont Jeanne n'a jamais eu connaissance, qu'elle n'a donc jamais signé, et qui fut pourtant présenté par ses juges comme le véritable reniement de la Pucelle. Sans compter le piège final, qui l'oblige à reprendre l'habit d'homme et, par là, à se condamner, etc.

Parmi les témoins entendus, l'un d'eux, le moine Isambart de la Pierre qui fut – avec le frère Martin Ladvenu – l'un des fidèles amis de la Pucelle, raconta que le bourreau vint au couvent des frères prêcheurs et lui dit, ainsi qu'à frère Martin Ladvenu, qu'il « craignait beaucoup d'être damné car il avait brûlé une sainte femme... ».

C'est tout cela qui surgit à présent de l'audition des témoins du procès de 1431. Le 22 mai, Guillaume d'Estouteville informe officiellement le roi de la fin de l'enquête, et se déclare personnellement convaincu de l'innocence de Jeanne. L'inquisiteur Jean Bréhal, de son côté, rédige un résumé de l'affaire à l'intention des docteurs de l'université de Paris et leur pose la question : « Tireriez-vous la même conclusion que les juges de Rouen ? »

L'affaire suit lentement son cours. Enfin, en 1455, encouragée par Bréhal, la famille de Jeanne décide de se porter partie civile. La famille de Jeanne, c'est-à-dire, alors, sa mère, Isabelle, et ses deux frères, Pierre et Jean. En juin 1455, le pape Calixte III les autorise à demander la réhabilitation de Jeanne. Et le 7 novembre de la même année a lieu, dans la nef de Notre-Dame à Paris, une audience tout à fait étonnante. Escortée de tout un groupe d'habitants d'Orléans qui ont joint leurs plaintes à la sienne – Orléans, la ville délivrée par Jeanne – la vieille paysanne vient y présenter sa requête devant une foule telle que les juges doivent se réfugier dans la sacristie, entraînant Isabelle avec eux.

– J'avais une fille, commence la vieille femme, née en légitime mariage, que j'avais munie dignement des sacrements du baptême et avais élevée dans la crainte de Dieu et le respect de l'Église autant que le permettaient son âge et la simplicité de sa condition. Pourtant, bien qu'elle n'ait jamais pensé ou fait quoi que ce soit qui l'écartât de la foi, certains ennemis l'ont traduite en procès et, sans qu'aucun secours ait été donné à son innocence, l'ont condamnée de façon criminelle et l'ont fait mourir très cruellement par le feu.

Les juges eux-mêmes ne peuvent dissimuler leur émotion. Tout le monde sent bien que c'est le vrai procès de Jeanne qui s'ouvre là, dans ce sanctuaire de Notre-Dame de Paris.

Surgissent alors, comme d'un lointain passé, la plupart de ceux qui ont connu Jeanne : paysans, et paysannes de Domremy, compagnons d'armes, princes de sang royal, prélats. Me Jean Beaupère, un des juges de Jeanne les plus acharnés à sa perte, et dont les sentiments de haine n'ont pas varié, est là lui aussi... On le voit se retirer ensuite, sans être inquiété. Étonnant Moyen Age !

A la fin de cette même année 1455, le tribunal se transporte à Rouen, où tous les participants au procès sont invités à comparaître du 12 au 20 décembre. Les proclamations sont faites par voie d'affiches ou criées dans les rues. Le notaire Guillaume Manchon remet au tribunal toutes les pièces qu'il détenait encore.

En janvier 1456, une série d'interrogatoires se déroule dans le presbytère de la petite église de Domremy. Les témoins de l'enfance de Jeanne viennent y raconter la fillette et la jeune fille qu'ils ont connue. Nouvelles enquêtes aussi à Rouen et à Orléans. A travers toutes les dépositions, y compris celles des plus grands seigneurs, comme le duc d'Alençon, perce maintenant l'enthousiasme pour la Jeanne héroïque qui fait son entrée dans la légende.

Le 30 mai, nouvelle audience à Rouen. Ce n'est plus qu'une simple formalité. On fait appel aux contradicteurs éventuels. Comme il fallait s'y attendre, personne ne se présente. Le 10 juin, tous les documents du procès sont réunis entre les mains de l'inquisiteur Jean Bréhal, qui dresse alors sa révision de l'ensemble du procès. Point par point, toutes les accusations portées contre Jeanne y sont réfutées pièces à l'appui. Rien ne subsiste de l'accusation d'hérésie.

Le 2 juillet, le promoteur de la cause, Simon Chapitault, et Guillaume Prévosteau, l'avocat de la famille de Jeanne, viennent supplier les juges de prononcer au nom du Saint-Siège sa réhabilitation. Ce qui est fait, en grande pompe, ce 7 juillet 1456.

Il aura fallu vingt-cinq ans et un retournement complet de la situation du royaume pour que le premier procès politique de notre histoire connaisse ce spectaculaire renversement : la sorcière de jadis transformée en héroïne nationale ! Quand ils se séparent, ce matin de juillet, tous ceux qui ont accompagné les juges au cimetière Saint-Ouen se donnent rendez-vous, le lendemain, sur la place du Vieux Marché à Rouen, où avait été dressé, jadis, le bûcher de Jeanne. L'évêque y annonce qu'on y érigera une croix « en mémoire perpétuelle et pour qu'on y prie pour le salut de son âme et celui des autres défunts ».

3. *Le procès de Vrain-Lucas*

Le 17 février 1870 la foule des badauds parisiens qui descend le nouveau boulevard Saint-Michel, en direction du palais de justice, regarde encore avec étonnement l'imposante cathédrale Notre-Dame dont on ne voyait jusqu'à ces dernières années que les tours massives émergeant des toits, et qui se dresse maintenant, solitaire, au-dessus de la Seine. Le baron Haussmann l'a dégagée à grands coups de pioche ; toutes les masures moyenâgeuses qui l'entouraient ont été rasées, laissant l'île de la Cité étrangement dénudée.

Mais ce n'est pas pour visiter les grands travaux, qui bouleversent Paris depuis plus de quinze ans, que toutes ces dames en crinoline et ces messieurs à la bedaine décorée de chaînes de montre ont mis à profit cette journée d'hiver ensoleillée. C'est à un procès très parisien qu'ils sont venus assister. Un procès qui oppose l'Académie des sciences à un paysan ! Un procès qui, pour une fois, ne donne pas le frisson, mais qui nous fait rire. Un procès qui n'a pas l'austère cour d'assises pour décor, mais la salle obscure de la sixième chambre correctionnelle.

Il y a tant de monde aujourd'hui aux entrées du palais que les portes à tambour sont bloquées. Dans les escaliers, les huissiers, affolés, ne parviennent pas à canaliser le public. Au premier étage, des gendarmes moustachus et grognons jouent des coudes pour introduire dans les prétoires les prévenus des multiples audiences de ce vendredi après-midi.

Pourtant, la triste litanie des vols à la tire, femmes battues, ivresse sur la voie publique, fausses factures, violences à agent et autres misères quotidiennes semble n'intéresser personne. Le président est sans cesse obligé d'intervenir pour faire taire quelques messieurs importants qui parlent avec animation des prochaines élections, quand ce ne sont pas des jeunes femmes élégantes qui jacassent comme dans un salon.

Seul un groupe de vieillards, assis au premier rang, dignes et sévères, reste silencieux. Ce sont des académiciens ! Soudain, un homme de haute taille, très âgé lui aussi, entre par une porte latérale. Il jette un coup d'œil désespéré sur les vieux messieurs du premier rang, qui lui font des petits gestes d'encouragement. L'apparition du nouveau venu provoque dans le public des mouvements divers : il y a des interjections, des rires, des quolibets auxquels répondent quelques timides applaudissements.

L'homme qui vient d'entrer ressemble à tous les notables du Second Empire : vêtu d'une longue redingote noire, de nombreuses décorations à la boutonnière, le chapeau haut de forme à la main, il se tient bien droit, malgré ses cheveux blancs. Il a le front large, le menton lourd, les yeux profondément enfoncés sous d'épais sourcils.

– Monsieur Chasles, veuillez je vous prie vous asseoir au banc de la partie civile, lui dit le président sur un ton déférent.

Michel Chasles, 77 ans, membre de l'Institut, polytechnicien, commandeur de la Légion d'honneur, décoré de la médaille de Coplan, la plus haute distinction accordée par l'Angleterre à un savant, s'assied donc à sa place d'un air accablé. Cet homme mondialement connu – c'est le géomètre le plus illustre de son époque – a décidément une attitude bien étrange !

Au lieu d'être sûr de lui, et un peu arrogant comme tous les plaignants de sa qualité, le voilà renfrogné, la tête baissée, le regard fuyant, donnant tous les signes du remords et de la culpabilité.

L'accusé, qui vient de pénétrer dans le box, promène en revanche un regard ironique sur la salle. C'est un petit homme à l'air sournois. Le visage épais, encadré de rouflaquettes grises, le nez court, il a des allures de paysan endimanché avec sa veste sombre, son col dur et sa cravate nouée à la diable.

– Vrain-Lucas, lui dit le président, vous êtes prévenu d'avoir commis le délit d'escroquerie au détriment de M. Michel Chasles, membre de l'Institut...

L'affaire, jusque-là, semble des plus banales, et un témoin non averti se demanderait pourquoi un tel procès a pu attirer tant de monde.

Le président poursuit :

– Vous avez fait preuve d'une habileté aussi étonnante que coupable. On ne pourrait être plus laborieux que vous ne l'avez été pour le mal ! Car il vous a fallu, je le reconnais, un certain courage pour fabriquer et pour vendre, durant huit années consécutives, à M. Chasles, grand collectionneur d'autographes, 27 345 faux pour une somme totale de 140 000 F !...

Dans la salle, il y a des « Ah ! » et des « Oh ! » admiratifs. Il faut dire que 140 000 F, sous le Second Empire, représentent quelque 80 millions de nos centimes d'aujourd'hui.

– Je vous en prie, Vrain-Lucas, ne souriez pas ! lance le président d'une voix courroucée. Il n'y a pas de quoi être fier ! Vous avez cruellement abusé un homme éminemment respectable et vous avez tenté de ridiculiser l'Académie des sciences en composant de fausses lettres de Pascal, qui ont été versées aux débats de cette illustre assemblée !...

L'accusé se lève, indigné.

— J'ai reconnu mes torts, monsieur le président, mais je ne veux pas que l'on me prête des sentiments aussi vulgaires ! Je n'ai voulu abuser ni ridiculiser personne ! C'est pour défendre une thèse qui m'était chère que j'ai rédigé ces fausses lettres. Je prétends que Newton, à qui l'on attribue la paternité de la théorie de la gravitation, a en réalité tout emprunté à notre Pascal ! On ne va tout de même pas me reprocher cette attitude patriotique !...

— Taisez-vous, Lucas ! tonne le président. Cette thèse n'est pas la vôtre, mais celle de M. Chasles. C'est en l'entendant évoquer cette possibilité devant vous que vous avez eu l'idée malhonnête de fabriquer des faux sur mesure... Seul l'appât du gain vous a fait agir. Vous n'avez aucune culture personnelle. Vous n'avez même pas fait d'études ! Il y a quelques années, vous étiez encore fermier dans l'Indre !... Quant au patriotisme, parlons-en !... Est-ce par patriotisme que vous écriviez des lettres au nom d'Alexandre le Grand, ou de Jeanne d'Arc, que vous faisiez signer « La Pucelle », quand vous ne preniez pas la plume au nom des apôtres ou de Lazare le Ressuscité !...

Vrain-Lucas se rassied, son éternel sourire aux lèvres. Chasles se tasse sur son siège. Le président, qui vient de saisir une des lettres autographes disposées sur son bureau, comme pièces à conviction, poursuit :

— ... Est-ce par patriotisme, Lucas, que vous avez vendu pour 500 F, à M. Chasles, une lettre de Cléopâtre à César, ainsi rédigée : « A mon très aimé Jules César, empereur... Notre fils Césarion va bien. Il sera bientôt en état de supporter le voyage d'ici à Marseille... » Et le comble, Lucas, c'est que vous avez rédigé cette missive ridicule en français sur du vieux parchemin volé à la Bibliothèque Sainte-Geneviève !

Une tempête de rires éclate dans la salle. Le président est obligé de s'interrompre. Chasles, rouge de confusion, enfouit son visage dans ses mains. Vrain-Lucas est hilare.

Le président :

— Silence, ou je fais évacuer la salle !... Je ne comprends

pas que ces sottises vous fassent rire !... Elles sont l'œuvre d'un sot inculte, prétentieux !...

La salle proteste. Il y a des coups de sifflet, des cris.

« On se demande qui est le plus sot, du paysan ou du savant ! » lance un journaliste.

Le président, d'un geste rageur, saisit une nouvelle lettre sur son bureau.

– Écoutez, mais écoutez donc ce que pouvait écrire cet imbécile, lance-t-il d'une voix déformée par la colère...

– L'imbécile, c'est le client ! Un bonnet d'âne pour l'académicien ! hurle un gros homme dans les derniers rangs.

La salle est en délire. Le président, déjà, a commencé la lecture d'une lettre de Marie-Madeleine à Lazare. Comme le manuscrit est habilement taché et noirci à la bougie, il a du mal à déchiffrer le texte : « Mon très aimé frère, ce que me mandez de Petrus, l'apostre de nostre doux Jésus, me fait espérer que bientôt le verrons icy et me dispose à l'y bien recevoir. Nostre séjour dans ces contrées de la Gaulle nous est en grande affection. Ne trouvez pas qu'iceulx Gaulois, qu'on nous disait nation barbares, ne le sont nullement. Je n'en dirai rien plus sy ce n'est que j'ay grand désir de vous voir et prions nostre Seigneur vous avoir en grâce, signé : Magdeleine. » Qui, elle aussi, notons-le, s'exprime en vieux français !

Cette fois, la salle est debout, ce ne sont plus des rires, ce sont des hurlements...

– Une autre ! Une autre ! scande le public en tapant sur les bancs.

– Nous ne sommes pas au cabaret ! s'époumone le président, je vais faire appeler la garde !...

Mais le chahut continue de plus belle. On se croirait dans un théâtre sur les Grands Boulevards. Il ne manque plus que les tomates. Le président doit suspendre l'audience et la renvoyer à huitaine.

C'est le 25 février que l'accusé et la victime se retrouvent face à face au palais de justice de Paris, en présence d'une foule considérable que le report du procès n'a pas découragée.

Beaucoup de gens sont venus pour rire, notamment les gros bourgeois en jaquette, et les femmes du monde en robe à panier. Tout le monde se demande comment le savant, illustre pour ses qualités intellectuelles et son esprit critique, a pu se laisser abuser par des faux aussi grotesques. Tous ont le secret espoir que le président va donner lecture de nouvelles lettres autographes rédigées par Vrain-Lucas au nom de Charlemagne, de Jules César ou de Blaise Pascal et vendues à Michel Chasles comme d'authentiques documents. Des faux grossiers, d'une incroyable sottise, dont la presse, ce matin, a publié quelques extraits. Par exemple ce laissez-passer délivré par les Gaulois à un émissaire romain : « J'octroy le retour du jeune Trogus Pompéinus auprès de l'empereur Jules César. Signé : Vercingétorix ! »...

Et cela a été acheté 500 F par le savant, M. Chasles, qui semble ne pas avoir été choqué de voir Vercingétorix écrire en vieux français ou d'apprendre que César était empereur du temps de la guerre des Gaules !

M. Chasles n'a pas eu l'idée non plus de regarder par transparence l'étrange feuillet sur lequel était rédigé ce laissez-passer du chef gaulois ; il aurait pourtant découvert en filigrane une fleur de lys !... (Il s'agissait en réalité d'une page blanche découpée par Vrain-Lucas dans un vieux livre de la Bibliothèque Sainte-Geneviève.)

Oui, beaucoup de gens cultivés sont venus à ce procès pour rire de la naïveté du malheureux académicien.

Mais les autres, les plus nombreux, descendus des faubourgs en casquette et en fichu, sont là pour des raisons moins innocentes. La plupart du temps, ils ne comprennent rien à ce que racontent ces fameuses lettres que le savant a achetées si cher. Ils n'apprécient pas les anachronismes et les non-sens historiques que Chasles, aveuglé par sa passion de collectionneur, n'a pas su découvrir dans les autographes de Vrain-Lucas. Ce qui les intéresse, ce qui les fait rire de bon cœur, c'est qu'un homme qui leur ressemble, un homme sans fortune et sans culture, un ancien paysan autodidacte, ait réussi à mystifier un membre de l'Institut, respecté, honoré, et couvert de décorations... En cette année 1870, qui voit se lézarder le régime autoritaire de Napoléon III, ce pauvre Chasles est assimilé par le grand public à la caste dirigeante, cette caste de notables et de bourgeois dont on remet en cause la puissance et la compétence. Ce très savant personnage, qui pendant huit ans a acheté à prix d'or de faux autographes aussi pédants que stupides, apparaît comme le symbole de l'incapacité dont on accuse précisément les hommes du pouvoir.

Le jeune avocat de la défense, Me Heilbronner, se rend bien compte que la foule soutient son client et il n'hésite pas à accabler le malheureux professeur Chasles :

– C'est lui, dit l'avocat, qui par son attitude a incité Vrain-Lucas à persévérer dans son entreprise criminelle. Chaque jour il lui réclamait de nouveaux autographes. Chaque jour, il exigeait des documents plus sensationnels avec lesquels il espérait éblouir ses collègues de l'Institut. Cet homme a fait un péché d'orgueil, monsieur le président, et mon client a eu la faiblesse de céder à ses sollicitations.

Le président explose :

– Vous avez, maître, une curieuse façon de raconter l'histoire ! Si M. Chasles s'est laissé emporter par sa curiosité de collectionneur c'est que ce misérable Vrain-Lucas lui a affirmé qu'il existait un formidable lot d'autographes ayant appartenu à un certain comte de Boisjourdain, ami personnel de Louis XIV. Il se disait chargé de monnayer cette fabuleuse collection qui était entre les mains d'un vieil original, lointain descendant du comte. Voilà comment a commencé l'escroquerie : par la suite, Vrain-Lucas a su à merveille exciter la passion de M. Chasles, qui tout naturellement a voulu racheter la totalité des autographes.

Tout à coup, Michel Chasles se lève. De grande taille, le

front large, le menton proéminent, il se tient très droit, malgré ses 77 ans.

– Monsieur le président, je demande la parole.

Le président lui fait signe de s'avancer vers la barre. Dans la salle règne un lourd silence.

– Je voudrais dire tout d'abord que je n'avais aucune raison de me méfier de M. Vrain-Lucas. Il m'avait été recommandé par un professeur de mes amis...

La voix de Michel Chasles est triste mais sans haine. Il parle lentement, avec effort. Manifestement, il n'est pas à son aise.

– ... Les premiers autographes qui m'ont été proposés par ce monsieur, poursuit-il, étaient intéressants, bien composés, pleins de concordances... Malheureusement, ils n'étaient que le reflet de mes propres théories sur les emprunts faits par Newton à Pascal, théories que j'avais eu l'imprudence de développer en présence de M. Vrain-Lucas et qu'il a eu l'indélicatesse d'illustrer par des faux !

Le président :

– Vous évoquez sans doute les lettres de Pascal achetées à Lucas et que vous avez offertes à l'Académie des sciences ?

Le professeur Chasles :

– Oui, monsieur le président. Ces lettres qui sur le moment ont convaincu la plupart de mes collègues.

L'avocat de la défense, Me Heilbronner, intervient brusquement.

– Il est tout de même étrange, monsieur le professeur, que ni vous ni vos collègues n'ayiez remarqué que Newton aurait eu 12 ans au moment de cette correspondance et que Pascal employait dans cette fameuse lettre des formules mathématiques qui ne furent découvertes qu'au siècle suivant.

Des rires et des coups de sifflets fusent dans le public. Le président menace de faire évacuer la salle. Chasles ne répond pas. L'avocat poursuit :

– Comment se fait-il, professeur, que vous n'ayez pas

été choqué de voir Vercingétorix, Cléopâtre ou Jules César écrire en français du XVIe siècle ?

Des rires et des huées éclatent à nouveau dans la salle. Michel Chasles blêmit.

– Maître, dit-il d'une voix sourde, vous semblez me prendre ! pour un sot !

Cette fois, le vacarme est assourdissant. Le public est hilare ! On voit même un gendarme, secoué par le rire, en perdre son bicorne...

– Je m'explique..., je m'explique, dit Chasles d'une voix plus forte. J'ai bien sûr posé la question à Vrain-Lucas quand il m'a apporté ces autographes. Et sa réponse, ma foi, n'était pas stupide...

Des cascades de rires continuent à déferler sur le malheureux professeur qui n'arrive pas à se faire entendre. Le président, dépassé, lève les bras au ciel. Chasles poursuit, criant presque :

– Il m'a dit qu'il s'agissait de traduction et de copies faites pour la plupart au XVIe siècle par Rabelais lui-même, et recueillies par ce M. Boisjourdain...

Mais plus personne n'écoute les naïves explications du professeur. Le président le renvoie à sa place. Il a hâte d'en finir. L'affaire d'ailleurs est entendue. Après quelques minutes de délibérations, les juges condamnent Vrain-Lucas a deux ans de prison et 500 F d'amende. Peines symboliques en regard des 140 000 F estorqués au professeur Chasles, et aux 400 pages de compte rendu de l'Académie des sciences sur la correspondance de Pascal et de Newton, 400 pages qui ont fait rire l'Europe entière.

4. *Les sœurs Papin*

Il faisait froid au Mans, ce 29 septembre 1933. Pourtant, ce n'est pas l'hiver précoce qui glace la cour d'assises de la Sarthe. Tous ces gens sont saisis d'un frisson, mais d'un frisson d'horreur, en écoutant la lecture de l'acte d'accusation des sœurs Léa et Christine Papin.

Le 2 décembre 1932, l'agent de police Dezalée découvre au premier étage d'une belle maison du Mans les cadavres atrocement mutilés de Mme et Mlle Lancelin. La mère est allongée sur le dos ; son visage est ensanglanté, ses yeux semblent ouverts... Mais non, il n'y a plus d'yeux. Ils ont été arrachés. Deux orbites vides, noires, qui regardent au-delà de la mort. Et la fille est couchée sur le ventre, jupes retroussées. Des dizaines de coups de couteau ont été portés.

Dans le box, deux femmes, deux jeunes femmes, brunes et farouches : les sœurs Papin.

Christine, 28 ans, et sa sœur Léa, 22 ans. Elles étaient les bonnes des Lancelin.

Après le crime, on les a retrouvées enfermées dans leur chambre, couchées, nues, dans le même lit, recroquevillées l'une contre l'autre.

— On vous attendait, a simplement dit Christine quand les policiers ont enfoncé la porte.

Le greffier termine l'acte d'accusation.

— Papin Christine, levez-vous !

Elle se tient très raide, les yeux baissés. Chaudement vêtue, elle porte un manteau clair, boutonné jusqu'au col. Les sourcils épais et noirs, le nez dur et droit lui font un visage sévère, presque masculin.

Le président Beucher rappelle que les sœurs Papin n'ont aucun antécédent judiciaire. Leur enfance ? On passe très vite. Quelques noms, quelques dates, le divorce des parents. Lui, Gustave, est parti on ne sait où. Elle, Clémence, s'emploie comme elle le peut. Christine et Léa ont été élevées, l'une à l'orphelinat du Bon-Pasteur, l'autre à l'asile Saint-Charles. Bien notées toutes les deux, après le pensionnat elles sont entrées en « condition », c'est-à-dire que leur mère les a placées comme domestiques.

— Christine Papin, pourquoi avez-vous fait dix places avant d'entrer chez les Lancelin ? demande le président.

Christine répond sans lever les yeux. Sa voix est si faible que l'avocat doit répéter ses paroles.

— Elle dit qu'elle ne s'y plaisait pas.

Pourtant, tous les anciens maîtres de la jeune femme se sont déclarés satisfaits de ses services. Elle est propre, honnête, travailleuse, et si elle n'était pas aussi sombre, aussi secrète... Et puis, elle refuse absolument d'être engagée sans sa sœur Léa. Christine est cuisinière, Léa femme de chambre.

— La maison Lancelin était une bonne maison et vous sembliez bien vous y plaire ?

Christine Papin ne répond pas. Un peu décontenancé, le président Beucher poursuit :

— Il y a sept ans que vous étiez dans cette maison. Vous étiez bien nourrie. Vous aviez le vin à discrétion, sans en abuser. Vos gages étaient de 300 F. Vous aviez 20 000 F d'économie... Alors, qu'aviez-vous contre la famille Lancelin ?

Debout dans le box des accusés, les yeux baissés, Christine n'a même pas l'air d'entendre. Impossible de savoir ce qu'elle pense vraiment, cette femme est un mystère, une énigme...

Que représentait pour elle Mme Lancelin, cette épouse d'avoué respectable et soucieuse de respectabilité, rigoriste et vieux jeu, certes, mais, au fond, une patronne comme les autres ? Jamais, en tout cas, avant le soir du drame, Christine et elle n'avaient eu le moindre heurt.

Le président poursuit :

— Même M. Lancelin, malgré sa douleur, ne vous a pas accablée quand il a été appelé à fournir des renseignements sur vous ; il vous a présentée comme honnête et laborieuse et d'une conduite irréprochable. Alors, je vous repose ma question : Aviez-vous des griefs à formuler contre cette famille? Aviez-vous des raisons de vous venger d'elle ?

Pas de réponse. Christine reste murée dans son silence. Le président a l'air embarrassé. On a le sentiment qu'il voudrait faire un pas en direction de la créature sauvage, impénétrable, qui se tient devant lui, et qu'il ne l'ose qu'à moitié.

— Puisque vous ne parlez pas, reprend-il au bout d'un moment, je vais dire, moi, ce que vous auriez pu reprocher à cette famille. Vos maîtres étaient distants. Ils avaient peut-être conservé les mœurs d'une certaine vieille bourgeoisie. Ils n'avaient peut-être pas compris que les temps ont changé. Mais il faut ajouter que vous-même étiez peu communicative ! Dans ces conditions, il est naturel qu'ils ne vous aient adressé la parole que pour des questions de service. Christine Papin, l'heure est venue de vous expliquer, de dire ce que vous pouviez reprocher à vos victimes...

— Rien.

Ainsi, Christine Papin a tué, massacré deux femmes à qui elle n'avait RIEN à reprocher !...

— Parlez plus fort, dit le président. Messieurs les jurés

ne vous entendent pas. Mme Lancelin vous a-t-elle menacée ?

– C'est moi qui l'ai attaquée, répond Christine de sa voix de mourante. Oui je l'ai *alourdie...*

« Alourdie », le mot est étrange. Il fait peur et un peu rêver. On dirait qu'il vient de déclencher quelque chose en Christine. Maintenant, oui, elle veut bien parler. Oh ! pas de ses raisons – cela c'est son secret, leur secret –, mais des faits.

Donc, cet après-midi-là, les deux sœurs sont seules. Mme et Mlle Lancelin sont sorties faire des courses et doivent dîner ensuite dehors. Seules dans la grande maison, elles ont arrêté leur travail à cause d'une panne d'électricité, Christine et Léa sont montées dans leur chambre, cette chambre qu'elles ne quittent guère, puisqu'elles s'y enferment même pendant leurs jours de repos. Elles se sont déshabillées et couchées, et, soudain, elles ont entendu du bruit. Christine enfile une blouse et descend. Elle est dépeignée et pieds nus. Sur le palier du premier étage, elle se trouve face à ses patronnes.

– Madame m'a disputée, dit Christine Papin, mais elle ne m'a pas menacée. Elle s'est avancée vers moi. Alors, j'ai pris un pichet d'étain et j'ai frappé de toutes mes forces. Mademoiselle est arrivée au secours de sa mère. Je me suis jetée sur elle et, avec les doigts, je lui ai fait sauter les yeux.

– Un œil, corrige le président.

– Ah ! Je croyais avoir sorti les deux !

Cette phrase... est dite sur ce même ton morne, froid, détaché. On en a le souffle coupé. Mais Christine poursuit :

– Au bruit, Léa est arrivée et elle s'est occupée de Madame qui essayait de se relever. Elle lui a arraché les yeux et lui a cogné la tête sur le pichet. Moi aussi, j'ai continué à frapper. Elles avaient leur compte quand nous sommes descendues à la cuisine chercher un marteau et un couteau.

De ce couteau, on reparlera tout à l'heure avec Léa. Mais, en attendant, le président Beucher aborde l'une des questions essentielles de ce procès : la nature des liens qui unissaient les deux sœurs. Était-ce seulement de l'affection, ou autre chose, davantage ?

– Il y a des détails troublants, explique le président. Pas de relations masculines. Les dimanches entiers enfermées dans votre chambre, le fait qu'on vous ait retrouvées nues et couchées ensemble... Et puis, certains propos tenus en prison. Cette affection qui vous lie ne repose-t-elle pas sur des questions d'ordre sexuel ? Vous me comprenez, n'est-ce pas ? Est-ce simplement parce que c'était votre sœur ?

Christine répond aussitôt. Et, cette fois, assez fort pour qu'on l'entende.

– Il n'y avait rien d'autre entre nous.

– Avez-vous quelque chose à ajouter ? demande le président.

– Non...

Christine se rassoit. Les regards se tournent maintenant vers Léa. Plus petite que Christine, timide, un visage ovale et gracieux, on dirait une écolière malgré ses 22 ans. Elle aussi est engoncée dans un manteau d'hiver, et elle n'est guère plus bavarde que sa sœur. Ses réponses sont brèves et souvent terribles.

– Avec quoi avez-vous arraché les yeux ?

– Avec mes doigts !

– Qu'avez-vous fait avec le couteau ?

– J'ai fait des *encisures*...

Encore un mot étrange. Les entailles, les coupures, les meurtrissures relevées sur le corps des deux victimes, ce sont des « encisures » ; voilà tout ce que trouve à dire cette frêle jeune fille. On croirait l'entendre parler d'un travail de couture. Des encisures faites sur une morte, car Mme Lancelin était déjà morte...

– Le médecin légiste confirme ce fait, note le président. Pour cette raison, vous n'êtes donc poursuivie que pour le seul meurtre de Mme Lancelin, votre sœur devant répondre, elle, des deux crimes.

Pour le reste, Léa confirme les propos de sa sœur : aucun grief contre la famille Lancelin. Aucun lien de nature sexuelle avec Christine.

– Avez-vous des regrets à manifester, des explications à fournir ?

Léa se tait.

– Non, eh bien, asseyez-vous !...

Commence alors le défilé des témoins, tandis que les pièces à conviction, parmi lesquelles le pichet bosselé et encore maculé de sang, circulent entre les jurés.

– Je n'ai jamais vu de cadavres aussi affreusement mutilés, dit le docteur Chartier, médecin légiste.

La foule gronde. On crie : « A mort ! » Christine et Léa ne bougent pas, ne cillent pas.

Qui sont les sœurs Papin ? Quel démon cruel s'est emparé d'elles ? Comment ces deux jeunes filles sont-elles devenues en un instant les plus sauvages des meurtrières ? On aimerait les croire folles, ce serait tellement plus simple.

– Docteur Schwarzimmer, jurez de dire la vérité, toute la vérité...

Le docteur Schwarzimmer est un célèbre psychiatre. C'est lui qui a examiné les accusées. C'est de cet expert qu'on attend la vérité, ou du moins un début d'explication. Il commence :

– Si le crime pouvait au premier abord donner l'impression d'un crime d'aliénées, et notamment d'épileptiques, je suis en mesure de démontrer qu'il n'en est rien. Aucune maladie mentale ne saurait être mise en cause...

Péremptoire, sûr de lui, le psychiatre commence sa démonstration. Pas de lésion, pas de débilité. Au contraire, Christine est même d'une intelligence moyenne. Pas de manifestation délirante, pas de tare, mais une affectivité diminuée, puisque strictement limitée à sa sœur. Quant à Léa, elle n'est certainement pas aussi intelligente que Christine, mais ce n'est pas non plus une débile mentale, comme on voudrait le faire croire.

Les antécédents familiaux ? Le grand-père épileptique,le cousin germain qui vient de mourir dans un asile de fous, l'oncle neurasthénique qui s'est pendu, un soir, dans sa chambre ? Ce n'est rien ? L'enfance des deux sœurs ? La mère, qui courait à droite et à gauche, avant de sombrer dans un mysticisme hystérique, qui laissait son mari, qui laissait ses filles, et qui est partie un beau jour, un jour horrible. Léa était encore si petite. Le père alcoolique qui ne se souciait pas non plus beaucoup de ses filles, sauf de l'aînée, Émilia, qui est religieuse maintenant, mais qui à 11 ans était sa maîtresse. Christine arrachée à une tante qui l'avait élevée avec amour pour être jetée dans l'enfer moite des institutions religieuses après le divorce des parents. Et Léa, si petite, si perdue, sans personne pour l'aimer. Personne... sauf Christine. Le monde de Léa, c'est Christine.

Le monde du docteur Schwarzimmer, qu'est-ce que c'est ? De tout cela, il refuse de tenir compte. Christine et Léa sont responsables, entièrement responsables.

L'homosexualité incestueuse des deux sœurs ? Leur amour ? Cela aussi, le célèbre docteur l'écarte d'un revers de manche. Christine est une simulatrice. Après cette scène de la prison où les gardiennes avaient accepté de rapprocher les deux sœurs – cette scène d'une violence et d'une obscénité rares, sur laquelle la défense va revenir tout à l'heure – après cette scène... « Oui, poursuit le docteur triomphant, est-ce que Christine n'a pas avoué elle-même qu'elle avait fait une comédie » ? Ah, messieurs les jurés !

Ce que ne sait pas le docteur Schwarzimmer, c'est que, dans la région du Mans, « faire la comédie » signifie « faire une scène ». Comment le saurait-il ? Il lui aurait fallu se soucier de l'histoire de ces deux femmes ; de leur enracinement dans un pays où les mœurs paysannes sont encore assez primitives, et où personne ne s'est intéressé à elles.

– En mon âme et conscience, articule le docteur Schwarzimmer, je les déclare responsables au sens de l'article 64 du code pénal.

Responsables. Si les jurés suivent l'expert, ce sera la peine de mort.

Immédiatement mis en cause par Me Chautemps, l'avocat de Léa, le docteur Schwarzimmer refuse de répondre et le président Beucher l'autorise à quitter la barre des témoins.

Un autre aliéniste lui succède, le docteur Logre, médecin de la préfecture de police. Il est témoin de la défense. Bien sûr, il ne met pas en doute la conscience professionnelle de son éminent collègue, mais le docteur Logre a relevé un certain nombre de points sur lesquels son confrère et les deux autres psychiatres qui l'ont assisté n'ont pas insisté. Et d'abord, la disproportion entre le motif invoqué (la colère à la suite de réprimandes) et la violence, la férocité du double assassinat. Cette énucléation, surtout, sans précédent dans les annales judiciaires.

– Ces blessures, interroge le docteur Logre, ne sont-elles pas la marque d'une impulsion sexuelle, presque sadique ? A-t-on assez étudié l'extraordinaire duo moral que forment les deux sœurs ? Ne doit-on pas rapprocher les préoccupations sexuelles de Christine à la prison, de ces blessures ?

Et le docteur Logre revient lui aussi sur cette « comédie », cette « scène » de la prison. Christine hurlant à ses gardiennes : « Rendez-moi mon mari. » Mon mari ! C'est de Léa qu'elle parle. Léa qu'elle embrasse, qu'elle caresse, dès que la jeune fille est conduite dans sa cellule. On devra très vite les séparer. Non, Christine et Léa ne se sont pas conduites comme des sœurs, mais comme des amantes.

Des amantes... Qui, dans ce tribunal, oserait prononcer un mot aussi scandaleux ?

– Il est également possible, poursuit le docteur Logre, d'imaginer un diagnostic d'hystéro-épilepsie. En tout cas un supplément d'enquête me paraît nécessaire. S'il n'était pas ordonné, le doute subsisterait.

Voilà qui n'est pas de nature à ébranler le docteur

Schwarzimmer qui refuse de revenir sur ses conclusions. Me Chautemps se lève :

— Je demande une nouvelle expertise de l'état mental des accusées.

Me Moulière, l'avocat de la partie civile, lui répond aussitôt.

— Je ne m'oppose pas à cette requête. Mais je n'en vois pas la nécessité.

Le procureur, lui, s'oppose violemment à tout ajournement du procès, et la Cour, pour finir, rejette la demande de la défense. C'est clair : on ne croit pas à la folie des sœurs Papin. Et pourtant, on ne sait toujours pas pourquoi elles ont tué. Mais il est trop tard pour essayer de comprendre. Est-ce qu'on s'en est d'ailleurs jamais vraiment soucié ? Le temps des plaidoiries est arrivé.

L'avocat de la partie civile joue son rôle. Au nom de la famille Lancelin, il s'écrie :

— Christine ment. Mme Lancelin ne l'a pas provoquée. Les sœurs Papin ont tendu une véritable embuscade à leurs victimes. Puisqu'elles se sont conduites en bêtes fauves, traitez-les en bêtes fauves !

Et il estime que Christine mérite la peine de mort. Contre Léa, Me Moulière demande les travaux forcés à perpétuité.

L'audience est suspendue. Quand elle reprend à 21 heures, le procureur de la République, Riegert, avec la même violence que l'avocat de la partie civile, prononce son réquisitoire :

— Au cours d'une carrière déjà longue, je n'ai jamais vu une bouillie humaine aussi sanglante... Ces filles ont commis leur crime de sang-froid !

Dans le box, Christine et Léa semblent ne pas écouter. Est-ce bien d'elles dont on parle ?

— Ce sont des coléreuses et non des folles ! hurle le procureur. Les chiens enragés mordent par besoin morbide : les chiens hargneux, capables parfois d'affection, mordent d'aventure. Les filles Papin ne sont pas des chiens enragés, mais des chiens hargneux. J'adjure le jury de se montrer sans pitié, et je réclame le maximum des peines : l'échafaud pour Christine, le bagne pour Léa.

Des chiens. Des chiennes... La salle en frémit. Me Germaine Brière, l'avocate de Christine, se lève.

– Dès que j'ai vu les sœurs Papin en prison, commence-t-elle, j'ai su que je me trouvais en face de deux déséquilibrées.

Et l'avocate, très brillamment, revient sur les inexactitudes, les lacunes du rapport des psychiatres.

– Ont-ils tenu compte des antécédents familiaux ? Ont-ils tenu compte de la mentalité paysanne ? A la campagne, il y a des choses qu'on ne dit pas.

Tout le monde se tait, les intéressés comme les témoins. C'est ainsi que la défense vient seulement d'apprendre que le père des accusées avait abusé de sa fille aînée.

Le procureur n'a fait qu'un bond.

– Je regrette ! Il est actuellement impossible de vérifier ce fait.

Me Brière poursuit, en s'adressant aux jurés.

– Je ne peux pas croire que vous allez condamner des malades ! La défense est loyale, elle ne réclame pas l'acquittement, elle ne vous demande rien qu'une nouvelle expertise qui puisse nous éclairer vraiment sur le cas des filles Papin.

Et Me Brière explique le crime de Léa par son extrême suggestibilité. Un moment de folie de Christine a très bien pu entraîner, happer, en quelque sorte, sa jeune sœur, très impressionnable et absolument soumise à son influence.

Me Chautemps lui succède. Il revient lui aussi sur cette folie subite qui se serait emparée de Christine et aurait entraîné l'égarement de sa sœur.

– Un grand médecin dit : « Elles ne sont pas folles, mais responsables. » Un autre grand médecin dit : « Attention, il y a un doute... Messieurs les jurés, il est impossible de statuer aujourd'hui. » Nous ne demandons même pas les circonstances atténuantes, seulement un nouvel examen.

En conclusion, pourtant, Me Chautemps se risque à proposer l'acquittement pour cause d'irresponsabilité. La salle gronde.

Dans le box, Christine, très raide, semble dormir. Léa est immobile, mais ses yeux brillent d'une étrange lumière.

Il est minuit et quart, le président Beucher déclare les débats clos, et la cour se retire. Quarante minutes plus tard, l'audience reprend. Les jurés ont répondu « oui » à toutes les questions. Christine est condamnée à mort et Léa à dix ans de travaux forcés et vingt ans d'interdiction de séjour.

– Tout condamné à mort aura la tête tranchée. L'exécution aura lieu sur la place publique.

Christine, ce sera son seul mouvement de faiblesse, tombe à genoux. Son avocate la retient.

Il est 1 h 25 du matin. Tout aura été joué, jugé en quelques heures. On emmène les deux condamnées. La petite porte du prétoire se referme sur le secret des sœurs Papin. Pourquoi ces meurtres ? Pourquoi cet acte horrible de l'énucléation ? Qu'avaient donc vu ces yeux, quel spectacle interdit avaient-ils surpris pour qu'il fût nécessaire de les arracher, de les plonger dans cette nuit sanglante ?

Christine n'a pas été exécutée. Internée à l'hôpital psychiatrique de Rennes dans les premiers mois de 1934, elle y est morte trois ans plus tard.

Léa, qui avait bénéficié d'une remise de peine de deux ans pour bonne conduite, a été libérée en 1941. Elle est allée vivre quelque part avec sa mère retrouvée... Vivre, se souvenir, mourir.

5. *Baudelaire*

Paris : 20 août 1857. L'audience qui vient de s'ouvrir devant la sixième chambre correctionnelle de la Seine n'a pas attiré la foule. C'est normal. Les procès en correctionnelle ne soulèvent pas la même émotion que les grands procès d'assises.

Pourtant, l'audience d'aujourd'hui risque de faire quelque bruit. L'accusé se nomme Charles Baudelaire. Il est poursuivi, en même temps que ses éditeurs, de Broisse et Poulet-Malassis, pour avoir publié un recueil de vers jugé scandaleux : *Les Fleurs du mal.*

Le président Dupaty énonce le motif de la poursuite : offense à la morale publique, offense à la morale religieuse...

Pour le grand public, Charles Baudelaire est encore un inconnu. Il a 36 ans. Jusqu'ici, il n'a publié que quatre ouvrages : deux volumes de critique d'art, *Les Salons de 1845* et *Les Salons de 1846*, ainsi que la traduction des *Histoires extraordinaires* et des *Nouvelles Histoires extraordinaires* d'Edgard Poe.

En revanche, Baudelaire occupe une place de choix dans les cercles littéraires. Des écrivains aussi célèbres et aussi différents que Victor Hugo, Flaubert et Barbey d'Aurevilly le considèrent comme leur égal. Pourtant, même parmi eux, il a une réputation d'originalité, de bizarrerie.

Les frères Goncourt en ont laissé un portrait sans indulgence : « Il est sans cravate, le col nu, la tête rasée, en vraie toilette de guillotine. Au fond : une recherche voulue, des petites mains lavées, écurées comme des mains de femme, et, avec cela, une tête de maniaque, une voix coupante comme de l'acier, une élocution ornée... »

C'est ce personnage peu commun qui est aujourd'hui dans le prétoire à la place des accusés. A ses côtés, son avocat, Me Chaix d'Est-Ange ; près de lui son éditeur Poulet-Malassis ; l'associé de celui-ci, de Broisse, est absent...

Le procès intenté à Baudelaire n'est pas pour surprendre dans la situation politique de l'époque.

Le Second Empire, en effet, ne badine pas avec la moralité. Il y a juste un peu plus de six mois Flaubert a été poursuivi, accusé lui aussi d'immoralité, pour son dernier roman : *Madame Bovary*. L'écrivain a pu démontrer l'inanité des accusations portées contre lui et a été acquitté.

Mais, en ce qui concerne Baudelaire, les choses ne seront sans doute pas aussi faciles. Le régime de Napoléon III tolère, certes, un certain libéralisme dans les spectacles, dans l'opérette, dans les mœurs elles-mêmes, mais les écrivains lui sont fortement suspects. Le premier d'entre eux, Victor Hugo, n'a jamais cessé de le défier depuis son exil, sur son rocher de Guernesey.

C'est pourquoi, après avoir échoué contre Flaubert, le ministère public songe sans doute à prendre sa revanche toute trouvée contre Baudelaire, poète marginal, maudit, dont la réputation dégage une forte odeur de soufre. D'autant que c'est le même magistrat qui va être chargé de la tâche. Le substitut Pinard, qui avait requis contre *Madame Bovary*, va requérir à présent contre *Les Fleurs du mal*.

C'est une campagne de presse du *Figaro*, gazette bihebdomadaire de huit pages, qui a tout déclenché. Deux articles très violents ont paru dans ses colonnes sous la signature de Gustave Bourdin, un nom inconnu, sans doute un pseudonyme du directeur de la publication lui-même : Villemessant.

Les Fleurs du mal sont sorties en librairie le 25 juin 1857. Dès le 5 juillet le pseudo-Gustave Bourdin écrivait :

« J'ai lu le volume. Voici mon opinion que je n'ai la prétention d'imposer à personne... L'odieux y côtoie l'ignoble, le repoussant s'y allie à l'infect. Jamais on ne vit mordre et même mâcher autant de seins dans si peu de pages ; jamais on n'assista à une semblable revue de démons, de diables, de chats et de vermine. Ce livre est un hôpital ouvert à toutes les putridités du cœur... Si l'on comprend qu'à vingt ans l'imagination du poète puisse se laisser entraîner à traiter de semblables sujets, rien ne peut justifier un homme de plus de trente ans d'avoir donné la publicité du livre à de semblables monstruosités. »

Et, comme si cela ne suffisait pas, une semaine plus tard le véhément critique anonyme repart à la charge dans le même journal :

« Avec M. Charles Baudelaire, c'est de cauchemar qu'il faut parler. Lorsqu'on ferme *Les Fleurs du mal* après l'avoir lu tout entier, il reste dans l'esprit une grande tristesse et une horrible fatigue... Toutes ces horreurs de charnier étalées à froid, ces abîmes d'immondices fouillés à deux mains et les manches retroussées, devraient moisir dans un tiroir maudit... »

« Un tiroir maudit... » L' « enfer » de la Bibliothèque nationale où l'on enferme les ouvrages condamnés. C'est ce qu'exige l'opinion bien pensante.

De talent, voire de génie, il n'est pas question dans tout cela. Il s'agit de protéger la société et le régime contre les souffles de l'esprit.

Baudelaire, à son procès, n'est pas en col de chemise, en « tenue de guillotine », comme le dépeignaient les Goncourt. Il porte un costume strict, mais on voit son inquiétude à l'agitation de ses mains et aussi à son regard, un regard étrange, visionnaire, habité, un regard d'oiseau de nuit, comme le disent à la fois ses amis et ses adversaires.

Après l'interrogatoire d'identité des accusés, le président Dupaty donne la parole au ministère public et le substitut Pinard commence son réquisitoire.

L'acquittement récent de Flaubert, qui a valu un succès immédiat de scandale à *Madame Bovary*, a dû le rendre prudent, car il commence en ces termes :

– Poursuivre un livre pour offense à la morale publique est toujours une chose délicate. Si la poursuite n'aboutit pas, on fait à l'auteur un succès, presque un piédestal ; il triomphe et on assume, vis-à-vis de lui, l'apparence de la persécution...

Le juge n'est point un critique littéraire, continue le substitut Pinard, le juge est une sentinelle qui ne doit pas laisser passer la frontière de l'immoralité...

Alors, pour étayer son accusation, M. le substitut lit des vers et le prétoire de la sixième chambre correctionnelle, habitué à entendre les chicaneries, les disputes d'ivrognes et les querelles de harengères, s'emplit soudain des harmonies baudelairiennes :

Je sucerai, pour noyer ma rancœur,
Le néphentès et la bonne ciguë
Aux bouts charmants de cette gorge aiguë
Qui n'a jamais emprisonné de cœur...

Ou bien encore :

Moi, j'ai la lèvre humide et je sais la science
De perdre au fond d'un lit l'antique conscience.
Je sèche tous les pleurs sur mes seins triomphants
Et fais rire les vieux du rire des enfants.
Je remplace, pour qui me voit nue et sans voile,
La lune, le soleil, le ciel et les étoiles !

Admirable musique ! Pourtant c'est elle que condamne le substitut Pinard, en des termes sans appel.

– Messieurs, je crois avoir cité assez de passages pour

affirmer qu'il y a eu offense à la moralité publique. Ou le sens de la pudeur n'existe pas, ou la limite qu'elle impose a été audacieusement franchie...

Abordant le second chef d'accusation, l'offense à la morale religieuse, le représentant du ministère public est toutefois plus prudent. Après avoir cité plusieurs poèmes qui lui semblent suspects, il conclut en laissant place au doute :

– Vous apprécierez si Baudelaire, cet esprit tourmenté, qui a voulu faire de l'étrange plutôt que du blasphème, a eu conscience de cette offense-là.

En conclusion, il demande la suppression de six poèmes du recueil et termine :

– Messieurs, je vous le dis, réagissez par un jugement contre les tendances croissantes à l'immoralisme, contre cette fièvre malsaine qui porte à tout peindre, à tout décrire, à tout dire, comme si le délit d'offense à la morale publique était abrogé, et comme si cette morale n'existait pas...

C'est maintenant au tour de l'avocat de Baudelaire de prendre la parole, Me Chaix d'Est-Ange... Me Chaix d'Est-Ange porte un nom bien connu dans le barreau. Il n'est autre que le fils d'un des défenseurs des quatre sergents de La Rochelle, condamnés à mort en 1821, victimes d'un autre régime autoritaire, celui de Louis XVIII.

Me Chaix d'Est-Ange commence donc sa plaidoirie, soigneusement écrite et composée, selon les règles traditionnelles de l'art... Trop soigneusement peut-être.

Il insiste tout d'abord sur le fait que, si Baudelaire peint le vice, c'est afin de mieux le condamner, et il en cite pour preuve les quatre premiers vers des *Fleurs du mal*, ceux de l'avertissement au lecteur :

La sottise, l'erreur, le péché, la lésine,
Occupent nos esprits et travaillent nos corps
Et nous alimentons nos aimables remords
Comme les mendiants nourrissent leur vermine.

Ensuite, il prend à témoin Molière lui-même. L'illustre comique n'avait-il pas aussi pour propos de peindre les travers et les vices de ses contemporains pour les dénoncer ?... N'est-ce pas précisément la raison des attaques contre son *Tartuffe*, de la cabale des dévots ?

Conclusion : les intentions de Baudelaire sont pures. Fin de la première partie de la plaidoirie académique de Me Chaix d'Est-Ange.

Deuxième partie : les faits eux-mêmes. Est-ce que, malgré ses bonnes intentions, Baudelaire se serait trompé ? Est-ce qu'il n'aurait pas commis quand même le délit d'obscénité et d'outrage aux bonnes mœurs ?

– M. le substitut n'a cité que des fragments de poèmes, des vers isolés, s'indigne l'avocat. En donnant de tels extraits on en dénature totalement le sens...

Et, à son tour, il lit Baudelaire. Il lit en entier une des pièces jugées scandaleuses par le substitut et dont celui-ci réclame la suppression, le poème intitulé « Lesbos ». Et, c'est peut-être ce qu'il y a de meilleur, de plus convaincant dans sa plaidoirie. Il suffit d'entendre ces vers, qu'on voudrait enfermer à tout jamais dans l'« enfer » de la Bibliothèque nationale au nom des bonnes mœurs.

Mère des jeux latins et des voluptés grecques
Lesbos, où les baisers languissants et joyeux
Chauds comme les soleils, frais comme les pastèques,
Font l'ornement des nuits et des jours glorieux.

Suit la troisième partie de la plaidoirie. M Chaix d'Est-Ange, reprenant le procédé de son adversaire, cite alors à son tour des vers de poètes contemporains détachés de leur contexte et, prenant argument de leur immoralité – qui, à vrai dire, ne semble pas évidente –, demande pourquoi ils n'ont pas été poursuivis.

Ce procédé n'est pas très élégant, et pourtant la majeure partie du discours y est consacrée... On entend ainsi interminablement des citations de Musset, Béranger et Théophile Gautier.

— Si l'on condamnait Baudelaire, s'écrie Me Chaix d'Est-Ange, il faudrait alors condamner Rabelais pour toute son œuvre, La Fontaine pour ses *Contes,* Rousseau pour *Les Confessions* ; Voltaire et Beaumarchais, eux aussi, ont écrit des textes licencieux...

Et il demande l'acquittement.

Après qu'il aura terminé, ses amis entendront Baudelaire murmurer :

— Ce n'est pas cela qu'il fallait dire. Il fallait simplement proclamer que l'artiste n'a pas de compte à rendre à la morale : qu'il n'a pas à avoir de bonnes intentions, mais seulement du talent.

Mais cette plaidoirie aurait été sans doute trop élevée dans un tel cadre ? Celle de Me Chaix d'Est-Ange respectait les règles du genre. Le président Dupaty ne s'y est à aucun moment senti dépaysé et c'est en toute tranquillité qu'il rend le verdict.

— Le Tribunal,

« Attendu que Baudelaire, Poulet-Malassis et de Broisse ont commis le délit d'outrage à la morale publique et aux bonnes mœurs, condamne Baudelaire à 300 F d'amende ; Poulet-Malassis et de Broisse chacun à 100 F d'amende ;

« Ordonne la suppression des pièces portant les numéros 20, 30, 39, 80, 81 et 87 du recueil... »

Le poète a été condamné par la société moralisatrice ; la critique la plus conservatrice a eu gain de cause. Baudelaire ne dit rien. Il s'y attendait peut-être. Il quitte le tribunal entouré de ses quelques amis.

Il y a deux épilogues à cette affaire. Le premier est survenu quelques jours plus tard. C'est une lettre, un des nombreux témoignages d'amitié que Baudelaire a reçu de ses confrères écrivains et qui résume le mieux ce qu'on pouvait penser de la décision de la sixième chambre correctionnelle de la Seine.

Cette lettre émanait de l'illustre proscrit de Guernesey, Victor Hugo.

« L'art est comme l'azur, c'est le chant infini. Vous venez de le prouver. Vos *Fleurs du mal* rayonnent et éblouissent comme des étoiles. Continuez ! Je crie « Bravo » de toutes mes forces à votre vigoureux esprit... Une des rares décorations que le régime peut accorder, vous venez de la recevoir. Ce qu'il appelle sa justice vous a condamné au nom de ce qu'il appelle sa morale. C'est une couronne de plus. Je vous serre la main, poète... »

Le second épilogue est intervenu près d'un siècle plus tard, quatre-vingt-douze ans exactement. En effet, l'affaire Baudelaire a connu sa suite et sa conclusion judiciaires en 1949.

C'est à la demande de la Société des gens de lettres que, le 31 mai 1949, la cour de cassation, statuant sur le fond, a annulé le jugement de la sixième chambre correctionnelle de la Seine.

« Attendu que les poèmes faisant l'objet de la prévention ne renferment aucun terme obscène ou même grossier et ne dépassent pas les libertés permises à l'artiste...

« Attendu que, dès lors, le délit d'outrage aux bonnes mœurs n'est pas caractérisé...

« Le tribunal

« Casse et annule le jugement rendu le 20 août 1857, décharge la mémoire de Baudelaire, Poulet-Malassis et de Broisse de la condamnation prononcée... »

Baudelaire était mort depuis plus de quatre-vingts ans.

En fait la conclusion était normale : entre la morale du temps et le génie créateur, c'est toujours ce dernier qui sort vainqueur. C'est seulement – mais c'est aussi tout le problème – une question de temps.

Espérons que Baudelaire, quand il a quitté le prétoire, le 20 août 1857, humilié, mutilé dans son œuvre, menacé dans sa situation matérielle par la lourde amende, en a eu la claire conscience et la certitude absolue.

6. Le procès de Mme Caillaux

Le 20 juillet 1914, à Paris, s'ouvre le procès de Mme Henriette Caillaux, l'épouse de l'homme politique le plus en vue et le plus redouté du moment : Joseph Caillaux, cinq fois ministre des Finances, ancien président du Conseil et leader incontesté du Parti radical.

Mme Caillaux est accusée d'avoir assassiné à coups de revolver M. Gaston Calmette, directeur du journal *Le Figaro*, qui avait lancé contre son mari une campagne qu'elle jugeait calomnieuse. En ce début d'été 1914, c'est une affaire à la fois considérable et bien insignifiante au regard des dangers de guerre qui menacent.

Toujours est-il que ce matin le Tout-Paris politique, littéraire et mondain se bouscule aux portes du palais de justice. La place Dauphine est encombrée de fiacres et de voitures de maîtres. Chapeaux melons et hauts-de-forme s'agitent en tous sens. Les agents de police massés sur les marches du palais ont bien du mal à canaliser la foule.

Mais à l'intérieur, la cohue est encore plus dense, et un autre service d'ordre, inattendu celui-là et singulièrement musclé, filtre le public. Tel homme politique connu est impitoyablement refoulé. Telle femme du monde ou tel député sont en revanche accompagnés avec tous les égards possibles jusqu'aux places qui leur ont été réservées dans le prétoire de la cour d'assises. On évite de discuter avec ces « ouvreuses » très particulières. Il s'agit en fait de jeunes gens aux épaules carrées, mal à l'aise dans leur jaquette ou leur redingote de location, qui, entre eux, parlent corse et affichent des mines peu engageantes. Une véritable « garde prétorienne » a ainsi envahi le palais de justice sans que les autorités ne disent rien. Cela ne s'est jamais vu !

– Que voulez-vous ! lance quelqu'un, quand on a été ministre des Finances, tout est permis, même d'avoir des milices privées... On fait trembler les portefeuilles !

Ce n'est en effet un secret pour personne que ce service d'ordre parallèle a été recruté par Ceccaldi, le bras droit, le collaborateur direct de Joseph Caillaux. Ceccaldi, d'ailleurs, ne se cache pas. Il est là, au milieu de ses troupes, le chapeau melon vissé sur la tête, le nez fort, la barbe noire et la canne menaçante.

La Cour fait son entrée dans une atmosphère de grande première parisienne. Toilettes et parfums, rires et propos anodins... On se croirait à l'Opéra.

Le président Albanel, qui, paraît-il, a sollicité cette charge semble maintenant le regretter. Les « invités », tout à leurs conversations de salon, ne se sont même pas aperçus que le spectacle avait commencé : ils discutent avec passion du dernier scandale parlementaire sur l'insuffisance de l'armement, de l'époustouflante collection de Paul Poiret qui, décidément, est le maître incontesté de la mode ou des performances des nouvelles voitures de grand tourisme : la Renault quatre portes et la Clément-Bayard.

Soudain, une voix s'écrie : « Mais ils sont là ! » Il y a un mouvement dans la foule, qui pousse un « oh ! » de surprise, puis, tout le monde se tait. Comme si le rideau s'était levé brusquement, les spectateurs découvrent que tous les personnages sont en place. Le président et ses deux assesseurs, le procureur général Herbeaux, les avocats qui se font face : Me Chenu, le cheveu rare, la moustache rousse, l'air sévère, pour la partie civile et pour la défense ; Me Labori, qui fut l'avocat de Dreyfus, dont les cheveux et la barbe en pointe ont blanchi depuis mais qui a conservé sa superbe allure de lion.

Enfin, surtout, celle pour qui tout ce monde s'est déplacé : l'accusée, Mme Henriette Caillaux, corsage échancré garni de tulle, longs gants noirs, chapeau de paille noire garni de satin et surmonté d'une longue plume noire. Tout cela est très romantique, très théâtral, tout à fait prometteur. Le public retient son souffle. Mais, pour l'instant, Mme Caillaux fixe ses beaux yeux gris sur les douze jurés qui lui font face, douze visages anonymes et sans expression, et se garde bien de regarder cette salle où elle connaît trop de monde.

Le président toussotte. On s'attend déjà à un sonore : « Accusée, levez-vous !... » Pas du tout ! En homme du monde qui a souvent dîné aux côtés de Mme Caillaux, l'élégante et jolie femme de « monsieur le ministre », il dit d'une voix douce :

— Voulez-vous vous lever, madame ?

Henriette Caillaux se lève, en effet, et répond aux questions du président d'une voix posée, légèrement fêlée, avec intelligence et précision, très calme, très maîtresse d'elle-même. Elle raconte...

Elle raconte son enfance heureuse et bourgeoise. Son premier mariage avec l'écrivain Léo Clarette, leur mésentente, chaque jour plus grave, plus profonde. Le divorce toujours repoussé à cause des deux enfants. La rencontre avec Joseph Caillaux, leurs amours passionnées et difficiles. Lui aussi est marié. Ils doivent se cacher. Ils s'écrivent de longues lettres. Dans les siennes, Joseph Caillaux mêle l'amour et la politique. C'est pourquoi, un jour, il lui demande de lui retourner toutes ses lettres.

— Il avait sans doute ses raisons, monsieur le président... Je n'ai pas discuté. J'ai renvoyé les lettres. Je comprenais très bien sa prudence.

La belle Mme Caillaux marque une pause. Dans la

salle, on n'entend pas un bruit, pas un souffle. De mémoire de Parisiens, il y a longtemps qu'on n'avait eu droit à un si beau feuilleton.

– Malheureusement, monsieur le président...

La voix d'Henriette Caillaux s'étrangle.

– Malheureusement cette Mme Gueydan, cette femme avec laquelle il était alors marié, a réussi, grâce à une fausse clé, à ouvrir son secrétaire et à voler les lettres. C'est d'elle que vient tout le mal. C'est elle qui est allée proposer ces lettres à plusieurs journaux après avoir dû consentir au divorce. Mme Gueydan voulait se venger de nous. Elle ne supportait pas l'idée que je me sois remariée avec Joseph Caillaux. Elle voulait détruire notre bonheur, qui était immense, et elle y est parvenue...

Henriette Caillaux s'interrompt, brisée par l'émotion. La salle est ravie. C'est un excellent drame bourgeois, remarquablement interprété. On ne fait pas mieux sur les boulevards. Le président Albanel, visiblement ému, intervient avec beaucoup de douceur.

– Madame, veuillez m'excuser, mais je ne comprends pas le rôle joué par ces lettres dans le drame qui nous occupe. Jamais, que je sache, aucun journal ne les a publiées. Quant à celle qui a été rendue publique par M. Calmette, directeur du *Figaro*, elle ne vous concernait pas. C'était une lettre intime de M. Caillaux à Mme Gueydan.

– Précisément, monsieur le président ! C'est cette femme qui est le pivot de toute l'affaire. Qui d'autre aurait pu livrer cette lettre à Calmette ? Qui donc aurait pu alimenter cette campagne calomnieuse déclenchée par *Le Figaro*, contre mon mari ? Elle, monsieur le président ! Elle seule, qui possédait ses propres lettres d'amour, mais aussi les miennes... Je savais que mon tour allait venir, que mes lettres allaient être publiées. Calmette n'a jamais caché que la campagne contre Joseph Caillaux ne faisait que commencer ! Ma réputation était en péril. Je me suis affolée. Je n'en rougis pas. C'est vrai, je suis une bourgeoise. L'idée de déshonneur m'est insupportable.

La voix d'Henriette Caillaux devient plus ferme, ses yeux n'ont plus de larmes.

– Alors, monsieur le président, je me suis précipitée chez Calmette. J'avais sur moi un petit browning. C'est effrayant un revolver comme ça, ça part tout seul... Je ne voulais pas le tuer, seulement faire du scandale. Mais il est venu se jeter sous mes balles. Il s'est écroulé. Je ne savais plus ce que je faisais là. C'est la fatalité !

Le public est transporté. Décidément, cette affaire tient ses promesses. C'est alors qu'Henriette Caillaux trouve le mot de la fin, le mot pour émouvoir. Elle lance d'une voix tremblante :

– Non, je ne voulais pas la mort de cet homme ! Je déclare ici que j'aurais préféré laisser publier n'importe quoi plutôt que d'être la cause de ce qui est arrivé.

Cette fois, le public applaudit. C'est vraiment du bon théâtre. Le rideau tombe sur le premier acte. On attend maintenant avec impatience l'entrée en scène du véritable premier rôle : Joseph Caillaux lui-même, qui doit venir témoigner demain.

Le 21 juillet 1914, la foule est plus nombreuse encore que la veille à se presser aux portes de la cour d'assises de Paris, pour assister à la deuxième journée du procès. Étrange public, où l'on compte presque autant de femmes du monde que de députés !

Aujourd'hui, la partie civile va contre-attaquer. Pour le bâtonnier Chenu, l'avocat des Calmette, tout cela n'est qu'un mauvais roman à l'eau-de-rose. La réalité, explique-t-il, est bien différente. Le véritable mobile du crime n'est pas passionnel, mais politique, et le véritable coupable n'est pas cette femme orgueilleuse, assise dans le box, mais son mari, Joseph Caillaux.

– C'est lui, tonne Chenu, la moustache hérissée, le cheveu rare coupé en brosse, c'est lui qui a *commandé* cet assassinat pour empêcher Calmette de publier, non pas des lettres d'amour, dont il se moquait, mais un document politique capital, un document dont *Le Figaro* avait déjà annoncé la publication sous le titre : « La confession du procureur Fabre ! » Une confession qui révèle que Joseph Caillaux, alors qu'il était ministre des Finances, a fait pression sur le procureur Fabre afin de protéger Rochette, ce banquier véreux mêlé au scandale de Panama et poursuivi par la justice. Et pourquoi, messieurs, parce que Rochette avait financé les campagnes électorales de Caillaux !

Mouvements divers dans la salle. Les premiers rangs, garnis par Ceccaldi, sifflent, poussent des hurlements, gesticulent, empêchant l'avocat de poursuivre son exposé. Mais derrière on entend des cris hostiles à Caillaux : « Voleur ! Vendu ! Caillaux, Rochette escrocs ! »

Le président Albanel a bien du mal à rétablir le calme. La politique, cette fois, a pris le pas sur le mélodrame. Le bâtonnier Chenu poursuit :

— Je prétends que les époux Caillaux n'ont pas cru un seul instant que leur correspondance intime serait livrée en pâture au public par *Le Figaro* ! D'ailleurs, la fameuse lettre publiée par Calmette, cette lettre qui a déclenché tout le drame, cette lettre signée « Ton Jo » et que Caillaux avait envoyée autrefois à sa première femme, ne révélait aucun secret d'alcôve. Par contre, elle étalait au grand jour le cynisme politique de M. Caillaux !

De nouveau, les premiers rangs se déchaînent, montrant le poing à Me Chenu. De nouveau, le président Albanel doit intervenir. Mais il le fait avec mollesse et l'avocat a du mal à se faire entendre.

— Inutile de crier, messieurs, c'est trop tard ! Votre ami Caillaux a été démasqué, lance Chenu aux perturbateurs. Permettez d'ailleurs que je relise, ici, publiquement, la lettre que Calmette a eu le courage de publier, la lettre qui lui a coûté la vie...

Les cris redoublent. Le président fait un geste d'impuissance. Les jurés s'agitent sur leurs bancs, et c'est en définitive Me Labori, l'avocat de la défense, qui est obligé d'intervenir.

Sa haute silhouette en impose. Son visage énergique, sa crinière blanche, forcent le respect. Le tumulte s'apaise. Chenu, après avoir remercié son collègue d'un signe de tête, poursuit :

– Voici donc la fameuse lettre publiée par *Le Figaro*. M. Caillaux y écrit ceci : « J'ai dû subir deux séances à la Chambre, l'une le matin à 9 heures, qui a fini à midi, l'autre à 2 heures, dont je ne suis sorti qu'à 8 heures, harassé. J'ai d'ailleurs remporté un très beau succès... »

Le bâtonnier Chenu s'interrompt un instant pour bien souligner l'importance de ce qui va suivre. Puis il reprend sa lecture en détachant ses mots : « J'ai écrasé l'impôt sur le revenu en ayant l'air de le défendre. Je me suis fait acclamer par le centre et par la droite et je n'ai pas trop mécontenté la gauche... »

Chenu marque une nouvelle pause, puis il tonne :

– Voilà l'homme ! Il est cynique, plein de duplicité, menteur...

Labori intervient brutalement :

– Monsieur le bâtonnier, je vous en prie, nous n'en sommes pas encore aux plaidoieries.

Puis, se tournant vers le président, il ajoute :

– Je vous adresse respectueusement une requête... Si je suis bien informé, M. Caillaux va être appelé pour déposer comme témoin. Dans ces conditions, je vous prierai, monsieur le président, de l'avertir, si possible avant sa déposition, de la lecture qui vient d'être faite par mon confrère et des conditions dans lesquelles elle a été faite.

Silence tendu. Le président avertit le public qu'il va, en effet, appeler M. Caillaux et qu'il ne tolérera aucune manifestation. Dans son box, Mme Caillaux, qui semblait perdue dans un rêve depuis le début de l'audience, se redresse vivement, le visage crispé.

– Faites entrer le témoin !...

Dans la salle on se lève, on se bouscule, pour mieux voir.

Joseph Caillaux s'avance vers la barre d'un pas rapide, le torse bombé, le regard impérieux. Chauve, le visage bien dessiné, le nez droit, le menton volontaire, et, comme l'écrit Maurice Barrès, qui pourtant le déteste : « A cinquante et un ans il a encore l'air d'un jeune aristocrate avec quelque chose d'extravagant. »

Le président Albanel et Me Labori le mettent au courant de ce qui vient de se passer. Caillaux foudroie Chenu du regard puis, se tournant vers sa femme qui vient d'éclater en sanglots, il dit d'une voix très douce qui surprend chez cet homme que l'on sait violent et autoritaire :

— Avant de répondre à ces basses accusations, je tiens à dire que cette femme qui est aujourd'hui dans le box des accusés s'y trouve en effet par ma faute ! Elle qui m'a donné le bonheur le plus complet, le plus absolu, elle qui a été pour moi, non seulement l'épouse la plus tendre, mais l'associée la plus diligente, la plus informée et la plus avertie, je n'ai pas su la protéger contre la méchanceté et la calomnie...

Henriette Caillaux sanglote de plus belle tandis que son mari poursuit :

— Oui, il est une chose dont je m'accuse devant le jury : c'est de ne pas avoir été assez attentif à mon foyer ! De ne pas avoir vu les ravages que faisait sur ma femme cette campagne de presse ! De ne pas avoir senti que, par amour pour moi, elle pouvait être capable d'un tel geste... Je l'en excuse et m'en accuse moi-même.

La salle est subjuguée. Les plus hostiles à Caillaux en restent médusés. Un journaliste murmure : « Cet homme est un dompteur. Quand on attend les coups, il caresse ! »

C'est vrai qu'il sait caresser, Caillaux... Mais cela ne dure jamais très longtemps. Le voilà maintenant qui répond à l'avocat de la partie civile. Et le ton change.

— La confession du procureur Fabre sur l'affaire Rochette, dont vous semblez faire si grand cas, je ne redoutais pas sa publication et je vais vous dire pourquoi : il est exact que je suis intervenu pour faire retarder le procès Rochette, mais je n'ai pas à en rougir. C'était un acte de gouvernement.

Il y a des cris dans la salle. Caillaux aussitôt fait face.

— Parfaitement, messieurs ! Ne vous en déplaise, si j'avais laissé venir le procès Rochette à son heure, j'aurais aggravé la panique financière qui s'était alors emparée du pays.

Puis, se tournant à nouveau vers les jurés, il conclut :

— Mes ennemis m'accusent de m'être enrichi grâce à mes fonctions officielles. C'est faux, et je le prouve. A la mort de mon père, j'ai hérité d'un million deux cent mille francs. Eh bien, aujourd'hui, ma fortune n'est pas supérieure !... Tandis que M. Calmette, dont on veut faire une victime innocente, lègue une fortune colossale à ses héritiers. J'ai ici son testament : il laisse plus de treize millions de francs !

Cette fois, ce sont des hurlements. Comment Caillaux s'est-il procuré ce testament, acte privé par excellence ? De quelles complicités a-t-il bénéficié au ministère des Finances ? L'indignation, la colère sont telles que le président doit suspendre l'audience.

Le 22 juillet 1914, malgré les menaces de guerre qui se précisent, malgré l'arrivée du Tour de France, la une des journaux est tout entière consacrée au procès Caillaux. « Scandale à la cour d'assises de Paris », « Le secret du testament Calmette violé publiquement », « Le ministère des Finances vient au secours de Caillaux », titrent ce matin, en gros caractères, les feuilles de droite, tandis que la presse de gauche et du centre se contente d'indiquer, avec pudeur : « Incident au procès Caillaux. »

En réalité, tout le monde sait que c'est son avenir politique que Joseph Caillaux joue en ce moment devant la cour d'assises. Contraint d'abandonner son poste de ministre des Finances après l'assassinat de Calmette par sa femme, Caillaux attend avec impatience d'avoir réglé cette affaire pour prendre la tête d'une coalition radicale-socialiste qui va tenter d'éviter la guerre.

Qui mieux que lui en effet pourrait renouer le dialogue avec l'Allemagne ? Lui qui, il y a trois ans, alors qu'il était président du Conseil, a négocié personnellement après l'incident d'Agadir le traité franco-allemand, qui laissait à la France les mains libres au Maroc en échange d'une partie du Congo ; lui qui passe pour être un ami de l'ambassadeur d'Allemagne à Paris. Lui, enfin, qui est le seul dont l'autorité à la Chambre puisse faire pièce à celle d'un Barthou ou d'un Clemenceau, partisans de la guerre de revanche.

Seulement voilà. Jaurès, le leader socialiste, a été catégorique. Il veut bien sceller un accord entre radicaux et socialistes sous l'autorité de Caillaux, mais à une condition : que Mme Caillaux soit acquittée !

La politique revient donc au galop derrière le fait divers, et cela n'est pas sans réserver quelques surprises.

C'est le cas aujourd'hui, avec la déposition du rédacteur du *Figaro*, Latzarus, qui vient de raconter les derniers instants de Calmette. On l'a écouté en silence. Joseph Caillaux, assis, les jambes croisées, jouait avec son monocle d'un air indifférent, tandis que sa femme, dans le box des accusés, lui jetait des regards inquiets.

Témoignage émouvant. Latzarus a brossé le portrait d'une femme élégante, qui a attendu plus d'une heure, sans dire un mot, dans l'antichambre du *Figaro*, puis qui s'est levée, très calme, à l'arrivée de Gaston Calmette, et qui, de l'air le plus naturel, a retiré une main de son manchon de fourrure avant d'entrer dans le bureau directorial, et de lancer d'une voix ferme :

— Vous savez pourquoi je viens !...

Cette femme, alors, a tiré à plusieurs reprises, sans laisser à sa victime le temps de répondre.

Puis Latzarus a décrit Gaston Calmette affalé contre un

fauteuil. Son lorgnon est tombé. Ses yeux myopes se ferment déjà. Il murmure : « Je ne me sens pas très bien... dites bien que j'ai fait mon devoir. » Puis il perd connaissance. Dans le bureau, envahi maintenant par des huissiers et des journalistes, quelqu'un crie : « Calmette se meurt. » Alors la jeune femme élégante, qui n'a pas bougé, dit simplement, sans la moindre trace d'émotion : « Il le faut bien, puisqu'il n'y a pas de justice en France... »

Le silence est maintenant retombé dans la salle d'audience. Les jurés regardent à la dérobée Mme Caillaux, pâle, les yeux rouges, qui sanglote silencieusement dans son box. Est-ce bien la même femme qui, quatre mois auparavant, a assassiné de sang-froid Gaston Calmette ? L'émotion est telle que personne ne songe à libérer le témoin, qui reste à la barre sans rien dire.

Mais tout à coup, voici que Latzarus reprend la parole :

– Avant que l'on emmène M. Calmette mourant, dit-il, nous avons fait l'inventaire des papiers et des objets qu'il avait sur lui. Et ce ne sont pas les fameuses lettres intimes de Joseph Caillaux, dont sa femme redoutait, paraît-il, la publication, que nous avons trouvées dans son portefeuille ! Ce sont des documents autrement plus importants et qui, ceux-là en effet, pouvaient justifier les coups de revolver d'une femme aux abois ! Car tout bon Français qui les aurait lus, comme moi, aurait dû conclure à l'infamie et à la trahison de son mari, Joseph Caillaux, qui était mis en cause dans ces documents.

On dirait qu'un spectre vient d'entrer dans le prétoire, figeant sur place les avocats de la défense. Le président Albanel fixe sur le témoin des yeux exorbités. Caillaux lui-même a cessé de jouer avec son monocle et s'est redressé sur sa chaise. Dans le fond de la salle, ses ennemis politiques donnent de la voix : « La vérité sur les documents verts !... Démasquez le traître !... Caillaux à Berlin !... »

Tout le monde a compris en effet que les documents que Latzarus vient d'évoquer sans les nommer sont ces fameux télégrammes allemands qu'on appelle dans la presse les

« documents verts » et qui prouveraient qu'en 1911, lors des négociations franco-allemandes sur le Congo, Joseph Caillaux aurait dissimulé à son gouvernement certaines promesses faites par lui aux Allemands. Ces documents, personne n'avait encore apporté la preuve de leur existence. Or, voilà que Latzarus affirme qu'ils se trouvaient dans le portefeuille de Calmette le jour de sa mort ! C'est un coup très dur pour Caillaux et un argument décisif pour la partie civile, qui a toujours prétendu que Mme Caillaux n'avait pas tué dans un moment d'égarement, mais qu'elle avait agi poussée par son mari, qui redoutait que *Le Figaro* ne publie de nouvelles révélations sensationnelles sur son compte.

Me Chenu, l'avocat de la partie civile, se lève. Il est très pâle, sa moustache rousse frémit. Cette fois, on s'attend à ce qu'il écrase ce ministre orgueilleux qui, jusque-là, a nargué la Cour, comme il nargue, à la Chambre, ses adversaires politiques. La salle retient son souffle. Le bâtonnier Chenu, on le sait, est un redoutable polémiste.

Mais non. A l'étonnement général, Chenu invite Latzarus à parler d'autre chose. Il fait celui qui n'a pas entendu. Il est évident qu'il ne veut pas ou qu'il ne *peut* pas utiliser les « documents verts » contre Caillaux. Le président, ravi, demande au témoin de retourner s'asseoir à sa place. L'incident est clos. Un énorme scandale vient d'être évité de justesse.

C'est alors que se produit le coup de théâtre. Me Labori, l'avocat de Mme Caillaux, se lève à son tour. Agitant sa crinière blanche, martelant du poing son dossier, il exige que le témoin revienne à la barre.

– Je ne tolérerai aucune équivoque, tonne l'avocat. Cet homme en a dit trop ou trop peu ! Qu'il vienne s'expliquer devant M. Caillaux !

C'est la stupeur. Le président semble se demander si Labori n'est pas devenu fou. Mais voilà Caillaux qui, à son tour, entre en lice.

– Quand on attaque, s'écrie-t-il, il faut aller jusqu'au

bout de ses attaques. Je vous somme de vous expliquer plus clairement !

Latzarus est à nouveau poussé à la barre. Il paraît bien embarrassé et s'excuse de ne pouvoir en dire plus :

– Ces documents, explique-t-il, M. Calmette m'avait dit qu'il ne les publierait pas, car cette publication ferait courir un grand danger à la patrie.

– Assez de mensonges, monsieur ! lance Caillaux. Si vous avez ces documents, lisez-les ! Lisez-les !

Latzarus contient mal sa colère. Il bredouille :

– De très hautes personnalités sont intervenues auprès de M. Calmette pour qu'il ne divulgue pas ces documents. Je ne peux donc pas prendre, moi, la responsabilité de les divulguer aujourd'hui.

– Monsieur, lui dit Me Labori d'une voix grave et un peu théâtrale, monsieur, en vous taisant vous ajoutez un mensonge à la calomnie !...

– Je n'ai jamais calomnié personne ! J'ai dit la vérité ! Ces documents existent ! répond Latzarus hors de lui. Ils ont été remis au président de la République par le frère de M. Calmette !

La salle gronde. Le public comprend soudain pourquoi Me Chenu, tout à l'heure, n'a pas utilisé à son profit le témoignage de Latzarus. C'est qu'il était tenu par un secret d'État ! Le procès est truqué à la base.

Me Labori sent la situation lui échapper. Les jurés commencent à s'agiter sur leurs bancs. C'est alors que l'ancien avocat de Dreyfus a une intuition de génie. Puisque la salle s'indigne, il faut s'indigner avec elle.

L'avocat se tourne brusquement vers le procureur général et donne libre cours à sa colère :

– Comment, monsieur le procureur, j'apprends que ces documents sont aux mains du gouvernement ! Pourquoi, alors, ne sont-ils pas aux débats ? Je demande leur saisie immédiate ! Je ne plaiderai pas dans ces conditions ! Je ne vois pas pourquoi, moi, défenseur, je serais solidaire de je ne sais quelles équivoques qui peuvent être acceptées dans les parlements, mais qui ne le seront pas, tant que je serai à la barre, dans un prétoire de justice !

La tirade est magnifique. La salle applaudit. Labori a gagné. Le procureur n'a plus qu'à demander officiellement une déclaration au gouvernement sur les fameux « documents verts ». L'audience s'achève dans un tumulte épouvantable. On ne sait plus qui ment, qui joue la comédie. Et si l'on attend avec curiosité la réponse du gouvernement pour demain, on a aussi la désagréable impression que, dans ce procès, la politique a définitivement pris le pas sur la justice et qu'on ne saura jamais la vérité.

Le 23 juillet 1914, au début de la quatrième journée du procès, la foule est si nombreuse que les bancs réservés à la presse sont envahis par le public.

Il y a là des messieurs en jaquette, l'air important, le binocle sévère, et de jeunes personnes espiègles, le décolleté avantageux et la taille cambrée. On ne sait plus qui d'Henriette ou de Joseph Caillaux attire le plus de monde.

Bien sûr, le second n'est là officiellement qu'à titre de témoin. Mais c'est lui maintenant la vedette du procès depuis qu'hier la partie civile, et, derrière elle, ses adversaires politiques, ont accusé l'ancien président du Conseil, l'ancien ministre des Finances, le leader du Parti radical et chef de file des pacifistes qui veulent empêcher à tout prix la guerre qui menace : ils l'accusent d'avoir prémédité et organisé le meurtre de Gaston Calmette pour l'empêcher de publier non pas des lettres d'amour, mais les fameux « documents verts », ces télégrammes d'origine allemande selon lesquels Joseph Caillaux aurait négocié avec l'Allemagne sans en référer au Conseil des ministres.

De plus, on entendra aujourd'hui la déposition de la première femme de Caillaux, Mme Gueydan, soupçonnée d'avoir communiqué à Gaston Calmette la lettre de l'ancien président du Conseil, parue dans son journal.

L'audience promet donc d'être mouvementée... On craint même que les agitateurs nationalistes et les Camelots du roi n'en profitent pour provoquer des incidents. C'est pourquoi on a vu reparaître ce matin les amis corses de Joseph Caillaux... A un journaliste qui lui reproche les abus de cette « milice », Caillaux répond sèchement :

– La tourbe envahirait le palais si ma garde corse ne la faisait rentrer sous terre !

En tout cas, ce 23 juillet 1914, les adversaires de l'ancien président du Conseil sont peu nombreux dans la salle, si l'on en juge par les applaudissements nourris qui saluent son entrée.

Le président déclare l'audience ouverte. Aussitôt, le procureur général Herbeaux donne lecture de la réponse du gouvernement à l'éclat de la veille.

– Les pièces remises au président de la République sous l'appellation de « documents verts », dit-il d'une voix ferme, ne sont que de prétendues copies de documents qui n'existent pas. On ne saurait donc les invoquer contre le patriotisme de M. Caillaux.

Comment peut-on copier des documents qui n'existent pas ? Un lourd silence souligne l'absurdité de cette déclaration. Les amis de Caillaux eux-mêmes n'arrivent pas à se satisfaire de cette fable. Tout le monde sait que ces documents existent. On pensait seulement qu'ils étaient moins accablants que la droite ne le prétendait. Maintenant, le doute s'installe.

– L'incident est clos, lance le président Albanel.

– L'incident est clos, en effet ! s'écrie Me Chenu, l'avocat de la partie civile. Il est clos à la satisfaction de M. Caillaux. Pas à la mienne !

Et il poursuit :

– Voilà une superbe diversion qui a abouti au cours de la nuit, et dans des conditions que nous ignorons, à faire délivrer à M. Caillaux un certificat de loyalisme national à l'occasion de pièces qu'il est seul à connaître.

Caillaux s'est levé d'un bond. Il ajuste son monocle, croise les bras, relève le menton :

– Maître Chenu, dit-il d'une voix sifflante, vous avez sans doute mal entendu ce que vient de dire M. le procureur au nom du gouvernement : ces documents n'existent pas !

– J'affirme, moi, qu'ils existent ! reprend l'avocat. Mais je ne peux faire état de leur contenu pour des raisons de sécurité nationale !

Cette fois, Caillaux se tourne vers les jurés :

– Messieurs, la mesure et la modération seront pour moi la meilleure façon de répondre à des attaques dont j'imagine que Me Chenu ne prend pas la responsabilité personnelle !

L'avocat est au comble de la colère :

– Je prends, monsieur, la responsabilité de toutes les paroles que je prononce. Vous me menacez en ce moment. Vous avez tort. Vous ne connaissez pas l'homme à qui vous parlez !

On applaudit si fort la réplique de l'avocat que Joseph Caillaux préfère ne pas répondre. Applaudissements d'autant plus blessants que la salle ne lui est pas hostile *a priori*. Mais déjà le président appelle le témoin que tout le monde attend : Mme Gueydan.

L'ancien président du Conseil se rassied, visiblement ulcéré. C'est la première fois qu'il doit plier le genou devant un adversaire. Pourtant, quand son regard croise celui de sa première femme, qui se tient maintenant bien droite à la barre des témoins, il retrouve toute son assurance. Dans le sourire qui étire légèrement ses lèvres fines, il y a tout à la fois de l'ironie et de la fierté, la fierté d'un homme qui se sait aimé par la femme blonde qui est assise dans le box des accusés et qui le regarde intensément, mais aussi par cette grande et belle femme brune qui va prendre la parole...

Lorsque Mme Gueydan évoque le passé d'une voix frémissante, affirmant avec force « qu'elle voulait rester

Mme Caillaux mais qu'une autre l'a poussée dehors », un petit frisson passe dans la salle... Le public sent que derrière le scandale politique se cache une déchirante histoire d'amour et de haine.

– Ces lettres, poursuit Mme Gueydan, ces lettres adressées à ma rivale et qu'elle m'accuse d'avoir volées, ne sont terribles pour personne sinon pour moi ! Ce sont les lettres d'une femme furieuse qui veut me faire jeter dehors. On n'y parle pas politique.

Me Chenu se lève à nouveau.

– Montrez ces lettres à la Cour, madame, sinon l'on ne vous croira pas !

– Non, monsieur, je ne veux pas les montrer. Je vous répète qu'elles n'intéressent personne d'autre que moi. Vous n'y trouverez pas ce que vous attendez... Elles sont à l'honneur de M. Caillaux.

– Montrez-les, madame, répète Me Chenu, ou l'on ne vous croira pas !

– Non, monsieur, reprend Mme Gueydan d'un air buté. Je ne les ai d'ailleurs jamais montrées à personne.

– On ne vous croira pas, bougonne une dernière fois Me Chenu.

Puis, tout à coup, l'avocat de la partie civile change de tactique. Il sait la haine de cette femme pour l'actuelle Mme Caillaux et il va en jouer.

– Écoutez-moi bien, Mme Gueydan...

Me Chenu s'est avancé vers elle, solide, rassurant. Ses quelques cheveux ras tremblotent sur son crâne. « Un chauve coupé en brosse », comme l'a défini un jour l'un de ses confrères. Il se penche vers la grande femme brune :

– Écoutez-moi bien, madame ! En ne livrant pas ces lettres, ce n'est pas M. Caillaux que vous protégez. C'est elle...

Et Chenu, du doigt, désigne Henriette Caillaux dans son box.

– ... Elle qui vous a accablée. Elle qui vous a accusée d'avoir livré ces lettres au *Figaro* pour briser son bonheur !

Elle qui a prétendu avoir assassinée Calmette pour éviter que soient livrés au public les détails scabreux contenus dans ces lettres ! Vous savez mieux que personne que tout cela est faux, que ces lettres sont anodines et ne recèlent aucun secret intime. Alors, prouvez-le ! Rendez enfin ces lettres publiques !

Chenu a touché juste. Mme Gueydan hésite encore quelques instants, pour la forme, puis elle sort de son sac à main les fameuses lettres et les tend aux jurés. Mais Caillaux a bondi ! Il s'interpose.

— Ma femme, s'écrie-t-il, a tué pour que ces lettres ne soient pas divulguées. Ce serait inhumain que de violer maintenant le secret de son intimité !

Les jurés sont sensibles à l'argument. Ils ne veulent plus des lettres. Mme Gueydan reste avec son petit paquet à la main. Ce qui avait commencé comme une tragédie tourne à la farce. Finalement, c'est Me Labori, l'avocat de Mme Caillaux, qui, excédé, va s'emparer des fameuses lettres sous l'œil courroucé de Joseph Caillaux.

Elles n'ont rien de bien renversant les lettres qu'écrivait « Jo » à sa « Riri » ! Toutes les femmes qui se trouvent aujourd'hui dans l'assistance en cachent de semblables dans les tiroirs de leur secrétaire. La phrase la plus osée, lue d'une voix tremblante par Me Labori, ne fait même pas sourire l'assistance : « Mon amour, je t'adore et je suis à toi, déclame la belle voix de l'avocat. Mille millions de baisers sur ton petit corps adoré... »

Mme Gueydan jette un regard de mépris sur Henriette Caillaux qui sanglote, un flacon de sels d'une main et son mouchoir de l'autre.

Agacé, Joseph Caillaux se retire. On dirait qu'il vient de lever la séance. Le président Albanel, toujours empressé, suit le mouvement et suspend l'audience. On a l'impression pénible qu'une mascarade s'achève. Heureusement, il reste les avocats, tous deux de grande classe. Leur affrontement, lors des plaidoiries, promet d'être impressionnant.

Le 28 juillet 1914, tandis que la foule des grands jours se presse au palais de justice, pour la dernière journée du procès de Mme Caillaux, Paris est en effervescence : des bruits de bottes retentissent de l'autre côté du Rhin : « Ils mobilisent », dit-on.

Depuis quelques jours, il est vrai, un vent d'orage, un vent de guerre souffle sur l'Europe : les chancelleries sont devenues folles. Les Allemands, les Autrichiens et les Hongrois d'un côté, les Russes et les Français de l'autre, semblent impatients d'en découdre. Seuls les Anglais conservent une apparente sérénité. Il serait urgent qu'à Berlin et à Paris des voix s'élèvent pour tenter de renouer le dialogue avant qu'il ne soit trop tard !

Il y a bien sûr Jean Jaurès qui, au nom de l'Internationale socialiste, lance désespérément des appels au calme. Mais il n'est guère entendu, ni en France, ni outre-Rhin. Il lui faudrait un allié de poids dans la bourgeoisie française qui pourrait, en s'appuyant sur une majorité de centre gauche, reprendre la négociation avec le gouvernement allemand. Or cet homme existe : c'est Joseph Caillaux, le chef du Parti radical. Mais Joseph Caillaux, depuis huit jours, est absent de la Chambre des députés. Il ne quitte pas le palais de justice où il assiste au procès de sa femme.

Voilà bien l'ironie de la situation : en voulant, par un geste fou, mettre fin à la campagne de presse déclenchée contre son mari, cette femme amoureuse et impulsive l'a contraint en réalité à quitter la scène politique au moment où l'on avait le plus besoin de lui.

Mais Caillaux ne s'avoue pas vaincu. Il prend les choses en main, organise la défense, bouscule les témoins. Il ne craint pas de faire pression publiquement sur les jurés. Bref, c'est lui qui mène le procès par-dessus la tête du président Albanel. Il veut revenir à la Chambre des députés où le réclament radicaux et socialistes qui espèrent encore sauver la paix. Mais cette attitude autoritaire et brutale, le public la supporte mal et elle va contribuer à ternir encore sa popularité déjà chancelante. Dès le premier jour du procès, les avocats de la partie civile ont présenté l'ancien président du Conseil comme le véritable accusé, comme l'inspirateur du meurtre de Gaston Calmette.

C'est ce que redit avec force aujourd'hui, dans sa plaidoirie, Mᵉ Chenu, l'avocat de la famille Calmette. Il est là, tonitruant, le geste large, la moustache blanche barrant d'un large trait son visage écarlate, faisant face à Caillaux, qui l'écoute, assis, les bras croisés, l'air moqueur.

Mᵉ Chenu l'accuse d'avoir poussé sa femme à tuer Calmette. Il décrit leur complot. Il les montre, pleins d'orgueil et de haine, contrariés dans leur mutuel appétit de pouvoir par Gaston Calmette, journaliste épris de vérité. Il répète que le véritable mobile du crime n'est point la crainte de voir paraître dans *Le Figaro* des lettres intimes de Joseph Caillaux à son épouse, mais la peur panique que ne soient divulgués des documents autrement plus compromettants ! Des documents que Gaston Calmette se préparait à publier et qui auraient révélé, à ceux qui l'ignoreraient encore, que la traîtrise, les pressions sur la justice et la protection des financiers verreux étaient les méthodes de gouvernement les plus courantes de M. Caillaux.

La tirade de Mᵉ Chenu ne provoque pas une grande émotion dans la salle. Ses intentions politiques sont trop évidentes, son style trop classique, ses arguments éventés. Tout cela a été dit et redit au cours des débats. Caillaux a déjà répondu point par point, et le public s'ennuie presque autant que les jurés.

L'avocat décide alors brusquement de jouer sur un autre clavier. Puisque la politique ne les intéresse pas, il va leur parler de l'homme.

— M. Caillaux possède d'exceptionnelles qualités d'esprit, dit Mᵉ Chenu. Il a une mémoire prodigieuse, mais avec d'étranges défaillances ! Une haute intelligence, mais visiblement dépassée par l'opinion qu'il en a ! Une ambition sans frein et sans limite, mais curieusement impatiente des obstacles ! Un courage légendaire quand il s'agit de cingler l'adversaire avec des mots, mais une bien étrange lâcheté physique quand il s'agit de tenir un revolver !...

L'avocat a fait mouche. Caillaux s'est redressé sur sa chaise et le toise de toute la hauteur de son orgueil blessé. Cette fois, l'assistance est réveillée. On joue des coudes, on se dresse sur la pointe des pieds. On veut voir la suite du combat.

– Cet homme autoritaire, poursuit Me Chenu, a su persuader sa femme de ce qu'il fallait faire ! Il a su lui démontrer que la femme tirait aussi bien que l'homme, mais qu'elle courait infiniment moins de risques... notamment devant la justice !

Il y a soudain un grand bruit dans le box des accusés. Mme Caillaux vient de s'affaisser sur son banc, sans connaissance. Son mari se précipite, bouscule les gardes, prend la jeune femme dans ses bras et traverse le prétoire la tête haute. Il a réussi sa sortie ! Le public frémit. Le président Albanel lève la séance. Me Chenu a perdu. A la reprise des débats, trois quarts d'heure plus tard, c'est d'une voix morne qu'il demandera aux jurés de rendre un « verdict de culpabilité au nom de la justice et du respect de la vie humaine ».

Déjà on se tourne vers Me Labori, l'avocat de la défense. On sent qu'il n'aura pas beaucoup de mal à défendre, ou du moins à justifier ce qu'il qualifie lui-même de « crime d'amour et d'amour-propre ».

Grand, les épaules larges, les cheveux blancs rejetés en arrière comme une crinière, Me Labori n'a pas hésité autrefois à rompre avec l'un de ses meilleurs amis, l'expert Bertillon qui accusait Dreyfus. Il a la réputation d'être juste et franc et passe pour défendre les bonnes causes.

– D'autres femmes avant Henriette Caillaux, commence l'avocat, ont abattu des hommes qui les poursuivaient de leurs calomnies... C'est le cas de Mme Clovis Hugues, la femme du député-poète. Elle a tué pour répondre aux injures. Et, à l'époque, *Le Figaro* de M. Calmette a applaudi ! Mme Hughes a d'ailleurs été acquittée.

Puis, se tournant vers les jurés, Me Labori poursuit :

– Mme Caillaux, elle, ne voulait même pas tuer Gaston Calmette. Les experts nous l'ont confirmé. Elle a tiré trop bas. Le malheur a voulu que Calmette se baisse... Le malheur a voulu que les médecins traitants fassent une erreur de diagnostic et interviennent trop tard... La mort de Calmette, messieurs, est un lamentable incident, infiniment malheureux et irréparable. Un incident provoqué par la nervosité humaine exaspérée.

A écouter Me Labori, on finit par oublier qu'il est le défenseur d'Henriette Caillaux. Il n'attaque pas Calmette. Il n'excuse pas Mme Caillaux. Il semble renvoyer dos à dos la criminelle et sa victime. Il plane au-dessus des parties. Le public l'écoute bouche bée, perdant soudain de vue toutes les implications politiques du procès et jusqu'au personnage de Joseph Caillaux. Il n'y a plus qu'une pauvre femme entraînée dans le tourbillon des sarcasmes et de la calomnie et qui a perdu le contrôle de ses nerfs. Inutile de remuer la boue, inutile d'agiter de douloureux souvenirs, tout cela ne relève que d'une triste fatalité.

Labori, bien sûr, demande l'acquittement pur et simple. Il le demande, « au nom de l'unité nationale ».

– Gardons notre colère pour nos ennemis du dehors ! dit l'avocat. Allons toujours unis et solidaires vers les périls qui menacent et auxquels il n'est que temps de faire face au terme de ces trop longs débats !

Ce qui veut dire en clair, non pas pour le public, qui applaudit, mais pour les jurés : « Dépêchez-vous d'acquitter Mme Caillaux, tirez un trait sur cette affaire sans importance pour que Joseph Caillaux puisse enfin retourner à la Chambre et prendre la tête de la coalition contre la guerre. »

Une heure plus tard, les jurés ont répondu « Non » à toutes les questions. Henriette Caillaux est acquittée.

Mais il est trop tard. Tandis que dans la salle d'audience éclate un tonnerre d'applaudissements, dans les rues de la capitale les Camelots du roi et les nationalistes incendient les kiosques à journaux et brisent leurs cannes sur la tête des agents de police. « A mort Caillaux ! A mort les vendus ! » crient les manifestants. « A Berlin ! A Berlin ! » répond la foule parisienne.

Pour Joseph Caillaux comme pour la politique qu'il défendait, le rendez-vous est manqué. Cinq jours après la fin du procès, Jaurès était assassiné et avec lui mouraient les derniers espoirs de paix. Huit jours plus tard, l'Allemagne déclarait la guerre à la France.

7. *Les poisons*

I. – LA BRINVILLIERS.

– C'est un esprit qui nous épouvante ! s'écrie le très sévère Lamoignon, premier président de la grand-chambre du Parlement, la plus haute juridiction du royaume.

Au premier regard, pourtant, on ne voit pas bien ce qu'il peut y avoir de si épouvantable dans cette petite femme de 46 ans, sinon peut-être qu'elle est encore très belle, fraîche et vive. Il y a ses yeux surtout, des yeux d'un bleu étonnant, où l'on dit que tant d'hommes se sont perdus.

Mais, soudain, ces yeux flamboient, et l'on sait alors que Marie-Madeleine d'Aubray, marquise de Brinvilliers, va se battre pied à pied. Ces nobles de robe qui prétendent la juger ne sont pas au bout de leurs peines, d'autant plus qu'elle connaît ces magistrats. N'est-elle pas fille et femme – veuve – de lieutenants civils de Paris, une charge estimée à 700 000 livres ? Elle est de leur monde, elle sait les manipuler.

Et dès l'ouverture de ce procès, le 17 avril 1676, on peut s'attendre à toutes sortes d'incidents... Cela commence par la confession écrite de la dame de Brinvilliers.

Aussitôt, M. de Palluau, le magistrat qui a mené l'instruction, se lève.

– J'ai consulté des docteurs en théologie, s'écrie-t-il, si l'on trouve une confession en chemin, on doit immédiatement la brûler, sous peine de péché mortel.

L'avocat de la marquise intervient à son tour. Me Nivelle soutient lui aussi qu'on ne doit pas lire cette confession. La discussion s'envenime, le ton monte. Quelle est cette confession qui oppose si violemment les magistrats ?

Il y a quatre ans de cela, le 31 juillet 1672, un ancien capitaine, Godin, dit Sainte-Croix, meurt à son domicile, place Maubert à Paris. Cet homme est un libertin notoire qui a été l'amant de la marquise de Brinvilliers.

Peu après, on découvre, dans un cabinet reculé de son logement, une cassette rouge et une lettre de Sainte-Croix dans laquelle le capitaine supplie celui ou celle qui trouvera la cassette de la remettre à sa propriétaire, Mme de Brinvilliers, ou, si celle-ci est morte, de la brûler. La police ouvre néanmoins la cassette. Outre deux reconnaissances de dettes de la marquise et une correspondance compromettante entre elle et Sainte-Croix, elle renferme des fioles contenant d'étranges liquides, que les apothicaires consultés ont tôt fait d'identifier comme étant des poisons redoutables.

Aussitôt, la marquise prend peur. Elle essaie par tous les moyens de récupérer ces documents qui sont la preuve de ses crimes. Et quels crimes : l'empoisonnement de son père, de ses deux frères, d'autres encore...

Non seulement elle ne réussit pas à récupérer ces documents, mais sa belle-sœur se porte partie civile ! On arrête son valet, un nommé La Chaussée, qui fut aussi de ses amants. On hésite encore à l'arrêter, elle ; on ne se saisit pas d'une marquise comme d'une vulgaire ribaude. Mais la Brinvilliers préfère prendre la fuite et, pendant quatre ans, d'Angleterre en Flandre, elle va mener une existence errante et misérable. Entre-temps, le valet La Chaussée a été jugé et rompu vif, et elle-même, condamnée par contumace, à avoir la tête tranchée.

En mars 1676, elle se trouve à Avroy, près de Liège, dans un couvent. Le pays est alors occupé par les troupes de France. Et c'est là qu'un certain capitaine Desgrez se saisit d'elle. La Brinvilliers tente de se suicider en avalant une épingle. Mais Desgrez veille et on la ramène à Paris sous bonne escorte, pour y être jugée.

Ainsi naît l'affaire dite des Poisons. Mais qu'en est-il de la fameuse confession qui fait s'affronter les deux parties, ce 17 avril 1676 ? On l'a tout simplement trouvée parmi les affaires de la marquise. Dans une cassette, elle aussi.

– On ne peut pas enfreindre le secret de la confession ! s'écrie Me Nivelle. Les lois divines et humaines la rendent sacrée et inviolable.

Ce n'est pas du tout l'avis du premier président, M. de Lamoignon.

– Mais le secret de la confession ne peut exister qu'entre le confesseur et le pénitent, réplique-t-il. Or, dans cette confession écrite, la pécheresse s'est confessée seule.

Le débat s'éternise. Peut-on parler en public de sodomie et d'inceste ? Les magistrats, une fois de plus, tergiversent. On propose même devant le cynisme et la cruauté des termes de cette confession de la traduire en latin avant de la rendre publique.

Mais le premier président a fini par trancher. Lecture sera faite. La marquise de Brinvilliers accueille cette annonce d'une simple moue de mépris. D'une voix mal assurée, le greffier commence la lecture :

« Je m'accuse d'avoir commis des incestes trois fois la semaine, et peut-être trois cents fois en tout. J'ai eu envie sur mon frère. J'ai commis plusieurs adultères avec un homme marié, quatorze ans durant. J'ai deux enfants parmi les miens qui sont de son fait... Je m'accuse qu'un garçon m'a prise dès l'âge de 7 ans. Je m'accuse d'avoir fait des attouchements avec mon frère avant 7 ans. »

Et cela continue...

L'assistance écoute, stupéfaite ! Quel était donc le mobile de tous ces crimes ?

« Je m'accuse d'avoir remis du poison à une femme pour en donner à son mari. Je m'accuse d'avoir donné du poison à une de mes enfants parce qu'elle était grande. Je m'accuse d'avoir empoisonné mon père. C'était pour avoir son bien. J'ai fait empoisonner mes deux frères. Je m'accuse d'avoir eu la volonté d'empoisonner ma sœur, qui me reprochait ma manière de vivre... »

« ... Je m'accuse d'avoir donné cinq ou six fois du poison à mon mari. Le regret me prit. Je l'ai bien fait traiter et il en est guéri. Mais il est toujours incommodé... »

Quand le greffier a terminé la lecture de la « confession », un lourd silence retombe sur la Cour tout entière. A-t-on jamais vu semblable criminelle ? La marquise, elle, a écouté sans broncher, la lecture de cet effroyable document.

— Madame de Brinvilliers, demande enfin le premier président, est-ce bien là, votre confession ?

La réponse, tout en étant négative, laisse planer un doute.

— Je n'ai jamais eu dessein de faire une confession semblable.

— Mais avez-vous eu le désir de vous confesser ?

— Je ne connaissais ni prêtre ni religieuse à qui le faire.

Le fait est que cette confession a bien été écrite de sa main. C'est elle et personne d'autre qui a rédigé cette incroyable auto-accusation.

— J'avais l'esprit désespéré, dit la marquise. Je ne savais plus ce que je faisais. D'ailleurs, je ne me souvenais même plus de ce que j'y avais mis...

13 juillet 1676. Le procès de la belle marquise, qui distribuait ses poisons comme on distribue des bonbons, dure maintenant depuis trois mois. Elle n'a toujours rien avoué, et l'on n'a rien prouvé.

Mais, aujourd'hui, la Brinvilliers va devoir se défendre contre un témoignage accablant, celui d'un nommé Briancourt, ancien précepteur de ses enfants, et, naturellement, l'un de ses anciens amants.

La marquise, pâle, hautaine, est assise sur la sellette, face aux juges de la grand-chambre du Parlement.

– Faites amener le témoin !

Les gardes font entrer Briancourt, un beau jeune homme timide.

Lorsqu'il est entré à son service, la marquise de Brinvilliers avait déjà fait assassiner son père et ses deux frères. Des meurtres par intérêt : la marquise voulait récupérer l'héritage dans son entier. Des meurtres longs : les poisons de la marquise n'ont rien de fulgurant : huit mois pour son père, trois mois pour chacun de ses deux frères.

Le jeune précepteur devient très vite son amant. Pour l'éblouir, peut-être, ou par défi, la marquise lui avoue ses crimes. Pire, elle s'en glorifie. Briancourt est épouvanté. Mais que faire ? Il aime la Brinvilliers, il est éperdument amoureux. Alors il se tait. De confident, il devient complice... Bientôt, la marquise lui fait comprendre qu'elle n'en a pas terminé avec sa sinistre besogne, qu'elle doit aller plus loin.

– Elle m'a affirmé qu'elle voulait se débarrasser de sa sœur, Mlle Thérèse d'Aubray, qui lui reprochait sa vie dissolue, explique Briancourt. Mais aussi de sa belle-sœur, Marie-Thérèse Mangot.

Mais déjà la marquise est debout et proteste :

– Cet homme n'est qu'un valet. Un homme adonné à la boisson. Je l'ai chassé à cause de ses dérèglements. Comment son témoignage peut-il être retenu contre moi ?

Elle se rassied, et restera parfaitement impassible pendant toute la longue déposition de Briancourt.

– J'ai mis Mme de Brinvilliers en garde, explique celui-ci. Je l'ai suppliée de ne pas faire mourir sa sœur et sa belle-sœur. Je lui ai dit que jamais, dans l'Antiquité, il ne s'était vu pareil exemple de cruauté.

Briancourt parle d'une voix blanche, sans jamais regarder son ancienne maîtresse. Il ressort de ses propos que sans son intervention, la Brinvilliers aurait empoisonné sa sœur et sa belle-sœur. C'est lui, en effet, qui a prévenu Mlle d'Aubray de se tenir sur ses gardes. Alors, et les mots lui manquent pour faire cet aveu, alors, la Brinvilliers a décidé de se venger de cet amant pusillanime et moralisateur. Et elle entreprend purement et simplement de le supprimer. Mais la marquise sait que son amant se méfie du poison, aussi décide-t-elle de s'y prendre autrement.

– Un jour, poursuit en rougissant Briancourt, Mme de Brinvilliers m'a annoncé qu'elle venait de placer dans sa chambre un fort beau lit, et qu'elle me priait d'y venir coucher cette nuit. Elle m'attendrait à minuit, mais surtout pas avant, elle y insistait. Intrigué, je suis descendu plus tôt et me suis promené dans la galerie de la maison. Les rideaux de sa chambre n'étaient pas tirés et j'ai vu la marquise qui éconduisait ses domestiques. Puis, elle s'est déshabillée et mise en robe de chambre. Elle a fait quelques tours dans la pièce en tenant un flambeau et elle est venue à la cheminée. Et là, j'ai vu sortir son complice, Sainte-Croix, vêtu de haillons. Il a bavardé quelques instants avec la marquise, puis s'est caché à nouveau.

La Cour écoute ce récit comme si elle se trouvait au théâtre de monsieur de Molière. Seule, la Brinvilliers demeure impavide :

– J'ai hésité, continue Briancourt. Devais-je entrer ? Alors, la porte de la chambre de la dame s'est ouverte. « Que faites-vous là ? Eh bien, entrez... Mais qu'avez-vous donc ? » Je suis entré. Le visage de la marquise semblait celui d'une furie. « Mon lit n'est-il pas beau ? Allons, déshabillez-vous et couchons-nous... »

Briancourt fait semblant de se déchausser. Terrorisé, il veut pourtant savoir jusqu'où la Brinvilliers peut aller. Mais comme elle lui demande une nouvelle fois de se presser, Briancourt n'y tient plus : « Mais que vous ai-je fait, cruelle, et pourquoi voulez-vous me faire poignarder ? » Aussitôt, la Brinvilliers se jette à son cou. Sainte-Croix sort de la cheminée. Mais Briancourt réussit à se dégager et Sainte-Croix prend le parti de fuir. Alors la Brinvilliers donne une nouvelle preuve de son sang-froid. Elle se précipite sur sa cassette à poisons. Elle veut mourir, elle se roule par terre, elle implore Briancourt. Seule la mort pourra effacer son crime. Briancourt s'apitoie. C'est lui maintenant qui la supplie et l'adjure de ne pas se suicider.

Deux jours plus tard, à peine remis de ses émotions, le jeune homme essuie deux coups de pistolet alors qu'il se promenait dans la rue. Il n'a pas vu son agresseur, mais l'un des coups était si bien ajusté que son habit en fut troué. Briancourt en tremble encore tandis qu'il termine son récit devant les magistrats de la grand-chambre.

La déposition de Briancourt a duré treize heures, et pendant ces treize heures, la Brinvilliers est restée de glace. Enfin Briancourt se tourne vers celle qu'il a tant aimée.

– Je vous ai avertie maintes fois, madame, de vos désordres, de votre cruauté. Je vous ai dit que vos crimes vous perdraient.

Le jeune homme n'en peut plus. Il fond en larmes. La réponse arrive, cinglante.

– Vous êtes un vilain de pleurer devant tous ces messieurs ! C'est l'effet d'une âme basse !

L'assistance est frappée de stupeur. Briancourt, effondré, est emmené par les gardes. Qu'espérait-il encore de cette femme ? Et que pourra dire son défenseur ? On sait déjà que Louis XIV lui-même a fait savoir aux magistrats ce qu'il attendait d'eux : qu'ils oublient le rang de la Brinvilliers pour ne considérer que l'horreur de ses crimes.

Colbert, lui aussi, a fait savoir aux hauts magistrats qu'il tenait l'accusée pour « une criminelle épouvantable ». Et pourtant, Me Nivelle, l'avocat de la Brinvilliers, est fermement décidé à démontrer l'innocence de sa cliente. Et, ce 15 juillet 1676, dès les premières phrases de sa plaidoirie, un souffle nouveau passe dans la salle de la grand-chambre.

Est-ce l'éloquence de l'avocat ? Est-ce la beauté de l'accusée, visage de biscuit éclairé par deux immenses yeux bleus ? Toujours est-il qu'on sent immédiatement se produire un grand mouvement de compassion pour cette meurtrière aux allures de vierge.

– L'atrocité même des crimes qui lui sont reprochés, et la qualité de la personne accusée demandent des preuves de la dernière évidence, s'écrie Me Nivelle. Des preuves écrites pour ainsi dire, avec des rayons de soleil !

L'avocat a réussi à émouvoir les jurés, mais il y a tous ces témoins qui ont défilé, les aveux du valet La Chaussée, mort sur la roue, et qui a accusé formellement la Brinvilliers. Il y a surtout cette confession écrite par la marquise elle-même.

L'avocat ne s'avoue pas vaincu, et il s'en prend à la partie civile elle-même.

Cette belle-sœur, Mme Veuve d'Aubray, qui accuse la marquise de Brinvilliers d'avoir fait assassiner son mari, est trop vive, trop furieuse pour qu'on puisse la croire, s'écrie Me Nivelle.

Curieux moment. Voilà à présent les victimes en posture d'accusés. Mais, selon Briancourt, la Brinvilliers a bien essayé de se débarrasser de sa belle-sœur, et seule son intervention a empêché cette tentative d'empoisonnement d'aboutir. Qu'importe ! Me Nivelle est décidé à faire flèche de tout bois, et il va jusqu'à contester l'une des preuves matérielles les plus graves : la fameuse cassette trouvée chez Sainte-Croix. On sait que c'est Sainte-Croix lui-même qui a mis sa maîtresse – la Brinvilliers – en rapport avec Glaser, l'apothicaire qui fabriquait les poisons ; ces poisons que l'on appelait de la poudre de succession ! Or, la cassette contenait, rappelons-le, des fioles de poisons, des reconnaissances de dettes de la marquise et une correspondance compromettante entre la Brinvilliers et Sainte-Croix.

– Je suis persuadé, poursuit Me Nivelle, que le billet de Sainte-Croix a été écrit avant que l'on introduise des fioles de poison dans la cassette... Dans ce cas, que reste-t-il ? Des lettres, où il n'est nulle part question de poison, et des reconnaissances de dettes. Est-ce que ce sont des preuves ?

La conviction de Nivelle est telle qu'elle sème le doute. Mais ce n'est pas fini. L'avocat en arrive à cette confession écrite dans laquelle la marquise reconnaît tous ses crimes.

– C'est une pièce dont on n'aurait jamais dû donner lecture, dit-il, un tel document est protégé par le sceau du secret et du silence qu'exigent les mystères de la religion.

Et il rappelle que sa cliente a affirmé avoir rédigé ces aveux, dans un moment d'égarement, de folie, et qu'ils ne peuvent donc être considérés comme valables.

– Regardez cette femme frêle, de naissance noble, belle et d'une nature sensible, en lutte depuis tant de mois aux calomnies semées par la haine, aux mauvais traitements, aux insultes des archers, des soldats ivres, des geôliers...

Très droite sur son siège, la Brinvilliers baisse les yeux. Nivelle poursuit.

– On lui ôte jusqu'aux consolations spirituelles, et le jour de la Pentecôte on lui a refusé d'entendre la messe.

L'éloquence de l'avocat fait merveille. L'émotion gagne l'assistance. Alors Nivelle se tourne vers les représentants de la partie civile :

– Vous ne devez plus vous élever contre la marquise de Brinvilliers, leur jette-t-il, car un misérable scélérat, La Chaussée, a déjà payé pour ses crimes. Vous devez bien plutôt souhaiter que la famille d'Aubray ne soit pas souillée d'une honte éternelle. Pensez aux enfants de la marquise qui sont vos neveux. Et sachez que même les frères de ma cliente, s'ils pouvaient faire entendre leurs sentiments, préféreraient leur honneur en préservant la vie de leur sœur.

Appel au sang, au prestige du rang, à l'honneur d'une famille considérable, ce sont là des arguments qu'on comprend aussi bien dans le public que parmi les magistrats, tous de famille noble. Ou qu'on devrait comprendre.

Me Nivelle a terminé. Lamoignon se tourne vers l'accusée et fait appel à son repentir :

– Cet acte est peut-être le dernier de votre vie. Réfléchissez sur votre mauvaise conduite.

Mais la Brinvilliers ne se laisse pas émouvoir. Même quand M. de Lamoignon évoque la mémoire de M. d'Aubray, le père de la marquise; M. d'Aubray, un honnête magistrat, lieutenant civil du roi, mort après d'atroces souffrances... Non, la Brinvilliers ne pleure pas, ne cède pas. Et ceux qui la croyaient innocente il y a encore quelques instants, voient à nouveau l'empoisonneuse, l'odieuse criminelle qui a assassiné une grande partie de sa famille.

Le premier président :

– Sachez aussi que le plus grand de vos crimes, quoique tous très horribles, n'est pas d'avoir empoisonné votre père et vos frères, mais d'avoir tenté de mettre fin à vos jours.

Et il est vrai que pour la morale de ce siècle, le suicide est un crime abominable, un crime contre la création divine. Mais M. de Lamoignon perd son temps. La Brinvilliers fait à peine semblant de l'entendre.

Un long moment encore le premier président essaie d'atteindre l'âme de cette malheureuse. Et Lamoignon est si persuasif, si humain que tous les magistrats de cette auguste chambre ont les larmes aux yeux. Pas la marquise, qui se tient toujours aussi droite, et qui fixe le premier président de toute la dureté de son regard bleu. A la fin seulement elle consent à dire d'une voix calme, étonnamment calme :

– J'ai de la peine au cœur.

C'est tout. Et ce sera son seul mot de repentir.

Ce 16 juillet 1676 tout commence très tôt. Au plus haut de la tour Montgomery. A la Conciergerie, on dit que, dans sa cellule, la marquise de Brinvilliers a dormi d'un sommeil tranquille. Comment est-ce possible, alors qu'elle a appris hier soir, après le dîner, que les juges l'avaient condamnée à être décapitée aujourd'hui ?

D'où lui vient tant de sérénité ? Si quelqu'un connaît la réponse, c'est l'abbé Pirot, un petit homme au regard doux mais à l'intelligence vive et pénétrante, et qui est, de plus, un théologien célèbre. C'est lui que le président Lamoignon a chargé d'accompagner la marquise de Brinvilliers dans ses derniers moments. Pour le salut de son âme, bien sûr. Mais aussi pour exhorter la pécheresse à avouer ses crimes, à dénoncer ses complices, et à livrer le secret de ses poisons. « Il ne faut pas, a dit M. de Lamoignon, que ses poisons survivent à sa mort... »

C'est en effet la grande question, car chacun pressent obscurément que cette affaire n'est pas un cas isolé, qu'elle est au moins un signe des temps, et que, dans l'ombre, d'autres mains s'apprêtent à verser d'autres poisons. Le roi aussi en a le sentiment et il a demandé à M. de Lamoignon de tirer les choses au clair.

L'abbé Pirot a-t-il réussi à convaincre la marquise ? En tout cas, ceux qui l'ont vu sortir de la Conciergerie hier soir ne sont pas prêts d'oublier son visage bouleversé.

Et voilà que la Brinvilliers descend les marches de la tour Montgomery. On la conduit aussitôt devant ses juges, ces hommes que la marquise a fait pleurer hier, au dernier jour de son procès. Elle se tient là, les yeux baissés, soumise, dirait-on, adoucie, son beau visage reposé, toute sa personne exprimant le repentir. Le greffier Drouet entreprend la lecture de l'arrêt :

« La Cour a déclaré et déclare ladite d'Aubray de Brinvilliers dûment atteinte et convaincue d'avoir fait empoisonner Me Dreux d'Aubray, son père, et lesdits d'Aubray, ses deux frères, et attenté à la vie de défunte Thérèse d'Aubray sa sœur. Et pour réparation condamne ladite d'Aubray de Brinvilliers à faire amende honorable au devant de la principale porte de l'église de Paris où elle sera menée dans un tombereau, nus pieds, la corde au col, tenant dans ses mains une torche ardente du poids de deux livres, et là, étant à genoux, de dire et déclarer, que méchamment, par vengeance ou pour avoir leur bien, elle a fait empoisonner son père, ses deux frères et attenté à la vie de défunte sa sœur, ce dont elle se repend et demande pardon à Dieu, au roi et à la justice : ce fait, menée et conduite dans ledit tombereau en place de Grève pour y avoir la tête tranchée sur un échafaud; son corps brûlé et les cendres jetées au vent : icelle préalablement appliquée à la question ordinaire et extraordinaire pour avoir révélation de ses complices... »

La mort, donc. Et avant la mort, la torture. La Brinvilliers se redresse. Va-t-elle protester, nier, se débattre ? Non, elle demande qu'on lui relise l'arrêt... Plus tard, l'abbé Pirot dira que c'est d'abord dans son orgueil que la marquise avait été blessée, et qu'elle avait été choquée par ce tombereau sur lequel on voulait l'exhiber dans Paris. Une marquise sur un tombereau, exposée aux quolibets de la canaille !... Mais déjà elle s'est résignée, et elle suit doucement les gardes qui l'emmènent jusqu'à la chambre de la torture. Devant les appareils du bourreau, la marquise ne manifeste aucune frayeur. Elle dit seulement aux magistrats d'une voix ferme :

— Messieurs, cela est inutile, je dirai tout sans question. Ce n'est pas que je prétende pouvoir l'éviter, mais je déclarerai tout auparavant.

Enfin, la Brinvilliers va parler, avouer ses crimes ! L'abbé Pirot l'a donc convaincue. Il a réussi là où trois mois de procès et des dizaines d'interrogatoires ont échoué.

— J'ai tout nié jusqu'à présent, déclare-t-elle, parce que j'ai cru me défendre ainsi et n'être point obligée d'avouer. On m'a convaincue du contraire. Et je peux vous assurer que si j'avais vu, il y a trois semaines, la personne que vous m'avez donnée hier, vous auriez su alors ce que vous allez apprendre.

Elle se tait un instant. Son regard bleu, rêveur, passe sur

les voûtes, les torches, les instruments de torture accrochés aux murs, le bourreau, ses aides, et la robe rouge des magistrats. Elle n'a jamais été si seule qu'au milieu de ces hommes. Elle qui a toujours nié, va enfin avouer. Dieu sait pourtant si elle a pu mépriser cet appareil de justice et ces hommes qui voulaient sonder son âme.

Et elle commence d'une voix claire. C'est vrai, elle est l'empoisonneuse qu'on l'accuse d'être. Elle a commis tous les péchés imaginables. Péchés de chair, péchés de sang.

– J'ai utilisé l'arsenic, le vitriol et le venin de crapaud. Le poison le plus violent que je connaisse est l'arsenic raréfié. Mes seuls complices ont été Sainte-Croix et ses laquais.

La Brinvilliers a terminé sa confession. Comment douter à ce moment de sa sincérité ? L'exécuteur Guillaume s'approche. Il tient une corde. La Marquise lui tend elle-même ses mains jointes. On la lie. Et pendant plusieurs heures, la Brinvilliers va subir une torture affreuse. A l'aide d'un entonnoir placé dans sa bouche, on lui déverse dans l'estomac d'énormes quantités d'eau. La douleur est atroce, et bien inutile, puisque la Brinvilliers a avoué et que la question ne permettra pas aux juges d'obtenir des aveux supplémentaires.

Au début de l'après-midi, enfin, on cesse de la torturer. On l'étend sur un matelas près de la cheminée. Son visage est en feu. Ses yeux étincellent. Sous la torture, l'ancienne Brinvilliers s'est réveillée. Et elle est prête à maudire l'humanité tout entière. Mais l'abbé Pirot arrive. Patiemment, affectueusement, il va calmer cette femme meurtrie. Ils prient tous les deux. Le théologien l'assure qu'il n'y a pas de péchés irrémissibles, et encore une fois cet homme parvient à toucher le cœur de l'empoisonneuse.

Le procureur général vient troubler cette paix retrouvée. Il se désole. La Brinvilliers a avoué, mais elle n'a pas dénoncé ses complices.

– J'ai tout dit, monsieur. Il n'y a rien d'autre, répète la marquise.

L'heure du supplice est arrivée. On a revêtu la prisonnière d'une chemise blanche en grosse toile. Elle est pieds nus. Elle est en train de prier dans la chapelle quand le bourreau Guillaume s'approche, et lui dit :

– Un sellier m'a demandé de vous rappeler que vous lui deviez un reste de paiement pour un carrosse...

Quelle dérision ! Mais la marquise ne s'indigne même pas. Elle va vers la mort. Elle répond à Guillaume d'une voix douce qu'elle mettra ordre à cette dette, et puis elle se dirige vers le tombereau sous les regards perplexes d'une cinquantaine de nobles venus tout exprès de la cour.

– Que voilà une étrange curiosité ! murmure-t-elle.

Et le cierge des pénitents dans une main, un crucifix dans l'autre, elle monte dans le tombereau, ce tombereau qui sert d'habitude à collecter les ordures de la ville.

Dehors, la foule est immense. On crie mais on pleure aussi. Le destin de la marquise inspire maintenant autant de pitié que d'horreur. A genoux, elle fait amende honorable devant la grand-porte de Notre-Dame. Puis elle remonte dans le tombereau qui la conduit place de Grève. Une dernière fois, lorsque le cortège arrive devant l'Hôtel-de-Ville, les magistrats lui demandent si elle n'a rien à dire sur ses complices.

– Non, messieurs.

Et le tombereau cahote jusqu'à l'échafaud.

La suite est horrible et interminable. Pendant une bonne demi-heure, le bourreau la décoiffe, puis lui coupe les cheveux. La Brinvilliers se laise faire doucement, mais l'abbé Pivot dira après le supplice qu'elle a éprouvé une grande honte à être ainsi décoiffée à la vue de tant de monde. Un coup de ciseaux dans le col de sa chemise, puis elle se laisse lier les mains et mettre la corde au cou avec autant de soumission que si on la parait de bijoux.

L'abbé Pirot entonne le *Salut*. La foule reprend le chant. La brume tombe sur Paris. On bande les yeux de la marquise. Un coup de hache, un seul. La Brinvilliers est morte.

– N'est-ce pas un beau coup ? s'exclame le bourreau Guillaume.

Et déjà les flammes du bûcher dévorent le joli corps de Marie-Madeleine d'Aubray de Brinvilliers. Ses cendres ont été dispersées, mais nombreux sont ceux qui ont essayé de récupérer des débris d'ossements calcinés, car la suppliciée, a-t-on entendu dire, était une sainte.

Le démon des poisons est-il vraiment exorcisé avec le supplice de la Brinvilliers ? Déjà des rumeurs circulent, disant qu'on n'a encore rien vu...

II. – LE TEMPS DES MESSES NOIRES

Les robes rouges des juges se détachent comme autant de taches sanglantes sur les murs tendus de velours noir : jamais la Chambre ardente n'a si bien mérité son nom. Aujourd'hui, 21 février 1680, au palais de l'Arsenal, on juge, à la lueur des candélabres et des torches, Catherine Deshayes, femme Montvoisin, dite La Voisin... La Voisin, ce seul nom effraye. Pour tous les Parisiens, il est devenu synonyme de sorcière.

Elle est là, La Voisin, devant les magistrats de cette juridiction d'exception spécialement instituée par Louis XIV, et qui, en quelques mois, a déjà envoyé sur le bûcher nombre de sorcières et de devineresses. Mais ce soir il est difficile de croire que cette bonne femme insignifiante est véritablement coupable des dizaines de crimes et de tous les méfaits qu'on lui reproche.

Sous sa coiffe, elle ressemble à une paysanne. Ronde, empâtée, le visage inexpressif, elle paraît dormir. Il est vrai qu'il y a ses yeux, des yeux sombres, vifs et perçants. Et quand elle vous regarde, La Voisin, c'est comme une autre femme qui apparaît, elle en devient même presque belle.

On est au troisième jour de son procès. Cette femme sans grâce fait trembler la Cour. Ce qu'elle dit, et ce que l'on sait d'elle, révèle un monde souterrain effrayant. Plus personne n'en doute, maintenant : l'affaire des poisons éclaboussera les plus grands.

On pensait en avoir fini quand la Brinvilliers est tombée sous la hache du bourreau, mais le mal était plus profond, plus répandu que tout ce qu'on aurait pu imaginer. Et l'on sent bien aujourd'hui que La Voisin voudrait libérer sa conscience. Mais pourra-t-elle tout dire ? Ou bien faudra-t-il lui faire subir la question extraordinaire, c'est-à-dire la torture, « au second degré » ?

– Femme Montvoisin, avez-vous participé à des messes noires ?

C'est le président Boucherat qui vient de poser cette question. C'est un homme aimable, mais qui ne laisse rien au hasard. La Voisin hoche la tête. Oui, elle a participé à des messes noires. C'est son âme damnée, Lesage, qui l'a conduite à pratiquer ces sacrilèges. Comment se passaient ces messes ? Eh bien, deux prêtres dévoyés, Davot et Mariette, se rendaient parfois chez elle. Ils disaient la messe sur le ventre nu d'une fille ou d'une femme.

– Est-il vrai, comme le prétend Lesage, que le prêtre baisait les parties honteuses de la femme en disant la messe ? demande le président.

Encore une fois, La Voisin hoche la tête, et tant qu'elle y est, elle avoue. Elle avoue tout ce qu'on veut. Des dizaines, des centaines d'avortements. Elle accuse d'autres femmes. Les noms succèdent aux noms. A croire que Paris n'est peuplé que de sorcières. Il y a la Trianon, la Dodée, la Petit, la Bergerot, la Duval, la Chapelain, la Belhomme. Et encore la Marre, la Delaporte, la Pelletier, la Poulain, la Vautier. Toutes faiseuses d'anges, devineresses et surtout empoisonneuses.

Le poison : c'est là que le président voulait en venir. Le poison, dont on sait maintenant, depuis les aveux de la marquise de Brinvilliers, que les plus hautes dames n'hésitent pas à y recourir pour se débarrasser d'un mari, d'un père ou d'un amant encombrants.

L'affaire La Voisin, elle, remonte à deux ans. Un jour de 1678, un avocat, Me Perrin, dîne chez le tailleur nommé Vigoureux. Il y a là une certaine Marie Bosse, une femme joviale et bruyante qui se vante de faire le métier de devineresse... « Ah, le beau métier ! s'exclame-t-elle. Et quelle belle clientèle ! Ce ne sont que duchesses, marquises, princes et seigneurs... » La femme du maître de maison, la dame Vigoureux, essaie bien de faire taire Marie Bosse. Mais celle-ci, exaltée et sans doute un peu ivre, n'y prend pas garde. « Encore trois empoisonnements, lâche-t-elle tout d'un coup, et je me retire fortune faite ! »

L'avocat est éberlué. Dès le lendemain, il fait part de ce qu'il a entendu à son ami, le capitaine Degrez, celui-là même qui a arrêté la Brinvilliers. Aussitôt Degrez alerte le lieutenant de police La Reynie, et l'on décide de tendre un piège à l'imprudente. La femme d'un garde du capitaine Degrez se rend chez Marie Bosse. Elle laisse entendre que son mari la gêne. Cela suffit. La devineresse propose aussitôt de lui vendre une poudre qui la délivrera de ce mari détesté. Marie Bosse est prise la main dans le sac. La poudre saisie est bien un poison mortel.

On appréhende donc La Bosse, mais aussi La Vigoureux. Dès lors, les arrestations vont succéder aux arrestations, les révélations aux révélations. Et le lieutenant de police La Reynie ne tarde pas à découvrir que de très hauts personnages sont compromis. Les deux nièces de Mazarin, par exemple, Mme de Poulaillon, des femmes de magistrats et aussi la comtesse de Roure, la vicomtesse de Polignac, Mme de Vivonne, la belle-sœur de Mme de Montespan. Et même Racine, dont on prononce le nom à propos de la mort mystérieuse de sa maîtresse : la Du Parc...

Le roi, qui se tient étroitement informé, pressent l'énormité du scandale. Les empoisonnements ont sévi jusque dans son entourage le plus proche, le plus intime. Il lui faut frapper haut et fort. En mars 1679, il ordonne la création de la Chambre ardente.

Mais l'affaire des Poisons, comme on l'appelle maintenant, vient de prendre une nouvelle dimension avec l'arrestation de La Voisin. C'est de la plus grave de toutes les tentatives d'empoisonnement qu'il s'agit cette fois : on a voulu faire mourir le roi ! C'est en tout cas ce qui ressort des premiers interrogatoires, notamment de celui de ce Lesage, magicien, charlatan, alchimiste... et empoisonneur.

Mais La Voisin, elle, est restée jusque-là étrangement discrète sur ce point. Veut-elle protéger quelqu'un ? Attend-elle quelque mystérieux secours ? Ou bien a-t-elle peur, tout simplement ? Impossible de le savoir. Cette petite femme butée fait la sotte. Elle ne veut rien entendre.

— Avez-vous porté des poudres à Saint-Germain et à Versailles ?

La Voisin nie, mais elle ajoute aussitôt :

— Il est vrai que j'ai porté une fois à Versailles de la poudre de taupe que m'a donnée Lesage. C'était pour une servante qui voulait épouser son maître.

Le président s'emporte. Il ne parle pas, lui, de philtres d'amour mais de poison. Or, Lesage a formellement accusé sa complice : « La Voisin, a-t-il déclaré, portait à Saint-Germain, c'est-à-dire à la Cour, quand le roi se trouvait à Saint-Germain, des " cantharides ". »

La cantharide est une mouche. Réduite en poudre, elle a, paraît-il, des vertus aphrodisiaques, mais c'est aussi un poison. Et un poison dangereux...

Lesage est allé encore plus loin dans ses accusations. La Voisin était riche, très riche. Et elle devait prochainement toucher une somme de 100 000 écus. Une fois en possession de ce magot, elle aurait quitté le royaume.

Qui payait La Voisin et pourquoi la payait-on ? Il a été impossible de le lui faire dire. Mais à la bien regarder, on a du mal à imaginer que cette mégère a pu être riche et mener grand train.

Et pourtant, derrière les hauts murs de sa maison de

Villeneuve-sur-Gravois, un hameau proche du faubourg Saint-Denis, la Voisin recevait les plus grands noms de l'aristocratie. Elle rendait ses oracles, vêtue d'une somptueuse robe brodée d'or, qui lui avait coûté 1 500 livres. Une fortune ! Et l'on ne comptait plus ses amants, comtes, vicomtes, mais aussi manants. Même le bourreau de Paris, André Guillaume, celui qui a décapité la Brinvilliers, avait obtenu ses faveurs. De toute cette splendeur, de toute cette débauche, il ne reste plus aujourd'hui qu'une petite femme rabougrie, promise à la mort la plus horrible.

Le président n'en a pas fini. A-t-on, oui ou non, tenté d'empoisonner le roi ? La question n'est pas posée directement, bien sûr, mais personne n'est dupe : c'est bien cela que le magistrat cherche à savoir quand il en vient au fameux placet qui est au centre de l'accusation.

— Femme Montvoisin, qu'était-ce que ce placet que vous deviez présenter au roi ?

La Voisin explique que par ce placet elle voulait demander au roi la grâce d'un de ses amis. Mais La Voisin ne se contente pas d'expliquer. Elle attaque, et accuse à son tour Lesage :

— Lesage m'a dit qu'il accommoderait ce placet qui devait être présenté au roi.

— Accommoder, s'étonne le président, qu'est-ce que cela signifie ?

— Eh bien, Lesage voulait charmer ce placet.

Charmer. Est-ce que cela veut dire « empoisonner ? »

La Voisin ne répond pas, mais elle continue à se défendre. Elle jure que ce placet qu'elle a porté à Saint-Germain n'était pas « charmé ». N'était donc pas empoisonné.

« Condamnée à être brûlée vive ! » La Voisin n'a pas bronché. Elle savait depuis le début du procès que les juges de la Chambre ardente ne pouvaient que la condamner à mort. Sous la flamme des torches, le visage de la sorcière n'a pas tremblé. La Voisin est déjà de l'autre côté, dans un autre monde, peuplé de chimères, de fantômes et de diableries... A moins que l'indifférence apparente de l'empoisonneuse ne s'explique plus prosaïquement par l'espoir d'un secours de dernière heure. Ceux qui ont armé son bras, s'ils existent, se sont-ils engagés à l'arracher au bourreau ?

Cette sentence de mort, c'était hier. Aujourd'hui, 22 février 1680, La Voisin va être livrée aux flammes. Mais elle doit auparavant subir la question ordinaire et extraordinaire.

C'est une journée froide et brumeuse. Paris ruisselle. Catherine Montvoisin, vêtue d'une simple chemise, est conduite dans la salle des tortures du palais de l'Arsenal, où l'attendent le bourreau et ses aides. Le bourreau, aujourd'hui, n'est pas André Guillaume. Aurait-il pu torturer celle qui fut sa maîtresse ? Puis les magistrats font leur entrée, conduits par le président Boucherat, et le lieutenant de police La Reynie, un homme de 50 ans, intelligent et posé, chargé de l'affaire des Poisons depuis son origine. La Reynie a obtenu du roi des centaines de lettres de cachet et fait enfermer tout un peuple d'avorteurs, de sorcières et d'empoisonneuses. C'est La Reynie qui rend compte au roi de l'enquête et des compromissions qui existent jusque dans l'entourage royal. Tâche délicate... Mais M. de La Reynie, premier policier du royaume, a toujours fait preuve de diligence et de pondération. Et jusqu'à maintenant le roi l'a toujours soutenu.

Les aides du bourreau s'approchent de La Voisin. Ils portent des cordes et des planches. La sorcière n'a même pas un mouvement de recul. Elle semble hébétée. On dit qu'elle est à moitié ivre. Mais qui lui a fait parvenir du vin ? Et cette ébriété sera-t-elle suffisante pour l'empêcher de parler ? On l'allonge. Des planches, quatre. Deux entre les jambes, deux autres à l'extérieur, sont liées sur l'empoisonneuse. C'est ce que l'on nomme par dérision les « brodequins ». Le président Boucherat s'avance. La question ordinaire va commencer. Un épouvantable dialogue ponctué par les coups de maillet qui frappent les coins de bois placés entre les planches. Des coins qui vont écraser les chairs et faire éclater les os... Il faut que La Voisin livre ses complices.

Et aussitôt, elle parle. La monstrueuse litanie de la veille recommence : avortements, meurtres d'enfants, messes noires, empoisonnements par lavements, linge, gants, parfums... La sorcière accuse, dénonce, vilipende, tandis que les planches meurtrissent sa chair.

– La Lepère a pratiqué dix mille avortements ! crie La Voisin.

Dix mille. On nage dans l'horreur. Est-ce qu'elle n'a pas été accusée, elle, d'avoir enterré des centaines de cadavres d'enfants dans son jardin. Mais l'essentiel n'est pas là. L'essentiel, c'est ce qui touche la cour et le roi, c'est ce qui est apparu au fil de l'enquête comme une tentative criminelle contre Louis XIV, le fameux placet empoisonné qu'on devait lui remettre.

L'assistance retient son souffle. Entre deux cris de douleur, La Voisin hurle :

– J'avoue que Mme de Vivonne et Mme de La Mothe m'ont demandé de quoi se défaire de leurs maris.

Mme de Vivonne est la belle-sœur de Mme de Montespan, la favorite de Louis XIV. Une personne intouchable qui a donné six enfants au roi, tous légitimés par le Parlement.

– Connaissez-vous la Cato ? demande le président Boucherat.

– Oui, je la connais.

– Quel commerce aviez-vous avec elle ?

La Voisin répond entre deux gémissements.

– Je n'en ai point eu d'autres que de lui avoir lu les lignes de la main... Et comme je lui ai dit qu'elle serait aimée de personnes de qualité, elle m'a priée de faire quelque chose pour la faire entrer chez Mme de Montespan.

Cette fois, le nom est prononcé. La Cato, c'est vrai, est une des suivantes de la maîtresse du roi. Tout le monde sent qu'on va aborder un sujet dangereux.

– Qu'avez-vous fait pour accéder à la demande de la Cato ? demande encore le président Boucherat.

– Je lui ai prescrit de m'envoyer une chemise. Et j'ai commencé une neuvaine au Saint-Esprit. Depuis ce temps-là, je n'ai point revu la Cato et je n'ai pas su qu'elle était entrée chez Mme de Montespan.

– Que vous a donné la Cato, en échange de cela ?

– Un écu et une bague qui ne valait pas quarante sols.

La fin de la phrase de La Voisin est étouffée par un terrible coup de maillet. On en est au troisième coin de la question ordinaire. L'interrogatoire se poursuit.

– Avez-vous eu commerce avec Mlle des Œillets ?

Mlle des Œillets est, elle aussi, une des suivantes de Mme de Montespan. Mais elle est bien plus que cela, pour le roi, qui s'est parfois distrait avec cette très jolie fille quand la favorite le faisait attendre trop longtemps dans son antichambre. Distraction qui est allée jusqu'à la naissance d'un bâtard royal. Toucher à Mlle des Œillets, c'est toucher au roi. Et La Voisin, malgré le supplice, malgré la douleur, demeure prudente. Elle nie de toutes ses forces.

– Non, je ne la connais point.

Comment savoir la vérité ? Le président renonce à l'interroger plus avant sur la jolie Mlle des Œillets. Mais il revient sur l'entourage de Mme de Montespan. Toujours Mme de Montespan. Le lieutenant de La Reynie se fait plus attentif encore. Car on soupçonne La Voisin d'avoir fait entrer au service de la favorite une certaine Vertemart, une curieuse femme qui fréquentait le petit monde des devineresses et des empoisonneuses.

– Dans quel but la Vertemart voulait-elle se placer chez Mme de Montespan ? demande le président.

– Je ne sais, répond la Voisin. Elle voulait simplement être placée chez une personne de qualité. Elle m'a offert un collier de perles pour aboutir. Mais je n'ai rien fait.

– De quoi vous serviez-vous chez Mme de Montespan, pour placer ces femmes ?

– Je ne sais.

Une fois de plus, La Voisin se réfugie dans le silence. Un silence que vient briser le maillet. Quatrième, cinquième coins. La Voisin n'a toujours pas cédé. Malgré la souffrance qui se lit sur son visage défait, ruisselant de sueur.

– Quelles personnes connaissez-vous à la Cour, qui se mêlent au commerce des poisons ou qui soient suspectes de ces commerces ?

La Voisin hésite un instant. Va-t-elle parler ? Le bourreau frappe. Mais l'empoisonneuse laisse simplement échapper, d'une voix mourante :

– Je n'en connais point.

Enfin, vient la question que tout le monde attend, celle qui concerne ce fameux placet qui devait être remis au roi. Mais La Voisin ne fait que répéter ce qu'elle a dit hier. C'est Lesage qui devait accommoder ce placet. Accommoder, cela signifie quoi ? La Voisin n'en sait rien. La Voisin ne veut plus parler. Malgré le septième et le huitième coins. La question extraordinaire est terminée. On délie la sorcière et on lui permet de s'étendre sur un matelas. Alors, le président l'exhorte une nouvelle fois de dire la vérité. A-t-elle porté des poudres à Saint-Germain et à Versailles ? Et pourquoi ?

– Dans l'état où je suis, murmure-t-elle, n'attendant plus que la mort, et devant rendre compte de mes actions à Dieu, je serais bien misérable de ne point reconnaître la vérité...

Et elle repousse à nouveau toutes les accusations touchant la cour et le roi.

Le soir tombe sur Paris. On fait grimper La Voisin sur un tombereau qui prend aussitôt le chemin de la place de grève. La Voisin refuse de faire amende honorable devant Notre-Dame. Le tombereau poursuit sa route au milieu d'une foule houleuse. On est venu voir brûler la sorcière, l'empoisonneuse, celle qui a commis tant de crimes, fréquenté tant de grands de ce monde, connu tant de secrets.

Les balcons de la place sont remplis de personnes de qualité. On s'attend à tout moment à voir des choses étranges. Mais non, on tire de force La Voisin du tombereau et on la conduit sur le bûcher. Va-t-elle parler au dernier moment, livrer un nom, le nom ?

On l'attache au poteau avec des cordes. Puis on la recouvre de paille. Elle se débat, elle écarte comme elle peut cette paille qui l'étouffe. Elle ouvre la bouche. On croit qu'elle va parler. Le bourreau s'approche. La tête de La Voisin s'affaisse. Des témoins affirmeront que le bourreau l'a assommée avec une bûche. Une longue flamme claire monte dans le ciel de Paris.

Deux jours seulement après l'exécution de La Voisin, l'affaire des Poisons rebondit au grand émoi de la cour et du roi lui-même, qui va intervenir personnellement dans le déroulement de l'enquête. Mais cette fois Louis XIV n'a pas voulu d'un procès à scandale, d'un procès qui aurait pu l'éclabousser.

Le 21 février 1680, donc, La Voisin est morte, brûlée vive. La sorcière a expié. Tous ceux qui l'ont fréquentée, qu'ils appartiennent à la basse ou à la haute société, respirent, et pourtant on va aller de surprise en surprise. Deux jours plus tard, coup de théâtre : la fille de La Voisin, Marie-Marguerite, 21 ans, est interrogée à son tour par les commissaires rapporteurs de la Chambre ardente. Marie-Marguerite fait des révélations étonnantes. Bien sûr, elle confirme que sa mère pratiquait la magie et la sorcellerie, mais elle donne surtout deux informations essentielles : d'une part, il est vrai qu'un placet destiné au roi avait été empoisonné, et, d'autre part, une tentative d'empoisonnement contre Mlle de Fontanges était prévue dans le même temps : il s'agissait de lui livrer des étoffes empoisonnées.

Or, Mlle de Fontanges est la dernière conquête du roi.

Une superbe rousse, un peu sotte, que le roi couvre d'or et de baisers, au grand déplaisir de la favorite, la belle et fière Mme de Montespan. Qui avait donc intérêt à supprimer Mlle de Fontanges ? Déjà, la cour murmure... Mais tout va s'accélérer : La Filastre, une autre sorcière et devineresse, est retrouvée par les agents de La Reynie. Et La Filastre, qui avoue tout de suite avoir pratiqué des messes noires et des envoûtements, reconnaît qu'elle a tenté d'entrer au service de Mlle de Fontanges. Le cercle se referme. On a bel et bien voulu assassiner la rivale de Mme de Montespan.

Les arrestations continuent. Cette affaire des Poisons ressemble à une interminable bobine de fil : plus on dévide et plus il y a à dévider... La dernière prise de M. de La Reynie est un homme d'une laideur repoussante. La lippe pendante, borgne, ce vieillard est un prêtre nommé Guibourg, sacristain de l'église Saint-Marcel. Il avoue lui aussi avoir dit des messes sur le ventre d'une femme. Il s'agissait, semble-t-il, d'invoquer le diable. « Qui était cette femme, demande le commissaire ? – Je ne sais pas, je vous jure que je ne sais pas... » Guibourg ment, c'est sûr. Il ment par peur. Mais d'autres vont parler. Les langues se délient à une vitesse effrayante. C'est d'abord la fille de La Voisin, qui va faire de nouvelles révélations le 26 juillet. Curieuse fille ! Elle est intelligente, rusée et pas laide du tout, cette Marie-Marguerite !

– Oui, déclare-t-elle, le placet que ma mère devait porter à Saint-Germain n'avait d'autre but que d'empoisonner le roi.

– Et qui voulait empoisonner le roi ? demande M. de La Reynie.

– Une dame avait envoyé chercher ma mère dans son carrosse.

– Quelle dame ?

La fille Voisin hésite à répondre. La Reynie va renoncer. Mais non, elle parle :

– Plusieurs fois, j'ai entendu ma mère parler de Mme

de Montespan. Ma mère a même dit : « C'est une belle chose qu'un dépit amoureux... »

Mme de Montespan ! Le lieutenant de La Reynie en reste sans voix. Comment imaginer que Mme de Montespan, la fille du duc de Mortemart, depuis si longtemps la favorite de Louis XIV que sa position à la cour est plus puissante que celle de la reine même, ait pu fréquenter La Voisin, et voulut attenter à la vie du roi par jalousie ! C'est insensé ! Et pourtant, Marie-Marguerite Voisin, lancée sur la voie des confidences, ne s'arrête pas là.

— Ma mère travaillait pour Mme de Montespan depuis cinq ou six ans. Elle lui a apporté des poudres et elle a conduit chez elle un prêtre.

Ce prêtre, c'est l'abbé Guibourg, celui qui dit des messes noires sur le ventre nu des femmes. Et en particulier sur le ventre d'une dame qu'il n'a pas voulu nommer... Mais ce n'est pas tout : il y a cinq ou six ans aussi, alors que le roi brûlait d'amour pour Mlle de Vallière et délaissait quelque peu Mme de Montespan, Guibourg a dit au profit de la favorite une messe sur deux cœurs de pigeons et lu cette conjuration : « Je demande l'amitié du roi et celle de Mgr le Dauphin. Que la reine soit stérile et que le roi quitte son lit et sa table pour moi ; que j'obtienne de lui tout ce que je demanderai pour moi et mes parents... Chérie et respectée des grands seigneurs, que je puisse être appelée aux conseils du roi et savoir ce qui s'y passe, et que cette amitié redoublant plus que par le passé, le roi quitte et ne regarde la Vallière et que, la reine étant répudiée, je puisse épouser le roi. »

Le lieutenant La Reynie, épouvanté par ce qu'il vient d'entendre, communique aussitôt ce procès-verbal d'interrogatoires à Louvois qui le transmet au roi. Quelle fut la réaction de Louis XIV en apprenant que sa maîtresse, la mère de ses enfants, dirigeait dans l'ombre toute une clique de sorcières et d'empoisonneuses, qu'elle a essayé d'empoisonner sa rivale, cherché à l'envoûter, lui, et qu'elle a même voulu le tuer ? On ne le saura jamais ! Louvois a simplement indiqué que le roi souhaitait que la lumière fût faite sur l'affaire du placet empoisonné. Les interrogatoires se poursuivent donc et l'acte d'accusation contre Mme de Montespan s'alourdit chaque jour. Des complices de La Voisin – ils sont des dizaines et bientôt des centaines, compromis dans cette affaire des poisons, tout un peuple de sorciers et de magiciens – confirment que des suivantes de Mme de Montespan, en particulier Mlle des Œillets, qui a eu, elle aussi, le privilège des faveurs du roi, se rendaient fréquemment chez La Voisin. Quant aux messes noires, tous en confirment l'existence.

Que faire ? Le scandale va bientôt être public. Les magistrats de la Chambre ardente vont être contraints d'interroger Mme de Montespan, peut-être même de l'arrêter. Cela c'est impossible ! Le roi ne peut pas l'admettre. Il intervient et dessaisit la Chambre ardente.

La procédure continue, mais elle sera secrète et M. de La Reynie poursuivra les interrogatoires sous le contrôle de Louvois. Les révélations succèdent aux révélations : La Filastre affirme que les messes noires dites par l'abbé Guibourg étaient bien commandées par Mme de Montespan, et la fille La Voisin ajoute que la favorite a fait prendre au roi des poudres d'amour. Désormais, Marie-Marguerite Voisin est intarissable, et chacune de ses déclarations accuse davantage Mme de Montespan : oui, la dame sur laquelle Guibourg a dit une messe noire était bien la favorite du roi. Elle était toute nue sur le matelas, la tête pendante, une serviette sur le ventre, et sur cette serviette, le calice...

Le lieutenant de La Reynie est un homme, et l'affaire est délicate et dangereuse. Mais que faire ?... Que penser, quand les mouchards placés dans la cellule du prêtre Guibourg lui rapportent que l'abbé leur a lui aussi parlé de Mme de Montespan ? Il y a forcément quelque chose de vrai là-dessous.

Le 30 septembre, La Filastre est condamnée à mort. Avant d'être exécutée, elle va parler sous la torture :

– C'est Mme de Montespan qui faisait agir un nommé

Chapelain afin de donner du poison à Mlle de Fontanges et des poudres pour l'amour, destinées à lui regagner la faveur du roi.

Pourtant, juste avant de mourir, la sorcière demande à parler à La Reynie, et elle se rétracte. Le lieutenant de police ne croit guère à ce reniement de dernière minute, et il poursuit son enquête. Le 9 octobre, la fille Voisin déclare qu'au cours d'une messe noire un enfant né avant terme a été égorgé en présence de Mme de Montespan qui a emporté le sang mêlé à une hostie. Et, le 10 octobre, l'abbé Guibourg confirme ces faits et admet avoir dit trois messes noires sur le ventre d'une femme qu'on lui a affirmé être la maîtresse du roi. C'en est assez. Le dossier de M. de la Reynie est maintenant décisif. On ne peut aller plus loin. En cette fin d'année 1680, le sort de Mme de Montespan est entre les mains du roi.

Mme de Montespan ne pouvait pas rêver meilleur avocat que Colbert. Bien sûr, le grand homme du conseil du roi a ses raisons, et sa rivalité avec Louvois n'est sans doute pas étrangère à cette décision. Peut-être aussi est-il sincèrement persuadé de l'innocence de Mme de Montespan ? Tout est possible dans ce drame secret qui se joue dans le silence feutré de l'antichambre royale, et où le procureur se nomme Louvois, l'avocat de la défense Colbert, et le juge Louis XIV lui-même.

Colbert a demandé à l'avocat Duplessis de rédiger un mémoire en faveur de Mme de Montespan. Ses arguments ne sont pas sans force. Le ministre du roi souligne d'abord que les accusateurs de la favorite sont tous et toutes des canailles : cette fille Voisin qui assistait sa mère dans sa triste besogne, cet abbé Guibourg, curé apostat et criminel, cette Filastre, sorcière et empoisonneuse, ce Lesage, charlatan et pourvoyeur de poisons... Comment fonder une accusation sur les dires de ces gens-là ? Il est bien évident qu'ils ont intérêt à compromettre de hauts personnages pour transformer ce dossier, si grave pour eux, en affaire d'Etat, et rendre ainsi tout procès impossible.

Ils connaissaient des ducs, des marquis, des courtisans ? Chacun sait que la mode est d'aller consulter les devineresses et les charlatans. Mais on n'en devient pas pour autant criminel.

Colbert note par ailleurs que le témoignage des accusateurs est étrangement concordant. Il ne faut pas s'en étonner. Tous ces criminels sont enfermés au donjon de Vincennes où la surveillance est très lâche : ils ont donc pu communiquer entre eux et mettre au point un système de défense cohérent.

Quant au prêtre Guibourg, il dit simplement : une femme « qu'on m'a affirmé être la Montespan ». La nuance est de taille... D'autre part, La Voisin, la sorcière des sorcières, est morte dans d'atroces souffrances sans dénoncer Mme de Montespan. Enfin, et c'est sans doute l'argument le plus fort de Colbert : pourquoi la favorite aurait-elle voulu assassiner le roi ? En perdant le roi, elle se perdait elle-même.

Louis XIV a lu avec attention ce mémoire établi par son ministre. Croit-il pour autant à l'innocence de sa maîtresse. Personne ne le sait. Personne n'oserait même lui poser la question. D'ailleurs, officiellement, on ne parle pas de la marquise. Et la Chambre ardente reprend ses travaux en oubliant d'interroger les accusés qui pourraient faire allusion à la maîtresse du roi... Il faut aller très vite, liquider cette affaire des Poisons qui empoisonne l'air du royaume. Interrogatoires, jugements, tortures, exécutions... La Chambre ardente éclaire toujours la place de Grève. Le bûcher dévore sorciers et sorcières, tandis que le lieutenant de La Reynie continue discrètement son enquête sur Mme de Montespan.

Et ce qu'il apprend, et qu'il communique aussitôt au roi, est en défaveur de la Marquise. Il y a douze ans, en 1668, Lesage, le complice de La Voisin, et de Mariette, le prêtre de Saint-Sauveur, avaient été arrêtés et jugés. La Reynie, qui s'en est souvenu, a recherché les minutes de ce procès.

L'abbé Mariette y déclarait avoir « dit les Évangiles » sur la tête d'un certain nombre de personnes de la cour, que Lesage avait amenées chez lui. Et, parmi elles, Mme de Montespan.

Désormais, la preuve est faite que la marquise de Montespan était en relations avec La Voisin et ses complices dès l'année 1667...

1667, c'est précisément l'année où, supplantant Mlle de La Vallière, la marquise est devenue la maîtresse du roi ; a-t-elle cherché à gagner ses faveurs au moyen de sortilèges et de messes noires ?

Comment ne pas imaginer, dès lors, que l'habitude de pareilles fréquentations ne l'ait entraînée à des tentatives criminelles ? Pourquoi la marquise ne se serait-elle pas livrée à ces cérémonies macabres et épouvantables où l'on égorge des enfants, où l'on confectionne des talismans avec des hosties, du sperme et du sang menstruel, puisque, aussi bien, elle a peur, et que le roi, peu à peu, se détourne d'elle. Sa rivale, Mlle de Fontanges, est si belle ! Le roi lui a offert un carrosse traîné par huit chevaux. Mme de Montespan, qui a pourtant donné six enfants au roi, n'a jamais eu droit, elle, qu'à un carrosse de six chevaux. Et puis, il y a les ricanements des courtisans...

Mme de Montespan n'est plus la femme éblouissante qu'elle a été. Les maternités l'ont alourdie. Et même si son décolleté demeure le plus beau de Versailles, l'amour du roi s'en est allé.

Ce printemps 1681 est terrible pour la fière marquise de Montespan. Malgré le secret des interrogatoires, malgré les bûchers de la Chambre ardente, chacun devine, à la cour, que cette affaire de poisons est plus mystérieuse qu'il n'y paraît. D'ailleurs, une nouvelle vient encore renforcer les soupçons de ceux qui croient la marquise coupable : la jolie Mlle de Fontanges est malade, gravement malade. Après avoir mis au monde un enfant mort-né, elle se fane et s'étiole. De quelle étrange maladie souffre-t-elle donc ? On dit qu'elle ne cesse de perdre son sang. Elle va mourir. La cour murmure que le poison et la magie de Mme de Montespan ont fait effet une nouvelle fois. Le 28 juin 1681, Mlle de Fontanges meurt. Depuis de longues semaines déjà, le roi ne lui accordait plus guère d'attention. Le roi n'aime pas les malades.

Bien sûr, les médecins ont conclu à une mort naturelle. Mais le doute persiste. Même la décision du maître souverain de la Justice de retirer des dossiers de la Chambre ardente, tout ce qu'on appelle pudiquement les « faits particuliers », c'est-à-dire ce qui touche à Mme de Montespan, n'y change rien. Ceux qui croient à la culpabilité de la marquise sont chaque jour plus nombreux.

Pourtant, Louis XIV a écouté Colbert. Convaincu ou non de l'innocence de sa maîtresse, il a tranché ; il n'y aura pas de procès. On ne jugera pas publiquement Mme de Montespan, au risque de ternir la couronne.

Le 21 juillet 1682, la Chambre ardente termine ses travaux ; cette juridiction extraordinaire est dissoute. Elle a rendu cent quatre jugements, prononcé trente-six condamnations à mort, quatre condamnations aux galères, trente-quatre condamnations à des peines de bannissement ou d'amende. Trente acquittements. Soixante personnes n'ont pas été jugées. Et, parmi celles-là, toutes celles qui ont accusé Mme de Montespan.

Les quinze criminels qui ont eu l'audace d'accuser la favorite seront enfermés dans des forteresses. C'est ainsi que la fille Voisin, Guibourg, Lesage, Romani, le Chapelain et les autres sont envoyés dans des prisons royales où ils seront enchaînés à perpétuité aux murs de leur cellule. Louvois a donné aux intendants des forteresses les ordres les plus stricts : « Surtout, empêchez que l'on entende les sottises que ces prisonniers pourraient crier tout haut, touchant Mme de Montespan. Sottises sans fondement ! Et n'hésitez pas à les faire corriger cruellement au moindre bruit qu'ils feront ! »

Le silence. Le silence à tout prix. Le silence des pierres, et celui du cabinet royal. Mme de Montespan paraît toujours à la cour, mais chacun sait que le roi ne la visite plus guère. Une autre femme la supplante déjà. Elle s'appelle Mme de Maintenon et les temps sont maintenant à la sévérité et à la rigueur morale. Plus personne ne parle de l'affaire des Poisons. Le 13 juillet 1709, quelques jours après la mort du lieutenant de La Reynie, le roi ordonne que l'on brûle tous les procès-verbaux d'interrogatoires établis par ce policier exemplaire, et assiste lui-même à cette incinération.

A quoi pense le roi pendant que les secrets de l'affaire des Poisons s'envolent en fumée sous ses yeux ? Mme de Montespan est morte très chrétiennement deux ans auparavant. Mais on dit que jusqu'à la fin de sa vie elle eut peur des ténèbres de la nuit et couchait dans une chambre illuminée, où trois femmes veillaient en permanence sur son sommeil.

8. *Landru*

Le lundi 7 novembre 1921, ce n'est pas vers le château que se hâte cette foule qui sort de la gare de Versailles, c'est vers le palais de justice, où va s'ouvrir le procès Landru.

C'est un véritable mythe, ce Landru ! On l'accuse d'avoir assassiné dix femmes après les avoir dépouillées de leurs biens. Depuis des mois sa photo s'étale dans tous les journaux, il est le sujet de toutes les conversations, dans les cafés comme dans les salons les plus huppés. On ne compte plus les chauves à la barbe noire qui ont dû se faire raser pour éviter d'être poursuivis dans la rue par les gamins qui leur criaient : « Landru ! Hé, Landru ! »

Et s'il y a des gens à qui le crime profite aujourd'hui, ce sont les faiseurs de queue professionnels. Malgré le froid très vif – il fait moins douze – ils font le pied de grue devant les grilles du palais depuis la veille. Ce matin, pour céder leur place, ils demandent cinquante francs jusqu'au dixième rang et trente francs pour les suivants.

Mais c'est à l'intérieur du prétoire que ce procès prend toute sa dimension. On se croirait au théâtre, un soir de grande première.

On reconnaît, au hasard : Colette, Mistinguett avec ses

jumelles, Henry Beraud, Sem, des ministres étrangers, des princes et des princesses, des ducs et des duchesses, tout le gotha.

Il fait très chaud dans le prétoire de la cour d'assises de Versailles. D'autant plus chaud que le prétoire, conçu pour recevoir trois cents personnes, en contient ce matin près d'un millier. En attendant l'accusé, on se met à l'aise. Fourrures, chinchillas, zibelines glissent des épaules et découvrent des bras nus, des poitrines décolletées.

Car ce sont en grande majorité des femmes qui sont venues voir Landru. Pourquoi sont-elles là ? Pour se faire peur, sans doute. Et aussi pour comprendre en quoi consiste exactement le charme de cet homme, et comment ce barbu chauve, apparemment sans grâce, qu'on n'appelle plus que « Barbe-Bleue », a pu se montrer un pareil séducteur.

On attend. On attend Landru. De temps en temps, une porte s'ouvre, on se lève, on se bouscule. Mais c'est un huissier ou un policier. On se rassied et l'attente recommence.

A midi enfin, la Cour et les jurés font leur entrée : le président Guilbert d'abord, puis le procureur Godefroy et Vincent de Moro-Giafferi, avocat de Landru. Dans un brouhaha indescriptible, le président Guilbert prononce :

– Gardes, faites entrer l'accusé !

Alors, par la petite porte qui donne sur le box, paraît Landru. Il est vêtu d'un costume réséda un peu fatigué. Un court instant, chacun retient son souffle.

Ce qui frappe d'abord, c'est l'épaisse pile de dossiers que l'accusé tient sous le bras et qu'il pose devant lui. Et puis, cette façon qu'il a de se tenir très droit, tourné vers le président, sans le moindre regard pour la salle.

A vrai dire, il est plutôt moins impressionnant que sur les photos qui ont paru dans les journaux. Pas très grand, plus petit en tout cas que les deux policiers qui l'encadrent, totalement chauve, il paraît plus que ses 52 ans. Sa barbe, sa fameuse barbe noire, est déjà bien grisonnante avec, par endroits, des reflets roux.

Et pourtant, c'est vrai, cet homme a quelque chose de particulier : ce sont ses yeux, ses yeux très noirs, enfoncés dans leurs orbites, un regard d'une fixité étonnante, que soulignent encore des sourcils très fournis, en forme d'accent circonflexe. « Un regard d'oiseau de proie », a dit Colette ; des « prunelles de fakir », ont écrit des journalistes. Indiscutablement, Landru a quelque chose de magnétique, d'inquiétant.

Le président Guilbert procède à l'interrogatoire d'identité et, pour la première fois, on entend la voix de Landru, cette fameuse voix de baryton qui charmait ses fiancées. Landru s'exprime bien, avec aisance et netteté.

Mais déjà il s'est tu..., et le greffier lit l'interminable acte d'accusation.

Tout a commencé en février 1914, avec une petite annonce banale parue dans *Le Journal* : « Monsieur âgé veuf cherche demoiselle ou veuve sans enfant, quarante, cinquante-cinq ans, bien sous tous rapports. »

Aussitôt les proies viennent mordre à l'hameçon.

Et d'abord Georgette Cuchet, une veuve de 39 ans. A leur première rencontre, elle avoue en rougissant qu'elle a un fils de 17 ans. Le barbu chauve ne s'en formalise pas autrement et, au début de l'année 1915, il invite Georgette et son fils à une partie de campagne dans sa villa de Vernouillet, en Seine-et-Oise. On ne reverra jamais ni la mère ni le fils.

Début 1915, le même scénario recommence avec Thérèse Laborde-Line, une veuve de 46 ans. Le 15 juin, c'est le départ pour la villa de Vernouillet et l'« évaporation » de la malheureuse. Là, cependant, pour la première fois, on retrouve une trace écrite de l'événement dans le carnet, le fameux carnet de Landru recouvert de toile cirée noire, l'« agenda des mortes », comme on l'a appelé, et dans lequel il notait soigneusement toutes ses dépenses, même les plus minimes. En date du 15 juin 1915, Landru a noté : « Vernouillet : un aller et retour 4,95 F, un aller simple 3,95 F. »

La troisième disparue s'appelle Angélique Guillin. Elle n'est pas très belle, plutôt corpulente. Le voyage à Vernouillet a lieu le 2 août 1915. Un voyage sans retour pour la fiancée. Pour la deuxième fois, la chose est inscrite noir sur blanc dans le carnet.

Quatrième disparue : Berthe-Anna Héon. Cette fois il y a un changement de décor. Le lieu de villégiature n'est plus la maison de Vernouillet, mais une nouvelle villa que Landru vient de louer dans un charmant petit village, non loin de là, à quarante kilomètres de Paris, non loin de Rambouillet : Gambais. Sur le carnet noir, une date : 8 décembre 1915, et la mention, désormais traditionnelle, d'un aller simple et d'un aller et retour.

Puis, c'est au tour d'Anna Collomb, une veuve de 39 ans. Son « voyage » a eu lieu le 27 décembre 1916, et, cette fois, sur le carnet, à côté de la date, il y a une heure : « 16 heures ». C'est assez sinistre, inutile d'insister !

Infatigable, le greffier continue sa lecture. Le public, lui, donne des signes de lassitude. Cette litanie de la mort devient fastidieuse.

Les journalistes prennent des notes, les dessinateurs tracent leurs croquis. On croque le président Guilbert, dont l'air bonhomme ne trompe personne. On dessine l'avocat général Godefroy, très impressionnant dans sa toge ; Me de Moro-Giafferi, au maintien aristocratique, au visage distingué, barré par des moustaches à la Clemenceau. Et, surtout, on dessine Landru. On le photographie aussi, sous tous les angles, dans toutes les attitudes, tandis que le greffier poursuit sa lecture macabre, au milieu des éclairs de magnésium.

La sixième victime avait pour nom Andrée Babelay. Elle était jeune celle-là, et jolie. Elle avait 19 ans. Pour elle aussi, tout s'est terminé à Gambais, le 12 avril 1917.

La septième s'appelait Célestine Buisson, et elle était âgée de 46 ans. Le carnet noir dit seulement : « 1er septembre 1917, 10 h 15. »

Louise-Joséphine Jaume, rencontrée en mars 1917, a fini à Gambais le 25 novembre de la même année.

Neuvième victime : Annette Pascal ; « Gambais 5 avril 1918. 17 h 15 ».

Au soulagement général, le greffier en arrive au dixième et dernier nom de sa liste, celui de Thérèse Marchadier, disparue à Gambais le 13 janvier 1919 en compagnie de ses trois chiens.

Le fichier de Landru, celui de toutes les femmes qu'il a connues grâce aux petites annonces, comporte 283 noms ! Sur ces 283, 273 ont été identifiés par les enquêteurs. Il en manque 10. Landru est accusé de ces 10 meurtres ; 11, si l'on ajoute celui du fils de la première victime, Mme Cuchet.

Après la lecture de l'acte d'accusation, vient l'appel des cent quatre-vingts témoins et des parties civiles. Tout cela, très long et terriblement frustrant pour l'auditoire, suffit à occuper entièrement cette séance du 7 novembre 1921.

Quand le président renvoie l'audience au lendemain, le procès Landru n'a pas réellement commencé.

Personne, au reste, ne s'y attendait vraiment : on sait bien l'importance de la masse de paperasseries que représente ce procès ! Il y a deux ans et demi que Landru a été arrêté ; le 12 avril 1919, exactement au 76 de la rue Rochechouart, où il se cachait sous le nom de Guillet. La famille d'une des victimes avait porté plainte. Et, depuis, l'instruction a suivi son cours. Une instruction interminable : Landru s'est défendu pied à pied. Non seulement il n'a rien avoué, mais il a utilisé toutes les ressources de la procédure pour gagner du temps.

Du temps, d'ailleurs, il en fallait aux magistrats et aux policiers chargés de l'enquête. Si Landru a tué 10 femmes, il y a les 273 autres qui, elles, sont toujours en vie, et qu'il a fallu interroger une par une. Résultat : le dossier final ne comporte pas moins de sept mille pages ! On comprend qu'une journée entière ait été nécessaire pour en rappeler les éléments.

La seconde journée du procès, le 8 novembre 1921, commence par l'évocation de la vie de l'accusé.

Henri-Désiré Landru est né le 12 avril 1869. Il appartient à une famille aisée. Son père est un petit industriel, sa mère est couturière. M. et Mme Landru ont des principes : ils confient leur fils à une école religieuse, chez les bons Pères. Henri-Désiré se montre un excellent élève. Il deviendra même enfant de chœur et sous-diacre de l'église de sa paroisse, Saint-Louis-en-l'Ile.

Le président Guilbert insiste sur ce surprenant début de l'existence de Landru et en tire sa philosophie à lui.

– Vous avez un peu d'église, Landru. Vous en avez d'ailleurs conservé une douceur persuasive et une onction qui furent vos moyens de séduction.

Landru ne répond pas et le président Guilbert continue.

Après son service militaire, Landru entre dans un cabinet d'architecte. Là encore, il est bien noté par ses patrons. En 1889, à 20 ans, il épouse Marie-Catherine Rémy. C'est un mariage d'amour. Ils auront quatre enfants et Henri-Désiré se montrera toujours bon père et bon époux. Pourtant, c'est peu après son mariage qu'il commence à commettre de menues escroqueries qui finissent par l'envoyer en prison. Condamnations que le président énumère pour les jurés.

Alors, pour la première fois, Landru se fâche. Il se dresse, barbe noire en avant.

– Vous n'avez pas le droit ! J'ai payé, j'ai purgé ma peine et le rappel de ces condamnations est de nature à laisser une impression préjudiciable !

En 1914, Landru est de nouveau condamné, pour une escroquerie plus grave, à quatre ans de prison, mais cette fois c'est par défaut, car il a disparu. Entre-temps, son père, désespéré par les frasques de son fils, s'est pendu dans le bois de Boulogne. Désormais, Landru va vivre sous des noms d'emprunt : Diard, Petit, Fremyet, Dupont, Guillet... C'est alors qu'il fait passer sa première annonce matrimoniale.

On connaît la suite. Mais ce qu'on sait moins, c'est que pendant tout ce temps Landru a continué à voir régulièrement, à Clichy, sa femme légitime et ses enfants, auxquels il apportait en cadeaux des objets personnels, voire des meubles, ayant appartenu aux disparues.

Le président Guilbert en arrive au fameux carnet noir. Interrogé sur la liste de dix noms féminins qu'il contient, Landru répond sans le moindre embarras :

– Cette liste est celle d'un commerçant ayant noté les noms de clientes avec lesquelles il a fait des affaires. Elle n'a aucune signification particulière. Et puis voilà qu'on ne retrouve plus les gens, alors on s'imagine qu'ils sont morts. Mais on a pas retrouvé dans cette liste ceci, par exemple : « Le soussigné Landru certifie avoir assassiné !... »

– En effet, ce serait plus simple, remarque le président Guilbert, au milieu des rires.

– On a voulu voir là des victimes, reprend Landru. Mais il y en a peut-être d'autres, qui ne sont pas sur le carnet.

Cette fois, le public ne rit plus. On sent même passer un frisson dans l'assistance. Landru a trouvé le ton qui restera le sien tout au long du procès. Avec sa facilité d'élocution peu commune, il va tantôt déchaîner les rires, tantôt laisser planer le doute, éveiller les inquiétudes. Landru n'est pas toujours très convaincant, mais sa maîtrise de soi est surprenante. A sa manière, c'est un grand comédien.

Mais le président Guilbert n'est pas décidé à s'en laisser conter. Il revient à la charge.

– On a retrouvé toutes les femmes que vous avez connues, sauf dix. Quel commerce faisiez-vous avec elles ?

– C'était la guerre, monsieur le président. Il y avait des régions envahies à remeubler après la paix. C'est ce qui m'a donné l'idée d'acheter du mobilier. Et je m'étais fait cette remarque que les personnes les plus capables d'en vendre étaient les femmes d'un certain âge vivant seules.

Landru n'a pas tort de mettre ainsi l'accent sur la guerre. On ne peut vraiment comprendre son histoire si l'on oublie qu'elle se déroule entre 1914 et 1919, que des millions d'hommes se trouvaient alors sur le front, quand ils n'y étaient pas morts, et qu'il y avait par voie de conséquence des millions de femmes seules. A l'époque, il y avait peut-être un homme pour dix femmes en âge de se marier. On comprend mieux, dans ces conditions, l'extraordinaire « rendement » de ces annonces matrimoniales. Sur le marché du mariage, l'homme était une denrée rare, et Landru en a profité.

Landru, d'autre part, à la suite de sa dernière escroquerie, vivait dans la clandestinité et il se présentait auprès de ses rencontres comme un réfugié du Nord, un de ces réfugiés comme il y en avait alors des dizaines de milliers dans la région parisienne, sans domicile, sans famille, souvent sans papiers. L'histoire qu'il racontait était on ne peut plus vraisemblable, et elle avait en outre le pouvoir d'éveiller la compassion des âmes sensibles.

Enfin, pendant toute la durée de la guerre, la moitié environ des effectifs de la police avait été mobilisée, et le reste avait pour consigne de s'occuper en priorité des déserteurs et des espions. Il y avait bien eu des plaintes provenant des familles des disparues, pendant la guerre, mais on n 'y avait pas donné suite. C'est seulement lorsque la machine policière s'est remise en marche que Landru a été arrêté rue Rochechouart.

Donc, Landru se prétend marchand de meubles. Le président Guilbert insiste :

– Pourquoi recrutiez-vous vos clientes au moyen d'annonces de mariage ?

Landru a un sourire modeste accompagné d'un léger haussement d'épaules :

– Petite ruse commerciale bien innocente ! Cela flattait leur amour-propre. Ces affaires de meubles n'étaient point répréhensibles. Elles ne regardaient que mes clientes et moi. Et ces dames étaient toutes... majeures.

Là encore, on rit. On rit beaucoup, décidément, depuis le début de ce procès. Mais pas le président Guilbert, qui insiste :

– Pourquoi leur parler mariage, alors que vous étiez déjà marié ?

– Je suis bien heureux de votre question, répond Landru. La publicité est une chose tout à fait élastique, et tout procédé est bon s'il arrive au résultat commercial recherché. Il n'a jamais été question de véritable mariage.

On sent, dès cet instant, que Landru a choisi son système de défense et qu'il n'en démordra plus. Il est commerçant. Ses petites annonces matrimoniales dissimulaient en fait des transactions commerciales. Escroc ? Pas du tout. Assassin ? Encore moins. Il est marchand de meubles, rien que marchand de meubles.

Le mercredi 9 novembre 1921, troisième jour du procès, le palais de justice de Versailles est toujours aussi comble, l'assistance aussi choisie. Le prétoire, en revanche, ressemble à un bric-à-brac de brocanteur. Devant l'estrade des juges, en effet, le mobilier de Mme Cuchet, la première disparue, est exposé comme pièce à conviction. Il a été retrouvé dans le garage de la villa de Landru, à Vernouillet.

Il y a là une salle à manger en noyer ciré, comprenant une table cassée et des chaises Henri II, une armoire à linge, une pendule de marbre noir, une ombrelle, un matelas, un veston d'homme et d'autres babioles de moindre importance.

Ce déballage a quelque chose de tragique et de dérisoire à la fois. On se sent soudain très nu et saisi d'un grand malaise devant cette pauvre intimité étalée là, dans cette salle d'assises.

Le public, du coup, est beaucoup plus réservé que lors des deux premières audiences. Il se tait. Il attend.

Landru, apparemment, est le seul à ne pas ressentir ce malaise. Il prend des notes avec application. Le président Guilbert commence l'interrogatoire.

– Ces meubles ont été retrouvés chez vous, à Vernouillet. Pouvez-vous nous dire pourquoi ?

Landru lève la tête :

– Ces meubles étaient à moi, puisqu'ils étaient chez moi. Le code civil dit qu'en matière de meubles, possession vaut titre. Qu'on me prouve donc que ces meubles étaient chez moi sans aucun droit !

Landru est comme ça. Il a l'esprit procédurier, tatillon. Il s'accroche à des détails. A tout ce qu'on avance, il répond par des arguments juridiques, sans avoir l'air de se rendre compte qu'il fait l'objet d'un procès pour meurtres, et non de droit commercial.

Le procureur Godefroy se charge de le lui rappeler. C'est la première fois qu'il intervient. Tous les regards se tournent vers lui.

– Landru, vous avez dit à l'instruction que vous saviez où étaient Mme Cuchet et son fils. Dites-le aujourd'hui. Je ferai toutes les recherches que vous voudrez. Cela peut vous sauver, Landru.

La voix de Landru est basse, le ton morne, quand il répond seulement :

– Je n'ai rien à dire.

– Il y a donc quelque chose de mystérieux entre elle et vous ?

– Oh non, pas du tout ! Mais les choses privées ne regardent que nous.

– Même quand votre tête est en jeu ?

– Oui, monsieur.

Le procureur Godefroy se rassied :

– C'est très bien...

Le président Guilbert reprend la parole. Il interroge de nouveau l'accusé sur les meubles de Mme Cuchet.

– Comment se fait-il qu'on ait retrouvé ces meubles dans le garage de Vernouillet ? demande-t-il en montrant du doigt le bric-à-brac qui encombre le milieu du prétoire.

– Mme Cuchet est partie avec son fils à la suite d'un arrangement avec moi, explique Landru.

– Quel arrangement ?

Landru fait un geste de connivence et esquisse quelque chose qui ressemble à un clin d'œil :

– Ici, messieurs, nous touchons à ce que je n'ai jamais voulu dire à l'instruction. J'ai passé avec Mme Cuchet des conventions d'ordre privé, qui n'ont rien de contraire ni aux lois ni aux bonnes mœurs. Mais ce n'est pas à moi de vous les révéler.

– Alors, vous refusez de vous expliquer ? demande le président Guilbert.

– Absolument.

Le président en vient maintenant aux autres objets de Mme Cuchet, découverts chez Landru. Car on n'a pas retrouvé chez lui que des meubles... Il y a des bijoux, des corsets, des perruques, et même des dentiers...

Mais, c'est sur les papiers d'identité qu'insiste le président Guilbert. Pourquoi Landru avait-il en sa possession ceux de Mme Cuchet ?

– Ces papiers n'étaient pas bien utiles, répond benoîtement Landru. La meilleure preuve en est que Mme Cuchet les a laissés chez moi. Peut-être voulait-elle circuler sans se faire connaître. Elle et son fils ont sans doute préféré l'incognito.

Pourquoi ? Personne n'en a la moindre idée. Surtout pas Landru, qui préfère en rester là.

Le président rappelle ensuite que Landru, retournant chez son épouse légitime, lui a offert la montre de

Mme Cuchet et qu'il a donné à son fils aîné une bague de la malheureuse, pour qu'il en fasse cadeau à sa maîtresse.

Cette révélation produit sur l'assistance une impression franchement mauvaise, qui va être bientôt aggravée par le témoignage de Mme Friedmann, sœur cadette de Georgette Cuchet. A l'instruction, elle a affirmé que Landru avait tué sa sœur.

– Jamais ma sœur ne serait partie comme ça, en laissant ses affaires, déclare-t-elle à présent. Elle y tenait trop et elle ne serait jamais partie pour l'étranger : elle aimait trop Paris.

Mais Landru n'est pas décidé à se laisser faire. Il se dresse dans son box, et fixe sur le témoin son terrible regard :

– Madame Friedmann, à l'instruction, vous avez dit que j'avais assassiné votre sœur. Pourquoi ?

La sœur de la disparue soutient un instant le regard noir, et répond sans se troubler :

– Tout simplement parce que si ma sœur était toujours en vie, ses boucles d'oreilles ne seraient pas chez vous, ni ses meubles. Elle n'aurait pas abandonné ce qu'elle avait de plus cher au monde.

– Vous m'avez traité d'assassin ! rugit Landru.

Cet homme est étonnant. C'est lui, tout d'un coup, qui se transforme en accusateur !

– Oui, d'assassin !... Pourquoi ?

Mme Friedmann est au bord des larmes.

– Parce que, dit-elle, si ma sœur était vivante, elle serait ici. C'était une nature droite, c'était un cœur. Elle ne laisserait pas condamner un innocent.

Cette fois, Landru a raté son effet. Personne dans la salle ne songe plus à rire, au contraire. On vient de voir percer le monstre sous le petit bonhomme à la fois ridicule et distrayant. Me de Moro-Giafferi, son avocat, est-il conscient de l'impression désagréable causée par l'intervention de son client ? Il est impossible de le dire : son visage est resté impénétrable.

Le mercredi 23 novembre 1921, le procès Landru entre dans sa quinzième journée.

Les deux semaines qui viennent de s'écouler, et qui ont vu se succéder onze audiences, ont paru bien longues à un auditoire toujours aussi nombreux, tant la carrière criminelle de Landru est, au bout du compte, tragiquement, désespérément répétitive.

Après avoir évoqué le cas de la première disparue, Georgette Cuchet, on a tout naturellement abordé les neuf autres dans l'ordre chronologique. On a parlé tour à tour de Thérèse Laborde-Line, Angélique Guillin, Berthe-Anna Héon, Anne Collomb, Andrée Babelay, Célestine Buisson, Louise-Joséphine Jaume, Annette Pascal et Thérèse Marchadier. Et chaque fois le scénario était le même, un scénario qui a fini par tourner au rituel. C'étaient toujours les mêmes questions – ou presque – du président Guilbert, auxquelles Landru répondait invariablement qu'il n'avait fait que son métier de marchand de meubles. Quand on lui demandait pourquoi ces dames avaient consenti si facilement à se séparer de leur mobilier et de leurs objets personnels, Landru faisait état de mystérieuses conventions, se réfugiant derrière le secret de l'intimité, levant les yeux au ciel et s'écriant d'un ton théâtral, les deux doigts de la main droite sur les lèvres :

– Le mur, messieurs, le mur...

Celui de la vie privée, bien sûr !

Puis venait le défilé des familles en grand deuil, certains témoins pleurant, et Landru, toujours aussi tranquillement indifférent, ne s'emballant que sur un détail ou un point de pure procédure. On ne l'a pas revu s'emporter contre un témoin comme il l'avait fait avec Mme Friedmann. Il a bien mesuré sa faute, ce jour-là.

En fait, le sentiment général est qu'il est temps que tout cela finisse. Les jurés et le public ont les oreilles rebattues des chiffres et des dates du fameux carnet noir. Landru lui-même n'impressionne plus tellement. C'est toujours la même chose et tout le monde est un peu las.

Une déposition, pourtant, a tranché sur la grisaille de ces deux semaines de procès : celle de Fernande Segret, la maîtresse de Landru, dans le lit de laquelle il a été arrêté le 12 avril 1919. Elle est venue à la barre dire courageusement qu'elle l'aimait toujours et qu'elle était persuadée de son innocence.

Devant le public et les juges très impressionnés, elle a déclaré qu'elle était allée à Gambais elle aussi avec Landru, en voyage d'amoureux, et qu'elle en était revenue. Et comme on lui demandait si elle avait remarqué quelque chose d'anormal, dans la cuisinière par exemple, elle a simplement répondu :

— Non, absolument pas !

Mais, ce 23 novembre, la foule qui se presse aux portes du prétoire est de nouveau parcourue de ce frisson d'impatience qu'elle avait éprouvé aux tout premiers jours du procès. C'est aujourd'hui que l'accusation va s'efforcer de faire la preuve de la culpabilité de Landru. Ce ne sera pas facile. Le président Guilbert le reconnaît d'entrée de jeu :

— Pour les meurtres, dit-il, nous en sommes réduits aux hypothèses.

— Et pour cause ! jette Landru, triomphant.

Le président lance une première accusation.

— On a trouvé un livre chez vous : *Les Grands Empoisonneurs.*

— Voyons, monsieur le Président, on n'empoisonne pas avec un livre !

C'est raté.

Plusieurs témoins viennent alors faire état de fumées suspectes et nauséabondes aperçues aussi bien à Vernouillet qu'à Gambais.

— Qu'est-ce que c'est qu'une fumée suspecte ? s'étonne Landru. Qu'est-ce que c'est qu'une fumée normale ? Tout ça, ce sont des ragots de campagne. Si j'ai vraiment tué onze personnes, ne trouvez-vous pas étrange qu'on n'en ait jamais retrouvé la moitié d'une seule ?

– Non, rétorque le président, si vous les avez brûlées ou jetées dans des étangs remplis de vase. Et pourquoi les fumées étaient-elles nauséabondes ?

– Comment voulez-vous que je le sache ? La cheminée sentait mauvais, peut-être. Ou alors, c'était l'air ambiant.

– Que brûliez-vous donc ?

– Je ne sais plus. J'ai nettoyé mon pavillon à plusieurs reprises. C'étaient des saletés, des chiffons, des ordures sans doute.

C'est ensuite la déposition du docteur Paul, le célèbre médecin-légiste. Il a examiné les résidus trouvés à Gambais, et son rapport est terrible pour Landru. De cent kilos de cendre, on a retiré cent quatre-vingt-seize grammes d'os humains.

– D'où venaient ces cendres ? demande le président.

Landru ne semble pas troublé le moins du monde :

– On manquait de combustible pendant la guerre, vous savez. Alors, je faisais des essais. Je brûlais des mottes de terre, des pommes de pin, des marrons, et je gardais les cendres comme engrais. La cendre d'os ? C'est de la cendre de coquille d'huîtres, monsieur le président. Je mangeais beaucoup d'huîtres à Gambais...

Une fois encore, Landru a mis les rieurs de son côté, mais le docteur Paul poursuit sa déposition, et l'on redevient sérieux. Tous les regards sont maintenant tournés vers le centre du prétoire, où se dresse, absurde et vaguement menaçante, une étrange pièce à conviction : la cuisinière de Landru. C'est un objet de dimensions modestes, cubique, en fonte, et passablement rouillé. Elle comporte deux tiroirs et une bouche d'aération. Le docteur Paul fait état des expériences auxquelles il s'est livré lui-même sur cet instrument :

– Elle brûle très bien, dit-il, spécialement les graisses. Et il n'y a pas besoin de beaucoup de combustible : la chair suffit à alimenter le feu. J'y ai brûlé quelques têtes. Il faut trente-huit minutes pour consumer une tête vidée ; cent minutes pour une tête entière avec cerveau, yeux, cheveux, langue. Pour brûler des pieds, il faut environ quarante-cinq minutes. Le plus difficile, messieurs, ce sont les intestins.

Plus personne ne songe à rire.

Puis, le docteur Paul parle des ossements retrouvés dans les cendres. Un véritable puzzle. Mais sa conclusion est claire :

– Ces ossements proviennent de trois crânes, cinq pieds et six mains. Voilà messieurs, j'ai terminé.

Le président Guilbert se tourne brusquement vers Landru :

– Les os portaient des traces de scie et votre carnet indique des achats de scie à métaux par dizaines.

On sent Landru plus nerveux, hargneux presque :

– A-t-on prouvé que j'avais des scies à Gambais ?

– Oui, on en a trouvé un fragment au milieu des cendres.

Landru essaie de se rattraper tant bien que mal :

– Ma porte d'entrée ne fonctionnait pas bien. J'en ai scié un morceau. Ma scie s'est cassée... Je l'ai jetée aux ordures et les ordures dans le feu...

Un regard sur l'assistance suffit à lui faire comprendre qu'il n'a convaincu personne.

C'est maintenant au tour d'un autre expert de venir à la barre : le professeur Anthony, anthropologue au Museum d'histoire naturelle. Il tient à la main une boîte vitrée dans laquelle de petits fragments d'os reposent sur des morceaux de coton. On tend la boîte à Landru qui ajuste ses lunettes et regarde, gêné.

Un silence pesant s'est abattu sur le prétoire, bientôt rompu par Me Lagasse, un des avocats de la partie civile, qui a ce mot terrible :

– Landru, vous vouliez voir vos victimes ? Les voilà !

Landru, visiblement, est mal à l'aise.

– Je vous fais remarquer que c'est la première fois qu'on me montre cela, dit-il. J'aurais pensé qu'un accusé dans une affaire aussi grave aurait dû être mis en présence de pièces aussi importantes.

Dans l'ensemble, c'est une très mauvaise journée pour Landru. Pour la première fois, on a évoqué concrètement la réalité des meurtres et l'impression produite est accablante pour l'accusé. Cependant un doute subsiste, même s'il est infime. Landru n'a rien avoué, et, en dépit de toutes les recherches entreprises, on n'a toujours pas retrouvé un seul des onze cadavres.

Mercredi 30 novembre 1921. Le procès Landru vient de s'achever au terme de sa vingt et unième journée. Il aura fallu l'un des procès les plus longs de l'histoire judiciaire française pour juger celui qui restera sans doute comme un des plus grands criminels de notre histoire.

Mais, ce 30 novembre 1921, le jury a reconnu Landru coupable, et la Cour l'a condamné à la peine capitale.

Toutefois, avant d'en arriver là, il a fallu d'abord entendre le réquisitoire et la plaidoirie.

Le réquisitoire, c'était hier, 29 novembre. L'avocat général Godefroy était souffrant. Jusqu'au tout dernier moment, on n'a pas été certain qu'il pourrait prendre la parole. Il a néanmoins tenu à respecter le jour et l'heure prévus.

Après avoir résumé les charges et les présomptions pesant sur l'accusé, l'avocat général s'est écrié :

– J'ai médité les paroles de Lamennais : « Je suis pris d'un grand frisson quand je songe qu'il y a des hommes qui jugent d'autres hommes. » J'ai médité sur la faiblesse de l'entendement humain. Eh bien, aujourd'hui, je n'ai aucun doute. Je ne crains pas l'erreur judiciaire.

Un silence de mort est tombé sur la salle. Plus personne ne bougeait sur les bancs du prétoire. Le seul à faire preuve d'une quelconque activité était Landru lui-même : il prenait des notes. Et c'est cet homme penché sur ses papiers que l'avocat général Godefroy avait soudain désigné du doigt en s'écriant, pour conclure :

– Pour lui, pas de commisération ! Sa responsabilité est certaine. Il n'a pas eu pitié de ses victimes, pourquoi auriez-vous pitié de lui ?

« La mort, la mort, croyez-moi, est le seul châtiment en rapport avec de tels crimes ! Cet assassin n'a pas d'excuses. Il restera dans l'histoire du crime comme le plus monstrueux des coupables. Il sait, lui, jadis enfant de chœur à Saint-Louis-en-l'Ile, s'il lui arrive encore de penser à Dieu, il sait à qui il peut désormais demander pardon. »

Me de Moro-Giafferi, défenseur de Landru, a pris la parole tout de suite après, pour s'efforcer de dissiper au plus vite l'impression produite par ce réquisitoire.

Tout le monde connaissait le talent de Moro-Giafferi. Mais rares étaient ceux qui s'attendaient à en recevoir ici une démonstration aussi éclatante. Une heure durant, la langue harmonieuse et pure, la voix sonore, le geste sobre de l'avocat, qui parlait sans notes, ont tenu l'auditoire sous le charme.

Me de Moro-Giafferi s'est d'abord adressé au procureur :

– Vous demandez une tête... Oh ! je ne doute pas de votre conviction. Vous ne craignez pas une erreur judiciaire ? Paroles terribles ! Est-ce que tous ceux qui ont été la cause d'une erreur n'ont pas tenu le même langage ? Ils étaient honnêtes et convaincus, eux aussi. Ils sont toujours sincères, ceux dont le nom figure au bas des arrêts de mort.

Et l'avocat de faire à son tour une citation, d'Ernest Renan : « Il n'y a qu'un moyen de parvenir à la vérité, c'est de douter. Et quand on l'a trouvée, de douter encore. »

Mais, ce 29 novembre, il a fallu lever l'audience avant que l'avocat ait pu aller jusqu'au bout de sa plaidoirie. Il l'a donc reprise le matin du 30, en début d'audience, avec beaucoup moins de bonheur que la veille, semble-t-il. A moins, simplement, que le public, dégrisé par cette interruption, ne se soit plus laissé aussi facilement entraîner par l'éloquence de l'avocat.

Pourtant, ce n'est pas faute d'ingéniosité de sa part. Me de Moro-Giafferi, en effet, vient d'imaginer que Landru se livrait en réalité à la traite des blanches, que les dix disparues se trouvaient à présent dans quelque pays lointain et que c'était la crainte du scandale qui les empêchait de se manifester.

– Laissez-moi définir Landru d'un mot brutal et grossier, s'exclame l'avocat : c'est un marchand de chair. Ces femmes sont peut-être en Amérique. Comprenez-vous maintenant pourquoi elles se taisent ?

L'avocat a terminé. Personne n'a cru un seul instant à son hypothèse. Le président Guilbert se tourne vers l'accusé :

– Landru, avez-vous quelque chose à ajouter pour votre défense ?

Landru, apparemment, est très calme.

– Oui, dit-il, j'ai une déclaration à faire. M. l'avocat général, dans son réquisitoire d'hier, m'a gratifié de pas mal de défauts, de vices et même de crimes. Mais il a eu l'obligeance de dire qu'il me restait un sentiment noble : l'affection pour les miens, l'amour des enfants et du chez-soi. J'affirme, sur ce sentiment, que je n'ai tué personne. Voilà ce que j'ai à dire.

Un silence glacial accueille ces paroles. Les gendarmes emmènent Landru et le jury se retire pour délibérer sur les quarante-huit questions posées. Il est 18 h 15.

La salle est comble. Une odeur de mangeaille et de tabagie, des relents de cabaret de nuit envahissent le prétoire. L'attente se prolonge. Il y a des cris, on tape du pied, comme au théâtre, pour faire revenir le jury. On se pose des questions : pourquoi est-ce si long ? Au bout de trois heures, enfin, le jury reparaît. Son président lit les réponses aux questions posées. C'est « oui » à toutes les questions, sauf à celle concernant les circonstances atténuantes.

– Faites entrer l'accusé, dit simplement le président Guilbert.

Landru entre, regarde attentivement le jury. Me de Moro-Giafferi se tourne vers lui et lui murmure quelques paroles d'encouragement. Landru écoute sans mot dire la lecture du verdict et la Cour se retire à son tour pour délibérer.

Quelques minutes plus tard, les juges ont regagné leurs sièges. On se lève. Le président Guilbert énumère la liste des crimes de Landru avant d'énoncer la sentence :

– La Cour ordonne que vous soyez conduit sur la place publique de Versailles pour avoir la tête tranchée.

Landru, alors, d'une voix ferme :

– J'ai un mot à dire. Le tribunal s'est trompé. Je n'ai jamais été un assassin.

Ce seront ses dernières paroles publiques. Il met son chapeau et sa petite silhouette disparaît entre les deux gendarmes par la porte du box.

Ainsi justice est faite. Et pourtant, pour qui a assisté à l'ensemble du procès, il est difficile de ne pas éprouver un certain sentiment de malaise. Non pas qu'il y ait le moindre doute quant à la culpabilité de Landru, mais c'est la personnalité même de cet homme qui dérange.

Pendant trois semaines, il s'est défendu pied à pied avec vivacité, faisant toujours preuve d'esprit de repartie, et souvent d'esprit tout court.

Et puis il y a autre chose de troublant. Lors de leur déposition, le 22 novembre, les professeurs Vallon, Roques de Fursac et Roubinovitch, psychiatres tous les trois, ont affirmé que Landru était un être parfaitement normal : pouls régulier, réflexes excellents, intelligence développée, facilité d'élocution supérieure à la moyenne, mémoire remarquable.

Et ils sont allés plus loin. Landru, d'après eux, ne souffre ni de psychose, ni d'obsession pathologique, ni d'état confusionnel. Il ne présente aucune tendance sadique ou perverse. Il n'a aucun vice, il ne fume pas, ne boit pas, et ses appétits sexuels, discrètement évoqués à l'audience, semblent plutôt le signe d'une bonne constitution. Bref, un homme comme les autres.

Landru, d'ailleurs, a parfaitement repéré cette faille dans le dossier de l'accusation puisqu'il s'est écrié, à la suite des dépositions des trois médecins :

– Je tiens à remercier messieurs les experts, car la monstruosité même des crimes qu'on me reproche ne pourrait s'expliquer que par la folie. Si donc, comme ils le déclarent, je suis sain d'esprit, je ne suis pas coupable.

Fausse logique, bien sûr, mais qui ne fait qu'épaissir le malaise. Si Landru, sain d'esprit, est coupable, n'importe qui peut l'être. Il suffit pour cela d'être normal. Monstrueusement normal. Et de découper onze personnes à la scie avant de les enfourner dans sa cuisinière...

A 5 h 30 du matin, le samedi 25 février 1922, la porte de la cellule s'est ouverte devant les magistrats. L'un d'eux secoue l'homme allongé sur le lit de fer.

– Landru, ayez du courage !

Du courage ? Landru dormait. Il avait fini par s'endormir après avoir passé plusieurs heures à rédiger une longue missive pour l'avocat général Godefroy, dans laquelle il affirmait une dernière fois son innocence. Et voilà qu'on vient le réveiller en sursaut.

– Messieurs, je suis à votre disposition. Veuillez me passer mes vêtements.

Dehors, c'est encore la nuit noire, et froide. On distingue à peine les soixante-dix personnes qui ont réussi à se procurer un coupe-file pour assister à l'exécution.

Landru a soigneusement plié ses affaires, déchiré quelques papiers. Il a refusé la cigarette et le verre de rhum qu'on lui offrait. Ses dernières paroles sont pour prier le bourreau qui l'entrave de serrer moins fort.

– Ah ! C'est le règlement ? Faites, alors !

Quand il sort de la prison, les gendarmes à cheval, face

à la guillotine, saluent du sabre. Il est 6 h 5. Le couperet est tombé.

Il y a un épilogue à cette histoire. Il survient un an plus tard, le 23 janvier 1923. Ce jour-là, la salle des assises de Versailles est transformée en salle des ventes. On y met aux enchères les pièces à conviction du procès Landru. C'est la même affluence qu'aux grands jours du procès.

Dans le lot, une petite cuisinière rongée de rouille, qui ne vaudrait pas cent sous au marché à la ferraille. Mise à prix : cinq cents francs-or. Elle sera finalement adjugée pour quatre mille deux cents francs au... directeur du Musée Grévin.

9. Le procès des Templiers

Des lambeaux de brume s'accrochent au donjon flanqué de tourelles, au cœur de la ville haute, noyant les premiers rayons du soleil. Une forte odeur de bois brûlé et de purin monte des ruelles qui serpentent aux pieds des remparts. L'air glacé est encore tout vibrant du tintement grêle et précipité des cloches sonnant l'heure de prime. Marchands et artisans de la bonne ville de Provins s'éveillent doucement ce vendredi 13 octobre 1307 sans redouter ni les chiffres ni les jours maléfiques. La richesse et le confort apportés par les grandes foires du comté de Brie et de Champagne ont repoussé depuis longtemps les superstitions les plus grossières bien au-delà des murs de la cité. A l'abri de leurs églises et de leurs soixante clochers les bourgeois ont l'âme paisible et le cœur serein.

Comme chaque matin, ils décrochent les épais panneaux de bois qui protègent leurs maisons et leurs échoppes ; geste machinal accompagné d'un coup d'œil de routine dans les rues encore obscures. Et soudain ils se figent, paralysés par l'évidence la plus absurde : le monde est devenu fou, le malheur est à leur porte, ce vendredi 13 octobre est bien le jour du diable !

Ils viennent en effet d'apercevoir, pataugeant dans le

caniveau qui serpente au milieu de la chaussée, de petits groupes de prisonniers surveillés par des soldats et des sergents du roi de France. Et quels prisonniers !... Les bourgeois de Provins se signent d'une main tremblante en reconnaissant au milieu des hommes d'arme le long manteau blanc frappé de la croix rouge flottant sur les épaules des captifs. Il n'y a aucun doute ! Ceux que l'on mène ainsi, chargés de chaînes comme des voleurs, sont les chevaliers du Christ, les beaux chevaliers du Temple de Salomon, les tout-puissants et mystérieux Templiers.

Il suffit d'ailleurs de regarder leurs visages pour se persuader qu'il ne s'agit pas de brigands ou de déserteurs qui auraient eu l'audace d'emprunter pour se déguiser le fameux manteau blanc ; des visages orgueilleux et méprisants que l'on connaît bien dans le comté où les commanderies, et les maisons de l'ordre du Temple sont si nombreuses. Trois d'entre elles se dressent dans l'enceinte même de Provins, et des centaines d'autres balisent les chemins et les routes, de Coulommiers à Troyes et de Bar-sur-Aube à Cézanne, dessinant d'étranges lignes de défense à travers les forêts et les champs. De mémoire de Briard et de Champenois, les patrouilles templières ont toujours sillonné le pays, les chevaliers sur leurs montures et les sergents suivant à pied. L'Ordre possède ici d'immenses domaines dont il ne cède jamais un pouce mais qu'il agrandit sans cesse. Lui qui contrôle des provinces entières, et qui tient les châteaux d'Aragon, d'Estramadur ou de Castille aux marches de l'Occident, semble avoir une prédilection particulière pour ces terres du comté de Champagne, comme s'il cherchait à y retrouver ses propres racines. Car l'histoire de ce pays est étroitement mêlé à celle du Temple. Le premier grand-maître et fondateur de l'ordre des « pauvres chevaliers du Temple de Salomon [1] »

1. Les premiers compagnons d'Hughes de Payns furent logés dans la partie méridionale du temple de Salomon à Jérusalem. D'où leur nom de « Templiers ».

est un seigneur champenois, Hughes de Payns, qui près de deux cents ans auparavant, en 1119, a eu l'idée de mettre son épée et celle d'une poignée de chevaliers français au service des pèlerins qui se rendaient en Terre sainte afin de les protéger contre les brigands et les Sarrasins qui les rançonnaient ou les massacraient. Mais très vite, cette « Milice du Christ » devint l'armée permanente du Royaume franc de Jérusalem, fondé par Godefroy de Bouillon lors de la première croisade en 1099, et que ses successeurs, Baudoin Ier et Baudoin II défendaient pied à pied contre les attaques incessantes des armées sarrasines des royaumes de Syrie et d'Égypte. Hughes de Payns revint alors en Europe pour faire reconnaître par le pape et les rois cet ordre de moines-soldats défenseurs de Jérusalem, du Saint-Sépulcre et des pèlerins. Et c'est encore en Champagne qu'il trouva les appuis nécessaires. Tout d'abord auprès d'Hughes de Troyes, le comte de Champagne lui-même, qui abandonna son palais et ses châteaux pour devenir l'un des premiers chevaliers du Temple. Puis, auprès du grand Bernard de Clairvaux, le futur saint Bernard, qui fit reconnaître les Templiers par le concile de Troyes, en 1128, après avoir participé à la rédaction de leur Règle. Plus tard, en 1192, Henri de Champagne devint à son tour roi de Jérusalem, mais le Royaume franc était déjà bien malade et la Ville sainte était retombée aux mains des Sarrasins.

L'ordre du Temple, quant à lui, ayant reçu des dons considérables de tous les princes et évêques de la chrétienté, devenait une véritable puissance militaire et financière, alignant 15 000 chevaliers, des milliers de sergents, d'écuyers, de turcopoles (soldats sarrasins convertis) et possédant plus de 9 000 commanderies, maisons et places fortes en Orient et en Europe. Ces liens secrets et très anciens entre le Temple et la Champagne procuraient quelques fiertés aux Champenois. Ils en oubliaient que les chevaliers au manteau blanc étaient parfois bien distants et bien arrogants ! Ils étaient éblouis par leur fabuleuse épopée en Terre sainte où 20 000 moines-soldats étaient tombés l'épée à la main.

C'est pourquoi, ce matin du vendredi 13 octobre 1307, les bourgeois de Provins qui assistent au démantèlement du Temple par les soldats du roi de France, Philipe le Bel, sont à la fois stupéfaits et furieux.

— Qu'il soit maudit le roi Philippe ! Qu'il soit excommunié pour avoir commis un acte aussi impie ! A mort le faux monnayeur [1] !...

Une foule inquiète et turbulente se bouscule déjà à la porte de Jouy qui commande l'accès à la ville haute où l'on a rassemblé les prisonniers. Les prévôts réclament le silence et annoncent qu'ils vont donner lecture d'une lettre du roi. On se tait. La lecture commence.

— Une chose amère, une chose déplorable, une chose horrible à penser, terrible à entendre, a retenti à nos oreilles selon le rapport de plusieurs personnes dignes de foi, non sans nous frapper d'une stupeur profonde et nous faire frémir d'une violente horreur... Les Templiers, dépassant la brutalité des bêtes elles-mêmes, ont commis les crimes les plus abominables qu'exècre et fuit la sensualité de ces bêtes déraisonnables. Ils ont abandonné leur créateur... ils ont oublié le Seigneur, ils ont sacrifié aux démons et non à Dieu...

Cela veut dire clairement que le roi accuse les chevaliers du Temple de sodomie, d'idolâtrie et d'hérésie !

Après quelques instants de stupeur les cris de la foule reprennent de plus belle. Ces abominations ne sont pas crédibles. Que de tels ragots soient colportés dans les tavernes par des esprits bas et envieux passe encore ! Mais sous la

1. Pour tenter de résoudre ses difficultés financières, Philippe le Bel dévalua la monnaie à plusieurs reprises, ne craignant pas d'en altérer le poids en or. La quantité de métal précieux était si variable qu'une pièce pouvait perdre le tiers de sa valeur en moins d'un an. Les petits épargnants ruinés donnèrent au roi ce surnom infamant de « faux monnayeur ».

plume d'un roi ils sont inacceptables ! Il faut avoir de bien sombres desseins pour se retrancher derrière de si basses calomnies ! Les bourgeois de Provins sont en colère et crient bien fort leur indignation. Les baillis du roi, agacés, font tirer les lourds battants des portes des remparts et déploient une double rangée de soldats armés de haches et de lances autour du donjon carré qui fait office de prison.

Maintenant, sous la conduite des moines de l'Inquisition, ils doivent instruire, ici même, le procès des chevaliers du Temple de la région et faire procéder aux interrogatoires nécessaires.

A Provins comme à Paris, à Carcassonne comme à Bourges, au même instant, les inquisiteurs dominicains, les légistes et les clercs se mettent au travail. La suprême habileté de Philippe le Bel a été de frapper les Templiers partout à la fois et simultanément. Toutes les commanderies ont été visitées, depuis la maison « chêvetaine » de Paris, entourée de remparts et surmontée d'un énorme donjon, jusqu'à la plus petite ferme des Pyrénées perdue dans la montagne. Tous les membres du Temple ont été arrêtés, du grand-maître Jacques de Molay, que l'on a attiré à Paris juste avant que le piège ne se referme, au simple sergent infirme, rescapé des champs de bataille d'Espagne ou de Terre sainte. Les frères de métiers eux-mêmes, maçons ou charpentiers du « Saint Devoir », n'ont pas été épargnés.

Le roi peut être satisfait. Son « coup de filet » a parfaitement réussi.

Et pourtant, Philippe le Bel est sombre et irritable ce vendredi matin. Il semble ne pas avoir obtenu ce qu'il voulait. On murmure que l'enceinte du Temple à Paris était vide de tout trésor. Il n'y avait, paraît-il, dans le donjon coffre-fort que quelques liquidités et deux livres de comptes ! C'est peu de chose pour cet Ordre qui était devenu le banquier de l'Europe [1].

1. Certains historiens affirment au contraire que Philippe le Bel a bien découvert le « Trésor » des Templiers, mais qu'il n'en a rien dit pour ne pas avoir de compte à rendre au pape.

Déjà autour du roi on se pose des questions. Les Templiers auraient-ils été prévenus de l'opération qui se préparait contre eux ? Dans ce cas, pourquoi n'ont-ils pas fui ? Ou tout au moins pourquoi ne se sont-ils pas défendus ?

Pour comprendre l'attitude de Philippe le Bel à l'égard des Templiers et l'absence de réaction des chevaliers de l'Ordre, qui étaient pourtant de redoutables guerriers, il faut revenir quelques années en arrière, en 1291, quand Saint-Jean-d'Acre, la dernière ville franche de Palestine, fut prise par le sultan d'Égypte.

Les « Templiers » étaient présents pour cette ultime bataille. Les chevaliers furent même les derniers à tenir la place. Ils entraînèrent avec eux dans la mort 2 000 Sarrasins, écrasés par les murs de la commanderie qui s'écroulèrent au moment de l'assaut dans un fracas d'enfer. Les Templiers faisaient une sortie digne de leur légende.

Mais la Terre sainte étant perdue, les chevaliers du Temple n'avaient plus désormais de raison d'être. Ils devenaient des soldats sans cause. Leur richesse et leur puissance paraissaient soudain inquiétantes. Les privilèges dont ils jouissaient – ils ne devaient ni impôts ni obéissance à aucun prince – semblaient exorbitants. La superbe qu'ils affichaient en toute chose froissait les gens simples. Le secret dont ils s'entouraient comme à plaisir – refusant de se confesser en dehors de l'Ordre, interdisant à quiconque l'accès de leurs cérémonies – les rendaient suspects au plus grand nombre.

Ils étaient admirés et aimés, craints et jalousés, publiquement encensés et sournoisement critiqués. On leur reprochait de s'être installés en France, après avoir quitté l'Orient, au lieu d'aller en Espagne grossir les rangs de leurs « frères » qui poursuivaient la lutte contre les Sarrasins. On se demandait dans quel but ils mettaient tant d'acharnement à faire fructifier leur domaine, à les agrandir, à développer leurs réseaux commerciaux, à améliorer leur système bancaire [1]. On ne comprenait pas pourquoi ils continuaient à s'entraîner militairement, enrôlant de nouveaux sergents, achetant des destriers, construisant de nouvelles places fortes.

Quand toutes ces rumeurs inquiètes parvenaient aux oreilles des dignitaires de l'Ordre, ils avaient un geste d'impatience, ils lançaient d'un ton sans réplique : « Le Temple se prépare à reprendre Jérusalem. » Ce qui n'était, évidemment, pas vrai. Tout le monde savait que le temps des croisades était passé. Les Templiers ne pouvaient pas reconquérir seuls la Terre sainte perdue. Jacques de Molay, le grand-maître de l'Ordre, avait bien réussi il y a neuf ans à faire une incursion jusqu'au Saint-Sépulcre, mais faute de renfort il n'avait pas pu se maintenir. Les rois d'Angleterre, d'Allemagne et de France étaient trop occupés à repousser les frontières de leur domaine et à consolider leur pouvoir pour venir guerroyer en Palestine. Et ces rois, précisément, s'inquiétaient de voir les Templiers étendre leur influence en Europe. Philippe le Bel surtout, qui cherchait à asseoir son autorité et qui avait de la royauté une conception nouvelle : forte, centralisée et laïque. Son entreprise se heurtait à la noblesse mais surtout au Saint-Siège, qui avait encore la prétention de « contrôler » les rois. Et la grande peur de Philippe le Bel était de voir un jour le Temple s'allier au pape contre le roi de France. Cette milice religieuse fabuleusement riche et puissamment armée pouvait en effet devenir la force temporelle du Souverain Pontife ; le filet des commanderies et de maisons templières, un filet aux

1. Ce sont les Templiers qui « inventèrent » au XIIIe siècle la lettre de change, ancêtre du chèque banquaire. Pour éviter d'être détroussé par les brigands on déposait de l'argent liquide ou des bijoux à la maison du Temple à Paris et l'on retirait une somme équivalente dans une commanderie de Saint-Jean-d'Acre ou de Jérusalem, en produisant l'attestation de versement frappé du sceau de l'Ordre. Les pèlerins et les barons qui partaient en croisade ont usé de ce service tout comme les princes et les rois, et très vite le système a été adapté à l'Europe où, partout, se trouvaient des maisons templières.

mailles serrées, était déjà jeté sur l'ensemble des royaumes chrétiens de l'Occident [1].

Le roi était persuadé de la réalité du danger mais il n'était pas pressé d'intervenir. Il n'avait pour l'instant rien à craindre du pape Clément V. C'est lui qui l'avait choisi pour sa vénalité et son manque de caractère. Il l'avait fait couronner à Lyon et l'avait installé en France pour qu'il ne tombe pas sous l'influence des prélats romains. Aussi Philippe le Bel avait-il le temps de réfléchir à la meilleure façon, sinon de détruire, du moins de neutraliser les Templiers.

Tout d'abord il essaya de mettre la main dessus. Humblement il fit une démarche auprès du grand-maître afin d'être admis dans l'Ordre à titre honoraire. Le roi de France chevalier du Temple !... Il était clair que le souverain caressait l'espoir de se faire octroyer un jour la maîtrise pour la transformer en charge héréditaire au bénéfice de la couronne. Très poliment mais très fermement Jacques de Molay refusa de le recevoir parmi ses chevaliers.

Vexé mais nullement découragé, le roi imagina alors d'affaiblir le Temple en le faisant fusionner avec l'Ordre concurrent des Hospitaliers. Le pape Clément V fut chargé de mener à bien l'opération. Une fois encore Jacques de Molay refusa avec la même politesse glacée.

Le roi ne prit même pas la peine d'insister auprès du pape. Il était maintenant décidé à porter un coup mortel aux chevaliers du Temple. A ses craintes politiques venaient s'ajouter des difficultés financières. Ne pouvant plus rançonner les Juifs et les marchands italiens qu'il avait chassés du royaume après les avoir dépouillés, Philippe le Bel ne parvenait pas à rembourser les sommes importantes qu'il avait empruntées aux Templiers. Et la

1. C'est notamment la thèse défendue par l'historien Georges BORDONOVE dans son livre *Les Templiers* (Fayard, 1977).

tentation était grande de renflouer les caisses de l'État avec leur « Trésor ».

L'un de ses conseillers, Guillaume de Nogaret, sut le persuader de ne plus attendre. Son argument, il est vrai, était convaincant. Il venait de découvrir le poison capable de tuer l'Ordre tout entier.

C'est un curieux personnage, ce Guillaume de Nogaret : Homme de loi intelligent, fin psychologue, dénué de scrupule, il promène son cou de taureau et son accent rocailleux dans les couloirs du Palais-Royal de la Cité. Originaire de Haute-Garonne, ancien professeur de droit à Montpellier, c'est un descendant de Cathares, de « patarins » comme on dit dans le Sud-Ouest. Son grand-père a été brûlé par l'Inquisition et il voue une haine implacable à l'Église. Tout au long du règne de Philippe le Bel, il sera l'artisan de sa politique anticléricale. Excommunié par le précédent pape, Boniface VIII, qu'il avait fait prisonnier dans son palais d'Anagni, il considère la destruction du Temple comme une affaire personnelle.

Et il est vrai que tout commence chez lui, dans son hôtel parisien, par un matin d'automne gris et maussade. Son domestique lui annonce qu'un certain Esquin de Floyran demande à le voir. Cela ne lui dit rien mais c'est un nom du Midi ! Nogaret laisse entrer son visiteur.

Deux heures plus tard l'homme ressort par une porte dérobée, couvert de chaînes. Un prévôt le hisse sans ménagement sur un cheval. Une petite troupe de cavaliers se met aussitôt en route, serrant de près le prisonnier, ne s'arrêtant que pour changer de monture et dormir quelques heures, voyageant de jour comme de nuit, descendant à marche forcée vers les pays de langue d'Oc. La semaine suivante, Esquin de Floyran est enfermé à la prison royale de Toulouse dans la cellule d'un bourgeois condamné à mort pour meurtre. On apprend alors que de Floyran est un ancien chevalier du Temple, ancien commandeur de Montfaucon, chassé de l'Ordre pour avoir « poignardé un frère ». Lui aussi, fait-on savoir aux autorités de la prison, est condamné à la peine capitale par la justice royale. Pas plus que son compagnon il n'aura droit au secours d'un prêtre, l'Église refusant d'absoudre les condamnés à mort pour homicide.

Le jour du supplice étant arrivé, les deux hommes, tout naturellement, se confessent mutuellement. Mais les aveux du commandeur de Montfaucon sont si épouvantables que le bourgeois, affolé, appelle la garde et met les autorités de la prison au courant des abominations que vient de lui révéler son compagnon sur les mœurs sexuelles et religieuses des chevaliers du Temple. L'affaire est si grave que l'on décide d'en référer au roi. Nogaret obtient promptement une audience. Le malheureux condamné à qui l'on a promis sa grâce répète fidèlement à Philippe le Bel les aveux du Templier : adoration des idoles, reniement de la Croix, baisers obscènes. Une litanie scandaleuse qui sera ressassée jusqu'à l'obsession par tous les baillis et tous les inquisiteurs du royaume, mais qui sur le moment ne convainc pas le roi. Il demande qu'on lui amène cet Esquin de Floyran qui s'accuse de si terribles péchés. L'homme maintient ses aveux. Mais il reconnaît n'avoir jamais été arrêté ni condamné à mort. C'est Guillaume de Nogaret, dont il avait demandé l'aide et la protection après avoir été chassé de l'Ordre, qui a eu l'idée de toute cette mise en scène afin que soit publiquement dévoilées les coutumes diaboliques du Temple.

Philippe le Bel n'est pas dupe. Il reconnaît bien là le « style » de son conseiller. Mais comprenant tous les avantages qu'il peut tirer de cette situation, il fait semblant d'être ébranlé par l'apparente sincérité de l'ancien chevalier. Il ordonne sur l'heure à Nogaret de faire parvenir une copie des soi-disant aveux au pape Clément V, tandis qu'il dépêche Esquin de Floyran en Espagne, afin qu'il répète de vive voix sa « confession » au roi d'Aragon.

Mais, malheureusement pour Philippe, ni le Souverain

Pontife ni le roi d'Aragon ne se laissent abuser. Le premier refuse tout net d'ouvrir une enquête. Quant au second, il s'empresse de prévenir les Templiers du mauvais coup qui se prépare.

Le roi est déçu, mais Guillaume de Nogaret ne désarme pas. Dans le plus grand secret il forme de véritables escouades de « chansonniers » grassement payés, qu'il envoie sur toutes les routes du royaume. Pendant des mois, ces ménestrels, ces conteurs et ces trouvères répandent les pires calomnies sur les chevaliers du Manteau blanc. La rumeur se propage, se gonfle, s'amplifie, à tel point que le pape est obligé de réagir. Au printemps 1307, il convoque le grand-maître du Temple qui se trouve à Chypre où il préparait un nouveau débarquement en Syrie.

Jacques de Molay, accompagné par les principaux dignitaires de l'Ordre, débarque bientôt en France avec une suite éblouissante de chevaliers richement armés, de turcopoles et d'esclaves noirs. Les Templiers veulent faire sentir leur puissance et manifester le dédain qu'ils opposent à la diffamation. Mais Guillaume de Nogaret n'en a cure. Il a obtenu ce qu'il voulait. Le grand-maître est tombé dans le piège : il est revenu dans le royaume. L'assaut contre le Temple peut commencer.

Tout maintenant va aller très vite. Le 23 septembre, Guillaume de Nogaret est nommé chancelier à la place de Narbonne qui se refuse à condamner les Templiers. Le 24 septembre, le nouveau chancelier réunit à Maubuisson les principaux conseillers du roi, les inquisiteurs et les évêques. Au terme d'une séance dramatique il est décidé que tous les membres du Temple, dignitaires, chevaliers, chapelains, sergents et frères de métiers seront arrêtés et livrés à l'Inquisition afin qu'elle instruise leur procès. L'opération est fixée au vendredi 13 octobre à l'heure de prime.

La suite, vous la connaissez. Les Templiers, qui certainement ont été prévenus, dédaignent l'avertissement. Font-ils preuve d'un orgueil démesuré ou pensent-ils, sûrs de leur bon droit, que le pape les défendra ?

Toujours est-il qu'après avoir mis leurs archives à l'abri [1], les moines-soldats se laissent emmener sans résistance, ce vendredi 13, par les prévôts et les baillis du roi. Leur règle en effet est formelle : elle leur interdit de porter les armes contre les chrétiens. Une règle à laquelle ils resteront fidèles jusqu'au bout, jusqu'à l'absurde.

Le procès qui commence, ce 13 octobre 1307, sera le plus long et le plus mystérieux qu'on puisse imaginer. Il durera sept ans et ne permettra jamais de savoir avec certitude si les Templiers étaient innocents ou coupables.

Le 14 octobre 1307, une pluie fine et glacée tombe sur Paris. Les maisons à colombages, serrées les unes contre les autres le long des berges de la Seine, sont noyées dans la grisaille. Les hautes toitures de Notre-Dame et les tours crénelées du Palais-Royal s'élèvent au-dessus du fleuve, se signalant aux bateliers de l'île de la Cité. Sur la rive droite, émergeant des toits et des clochers, l'énorme donjon du Temple dresse ses tourelles pointues percées de meurtrières au-delà des murs de la ville, à l'abri de ses propres remparts.

Mais ce samedi matin on ne voit plus sur le chemin de ronde passer les grands manteaux blancs ou noirs des chevaliers et des sergents templiers. Ils ont été remplacés par des soldats du roi qui échangent des plaisanteries graveleuses avec la foule massée au pied des murailles.

La veille, au lever du jour, la maison « chêvetaine » de l'Ordre a été investie par une troupe fortement armée dont le commandement était assuré par le chancelier du royaume en personne, Guillaume de Nogaret. Les cent

1. Aucune archive n'ayant été saisie dans l'enceinte du Temple, il semblerait que les dignitaires de l'Ordre les aient mises en lieu sûr. Malheureusement elles n'ont, à ce jour, pas été retrouvées.

quarante frères qui étaient présents n'ont opposé aucune résistance et se sont laissés enfermer dans leur propre prison. Le grand-maître Jacques de Molay se trouvait parmi eux.

Depuis, une étrange fête païenne se déroule à l'extérieur de l'enclos du Temple, semblable à cette fête des fous qui les nuits de Noël, après la Sainte Messe, voit une multitude d'hommes et de femmes de toutes conditions se ruer dans la cathédrale pour forniquer et se saouler jusqu'à l'aube. Quand le bruit s'est répandu, hier, que des hommes d'armes avaient pénétré dans le Temple, les Parisiens se sont précipités de la même façon, à l'intérieur de l'enceinte, pour participer au sacrilège. Ils avaient une revanche à prendre sur la rigueur et la morgue des Templiers. Les frères qui tentaient de fuir étaient pris en chasse par la foule, rattrapés, roués de coups et ramenés en piteux état aux prévôts du roi. Les tonneaux qui se trouvaient dans les caves étaient roulés au-dehors et mis en perce. Les cuisines étaient mises à sac. Toute la nuit on avait ripaillé dans les rues à la lueur des torches. Et ce matin encore, malgré la pluie, on se bouscule autour des feux de planches allumés en plein vent. Des hommes cuvent leur vin, dormant à même le sol. Des prostituées, vêtues du manteau blanc des chevaliers, se livrent à des danses obscènes, accompagnées par des gitans aux oreilles percées qui frappent sur des tambourins. Des fagots d'épineux sont jetés dans les flammes. Des matrones apportent des chaudrons brûlants et une distribution de vin chaud commence, tandis que se forme une farandole.

Les cris et les rires parviennent assourdis, irréels, jusqu'à la prison des Templiers, au cœur de l'enclos, sous la « grosse tour ». Les sergents et les frères de métier ont été entassés dans une grande salle voûtée. Mais les dignitaires et les chevaliers sont isolés, chacun dans une cellule. Depuis hier matin, ils n'ont reçu aucune nourriture. Personne n'est venu les voir. Personne ne leur a expliqué les raisons de ce coup de force et de cette détention arbitraire.

De temps à autre ils entendent un bruit de pas dans les couloirs, un cliquetis d'armes, le grincement d'une serrure et, parfois, au loin, la voix d'un frère qui proteste avec véhémence quand on l'emmène. Puis c'est à nouveau le silence troublé seulement par les bruits lointains de la fête et par les battements sourds de la cloche du donjon qui égrène les heures.

Enguerand de Milly fait quelques pas dans sa cellule et resserre son manteau d'hiver autour de ses épaules. C'est une longue cape blanche, doublée de fourrure et frappée sur la poitrine de la croix pattée. Quand les hommes du roi ont fait irruption dans le dortoir hier matin il a eu juste le temps de la jeter sur son dos. Mais quelques-uns des frères qui se trouvaient près de la porte ont été tirés de leur lit en chemise et en braies. C'est dans cette tenue indigne qu'ils ont été poussés dehors. Puis on les a tous jetés au cachot sans plus d'explication, comme de simples manants. De Milly serre les poings avec rage. Depuis vingt ans qu'il est chevalier du Temple, il n'a jamais subi un tel affront. Les Sarrasins eux-mêmes l'ont traité avec plus d'égard quand ils l'ont fait prisonnier à Saint-Jean-d'Acre. Il regrette maintenant de s'être évadé. Il aurait mieux valu qu'il meure avec les autres, en martyr, plutôt que d'être traité aujourd'hui en brigand par les gens du roi de France. Soudain une clé tourne dans la serrure. La porte s'ouvre. Deux soldats et un sergent lui font signe de les suivre.

— Allez-vous enfin m'expliquer ? tonne Enguerand de Milly.

Le front bas, les yeux vides, les hommes d'armes le regardent sans répondre. Il n'y a rien à tirer de ces soudards. Le chevalier hausse les épaules et se dirige d'un pas ferme vers la sortie de la prison.

De haute taille, les épaules larges, les cheveux coupés court, il donne une impression de puissance et de violence contenues. Les soldats, prudemment, le suivent à distance la lance pointée, prêts à frapper. La petite troupe traverse maintenant la cour qui sépare le donjon de l'hôtel du Grand-Prieur. Sur la droite se trouvent les écuries. Là-bas, la porte d'enceinte est grande ouverte. Enguerand de Milly hésite un instant. Il n'aurait aucun mal à désarmer ses gardiens. Son cheval est là tout à côté. C'est lui peut-être qu'il entend souffler et cogner du sabot contre les stalles. Quelques dizaines de mètres seulement le séparent de la liberté. Ses muscles se tendent. Son visage se crispe. Il va se retourner pour saisir la lance du soldat le plus proche quand brusquement un cri horrible, un cri inhumain, le cloue sur place. Cela vient de la crypte, à côté de l'église. C'est un hurlement de mort suivi d'une plainte affreuse qui monte, qui se brise et qui reprend dans un râle et qui n'en finit pas... qui n'en finit pas... Enguerand de Milly sent de grosses gouttes de sueur couler dans sa barbe. Il a compris. Et pour la première fois de sa vie il a peur. Ses jambes deviennent molles, une étrange langueur l'envahit. Quand le sergent lui donne l'ordre d'avancer il doit faire un effort surhumain pour ne pas tituber ; devant la porte de la crypte, d'autres frères attendent, livides, méconnaissables, les yeux effarés par l'horreur.

— Frère Enguerand de Milly, approchez-vous et n'ayez crainte, nous sommes là pour vous entendre de par Dieu.

L'homme qui s'adresse au chevalier du Temple est de petite taille. Son visage mafflu et rebondi semble émerger à grand-peine du capuchon de son habit de bure. C'est un dominicain.

— Êtes-vous prêt à répondre à nos questions et jurez-vous de dire la vérité sans contrainte d'aucune sorte ?

D'autres moines se tiennent derrière le dominicain, assis sur un banc, le capuchon rabattu sur la tête. Combien sont-ils ? Cinq, six, peut-être. De Milly, encore ébloui par la clarté du jour, ne saurait le dire. La crypte n'est que faiblement éclairée par un grand candélabre d'église dont les cierges fument et crépitent. Dans le halo de la lumière, deux clercs sont assis à une table de chêne. Des ombres vont et viennent derrière eux. Ce sont, dirait-on, des baillis ou des légistes du roi qui se réchauffent autour d'un grand brasero. La voix du dominicain s'élève à nouveau, rauque et désagréable.

— Frère, avez-vous perdu l'usage de la parole que vous ne puissiez répondre à mes questions ?

Enguerand de Milly a du mal à respirer. La colère l'emporte sur la peur. Il explose.

— Je n'ai de compte à rendre qu'au chapitre et au maître du Temple ! Qui êtes-vous pour me questionner de la sorte ?

— Je suis Guillaume Imbert, grand inquisiteur de France et confesseur du roi, agissant au nom de notre Très Saint Père le pape Clément V...

— C'est faux...

De Milly donne libre cours à sa fureur. Crier lui fait du bien.

— ... C'est faux ! Mgr le Pape ne peut souffrir que l'on traite les chevaliers du Temple comme vous le faites.

L'Inquisiteur s'est levé, le visage empourpré. Il gronde.

— Acceptez-vous de répondre oui ou non ?

— Montrez-moi un ordre de Mgr le Pape, une lettre écrite de sa main et je vous répondrai.

Déjà le chevalier regrette d'avoir prononcé cette phrase. Sur un geste de l'Inquisiteur deux hommes sont sortis de l'ombre et s'approchent de lui. Coiffés de capuches sombres, le visage large et couperosé, ils sont de carrure imposante.

— Enlevez donc son manteau au frère et préparez-le comme il faut, dit le moine. Peut-être sera-t-il moins arrogant.

Aussitôt l'agrafe de la cape est arrachée, les braies sont déchirées. Enguerand de Milly, rouge de honte, se retrouve en chemise, les mains solidement liées derrière le dos. A nouveau la peur l'envahit. Il vient d'apercevoir, près du brasero, le tréteau mobile du « chevalet » avec son système de cordes et de crics permettant de disloquer les membres, ainsi que les « brodequins » de toutes dimensions dont il a vu les Espagnols se servir pour broyer les articulations des Sarrasins quand il était en garnison en Castille. L'Inquisiteur reprend d'une voix dure.

– Frère de Milly, vous allez devoir répondre de votre plein gré ou par contrainte aux questions ainsi formulées : comment avez-vous été reçu au Temple ? Vous a-t-on après la cérémonie demandé de renier le Christ ? Vous a-t-on ensuite dévêtu et baisé en bout de l'échine ? Puis invité à pratiquer la sodomie ? Puis ceint d'une cordelette ayant touché certaine figure diabolique adorée par les anciens ? Enfin, est-il vrai que vos chapelains omettent à dessein de sacrer par le corps de Notre-Seigneur ?

Le Templier se raidit.

– Ces questions sont indignes ! dit-il, je ne répondrai pas !

L'Inquisiteur se lève lourdement et, d'un air de profond ennui, le pas traînant, s'approche de la table où se tiennent les clercs. Il fouille quelques instants dans la pile des procès-verbaux puis, ayant trouvé la déposition qu'il cherchait, s'avance vers de Milly.

– J'ai cru comprendre, beau seigneur frère, qu'à la différence de beaucoup de Templiers vous n'étiez pas totalement illettré ?

L'ironie cinglante de l'Inquisiteur exaspère le chevalier.

– Nous sommes des soldats, répond-il avec hauteur, pas des clercs ! Si j'ai eu le loisir d'apprendre à lire, c'est que je fus immobilisé de longs mois à la suite d'une mauvaise blessure en Terre sainte.

– Il me suffit que vous sachiez déchiffrer quelques mots, répond l'Inquisiteur. Le reste m'importe peu !

Il fait apporter une chandelle et met la déposition sous les yeux du Templier.

– Veuillez constater que ce procès-verbal se rapporte

bien à l'interrogatoire de votre maître, Jacques de Molay.

De Milly lit attentivement les premières lignes et acquiesce d'un signe de tête. Le moine le regarde quelques instants puis reprend d'une voix éraillée :

– Je vais maintenant vous donner lecture des réponses que le maître du Temple m'a faites, ici même, sans y avoir été contraint par la torture.

Il fait une pause, regarde à nouveau de Milly et commence à lire :

« *Question :* Comment avez-vous été reçu au Temple ?

« *De Molay :* J'ai été reçu à Beaune, il y a environ quarante ans, par le frère Hubert de Pairaud, chevalier. Je fis d'abord toutes sortes de promesses au sujet des observances et des statuts de l'Ordre, puis l'on m'imposa le manteau. Le frère Humbert fit ensuite apporter une croix d'airain où se trouvait l'image du Crucifié, et m'enjoignit de renier le Christ figuré sur cette croix. De mauvais gré je le fis ; le frère Humbert me dit ensuite de cracher sur la croix, je crachai à terre.

« *Question :* Combien de fois ?

« *De Molay :* Une fois seulement, j'en ai bonne mémoire.

« *Question :* Quand vous avez fait vœu de chasteté, vous fut-il dit à peu près de vous unir charnellement avec les autres frères ?

« *De Molay :* Non. Et je ne l'ai jamais fait.

« *Question :* Les autres frères sont-ils reçus de la même manière ?

« *De Molay :* Je ne crois pas que le cérémonial ait été pour moi différent de ce qu'il est pour les autres ; quant à moi, je n'en ai pas reçu un bien grand nombre. Après leur réception, toutefois, je priai les assistants de mener à part les nouveaux profés, et de leur faire faire ce qu'ils devaient. Mon intention était qu'ils accomplissent ce que j'avais accompli moi-même et que... »

– Taisez-vous ! Ça suffit ! Je ne veux pas en entendre davantage !

Enguerand de Milly est livide. Des cernes bleus se sont creusés sous ses yeux. Ses lèvres tremblent.

– C'est impossible, dit-il, pas le maître ! Il ne peut pas ! Vous n'avez pas le droit ! Vous l'avez brisé sous la torture...

– Nous n'avons usé contre lui d'aucune gêne ni contrainte ! tonne l'Inquisiteur. Il a parlé de son plein gré pour le salut de son âme et vous feriez bien d'en faire autant ! Ne vous obstinez pas ! Il n'y a plus rien à cacher ni à protéger. Le Temple est mauvais. Votre secret est découvert. Il est temps de faire pénitence. Répondez à mes questions ! Je vous l'ordonne...

De Milly se dresse de toute sa hauteur. La peur lui noue le ventre mais il parle malgré lui, il parle contre lui, d'une voix forte.

– Je vous répète qu'il ne m'appartient pas de répondre. Je suis lié par des vœux. J'ai juré de garder le secret le plus absolu sur tout ce qui touche au couvent. Seul le chapitre pourrait me libérer de ce serment. Le maître lui-même n'a pas le droit d'agir ou de parler sans en référer au chapitre. Il est inutile d'insister, vous n'obtiendrez rien de moi.

L'Inquisiteur Guillaume Imbert se laisse tomber sur son banc d'un air las. Déjà les deux bourreaux ont saisi le Templier et le traînent à travers la crypte. L'un d'eux lui arrache sa chemise. Il est nu. Il claque des dents. Il ne sent plus son corps...

Quand le chevalier du Temple Enguerand de Milly reprend connaissance pour la seconde fois, il a les deux jambes brisées, les doigts écrasés et le torse marqué au fer rouge. La douleur irradie tous ses membres, écrase sa poitrine, tourne dans son crâne jusqu'à la nausée. Une sueur glacée coule sur ses tempes. Il n'a pas parlé mais il est à bout. Son cœur bat trop vite, le souffle lui manque, sa gorge brûle d'avoir trop crié. De grandes vagues de couleurs éclatent sous ses paupières closes, lui donnant le vertige. Mais il ne doit pas ouvrir les yeux. C'est la seule façon d'échapper quelques instants encore aux bourreaux.

Autour de lui l'ignoble parodie de justice continue. Il entend la voix de l'Inquisiteur résonner comme dans une cuve. « ... L'avez-vous fait des lèvres ou du cœur ?... Combien de fois ?... Avez-vous assisté à la réception d'autres frères ?... De la même façon ?... Comment le savez-vous ?... »

Un sergent âgé de 50 ans, le frère Pierre de Torteville, répond en pleurnichant.

— ... Il m'enjoignit de renier l'image de celui que je voyais sur la Croix et de cracher trois fois. Puis, toujours à son commandement, je l'embrassai au bout de l'épine dorsale, au nombril et sur les lèvres...

Enguerand de Milly a encore la force de grogner de colère. S'il avait l'usage de ses mains il étranglerait volontiers le frère de Torteville. Chacune de ses paroles geignardes lui fait l'effet d'un coup de poignard. N'y tenant plus il jette un coup d'œil en direction de l'homme qui dépose. C'est un vieillard. Un sergent usé, tremblant de fièvre, le visage déformé par la peur. Enguerand referme les yeux. Un autre frère succède à de Torteville. La voix est plus forte, le ton plus assuré. Il le reconnaît bientôt à son accent. C'est frère Matthieu du Bois-Audemar, maître du temple de Clichy. C'est un vrai chevalier. Un courageux compagnon. Enguerand écoute.

L'Inquisiteur : Où avez-vous été reçu ?

Le frère Matthieu : J'ai été reçu au temple de Lagny-le-Sec, au diocèse de Meaux, par le frère Jean de Tour...

L'Inquisiteur : De quelle manière ?

Le frère Matthieu : Ils me firent l'imposition du manteau puis le frère Jean me prit à part et, me montrant une croix où était peinte l'image de Notre Seigneur Jésus-Christ, il me demanda si je croyais que celui dont je voyais la figure était Dieu. « Oui, répondis-je, je le crois bien. » Alors le frère Jean m'ordonna de le renier. « Jamais ! » répliquai-je. Alors il me mit en prison jusqu'à l'heure des vêpres. Et moi, voyant que j'étais en péril de mort, je demandai à sortir affirmant que j'étais prêt à accomplir la volonté du frère Jean. Aussitôt libéré je reniai trois fois. Mais je n'ai pas mémoire d'avoir craché sur la Croix. J'étais tellement bouleversé par ce reniement qu'à peine savais-je ce que je faisais.

Enguerand de Milly est brisé. Cette fois, tout son courage l'abandonne. Comment des frères peuvent-ils parler de la sorte ? Comment peuvent-ils à ce point manquer à leur serment ? Comment peuvent-ils céder sans qu'on les mette seulement en présence des instruments de torture ? Et tout à coup, le chevalier comprend que c'est lui qui est la cause de tant de lâcheté. C'est le spectacle de son corps supplicié qui fait perdre tout courage et toute dignité à ses frères. Il ne faut pas qu'il reste là. Il faut en finir.

Quand les bourreaux suspendirent Enguerand de Milly par les parties génitales son cri fut si atroce que les chevaux dans l'écurie se cabrèrent et que la fête s'arrêta sous les remparts du Temple [1].

En fin de journée, ce 14 octobre 1307, un bailli du roi fit une lecture publique des aveux des Templiers. Sur les 140 qui avaient été arrêtés à Paris, 136 avaient parlé spontanément ou sous la torture. Leurs ennemis même n'arrivaient pas à y croire. Quant à ceux qui s'apprêtaient à les défendre, ils étaient effondrés. L'Ordre chevaleresque le plus respecté et le plus glorieux qui soit semblait se complaire soudain dans l'opprobre et la fange. Seul le pape Clément V ne voulut rien entendre. Non pas qu'il eût de la compassion pour les chevaliers du Temple. Mais en les faisant arrêter de son propre chef et en demandant aux souverains européens d'en faire autant, Philippe le Bel avait trop

1. Ce supplice a bien été pratiqué par les bourreaux de l'Inquisition ce 14 octobre 1307 à Paris. Un procès-verbal d'interrogatoire des Templiers en atteste.

manifestement empiété sur les droits du Saint-Siège. Clément V ne pouvait pas se taire. Il devait contre-attaquer.

Après un automne froid et humide, la neige est venue engourdir les peines. En ce début de janvier 1308 les grandes étendues blanches des collines et des champs font entrer un peu de lumière dans les geôles où les chevaliers et les sergents du Temple, hébétés par la faim et les tortures, commencent néanmoins à reprendre courage.

« Monseigneur le pape », comme l'appellent les moines-soldats, a daigné s'occuper d'eux. Oh, bien sûr, il n'a pas pris leur défense, comme ils étaient en droit de l'espérer. Il a même officiellement entériné leur arrestation et enjoint aux autres souverains de la chrétienté d'imiter Philippe le Bel. Mais Clément V entend que leur soit fait, partout, y compris en France, un procès ecclésiastique. Cela veut dire qu'il ne fait pas confiance à la justice du roi et qu'il n'est guère convaincu par les « aveux » arrachés aux Templiers. Il a d'ailleurs dépêché à Paris deux cardinaux, Béranger Frédol et Étienne de Suizy, pour mener une contre-enquête et interroger les prisonniers en son nom. Philippe le Bel a bien été obligé de les recevoir et a donné des ordres à Guillaume de Nogaret pour qu'il délivre aux deux prélats les autorisations nécessaires pour approcher les Templiers. Le chancelier s'est exécuté de mauvaise grâce et a dû ouvrir les portes des prisons aux envoyés du pape.

L'enclos du Temple est paisible ce 11 janvier 1308, alors que le soleil disparaît à l'horizon, accrochant des reflets roses sur les toits enneigés. De sa fenêtre située au dernier étage de la tour de César, Hugues de Pairaud, ancien visiteur de l'Ordre pour la France, regarde au loin les premières torches s'allumer sur les remparts de Paris.

Voilà une semaine qu'on l'a sorti de son cachot pour lui donner cette chambre glaciale sous les combles et il ne se lasse pas du spectacle retrouvé de la vie quotidienne : les matrones qui vont tirer de l'eau au puits de l'autre côté de l'enceinte, les chevaux que l'on ferre dans la cour, les lourds chariots qui cahotent sur la route au milieu des marais, tout lui semble merveilleux, tout lui semble neuf.

Il ne pensait plus sortir du trou noir où on l'avait jeté. Après quatre mois de prison, de privations, de sévices et de tortures, tout espoir l'avait abandonné. Habitué aux débats d'idées, aux décisions collectives du chapitre et au respect scrupuleux de la Règle, il avait été lâche et démuni quand il s'était trouvé, seul, devant les Inquisiteurs et les baillis du roi. Pour qu'on cesse de le tourmenter, il avait tout accordé à ses bourreaux. Révélant les véritables statuts de l'Ordre et confirmant les statuts fantaisistes qu'on lui prêtait. Affirmant avoir vu et palpé une idole à tête humaine au chapitre de Montpellier et l'avoir adorée en cachette comme tous les dignitaires. Répétant mot à mot les pires sottises que lui soufflaient les gens du roi dans l'espoir qu'on laisserait ses frères en paix et que cesseraient enfin de retentir les cris et les gémissements des suppliciés. Combien de fois avait-il imploré Guillaume Imbert, le grand inquisiteur, pour qu'il n'interroge que les dignitaires et qu'il laisse tranquille les malheureux chevaliers et sergents. Mais l'affreux concert de hurlements s'était poursuivi pendant quatre mois et n'avait cessé que depuis quelques jours. Depuis que la délégation envoyée par le pape était arrivée au temple de Paris.

Et encore n'est-il pas certain que là-bas, de l'autre côté de la Seine, les tortures ne continuent pas dans la tour ouest du palais où le roi a ses propres bourreaux. Le bruit en court avec insistance, colporté par les frères sergents qui sont de corvées aux cuisines et qui apportent les repas aux prisonniers.

Hugues de Pairaud regarde longuement en direction de l'île de la Cité, avec au ventre cette peur qui désormais ne le quitte plus. Mais dans le soir qui tombe il n'y a plus rien à déchiffrer. La flèche de la Sainte-Chapelle s'est déjà évanouie.

— Beau sire frère, vous êtes attendu...

Hugues de Pairaud sursaute. Un moine de l'Inquisition se tient dans l'embrasure de la porte, flanqué de deux sergents en armes. Le Visiteur de France qui s'était assoupi sur le banc de pierre, près de la fenêtre, se lève d'un bond, le cœur battant.

— On ne m'avait pas menti, pense-t-il, la torture recommence. Le roi veut nous tuer avant que le pape puisse nous entendre. Pairaud essuie ses mains moites sur son manteau et cherche des yeux ce qu'il pourrait emporter pour se protéger. Mais il n'a plus rien. Ni crucifix, ni médailles, ni chapelet. On lui a retiré, comme aux autres frères, tous les objets pieux. Le moine lui fait signe de passer le premier. Les marches de l'escalier à vis sont glissantes. Le Templier descend en chancelant. Il se tient au mur, rate une marche, se rattrape, s'arrête un instant, les jambes tremblantes, puis repart en déboulant, maladroit et pitoyable. Au bas de l'escalier un maréchal du Temple qui revient de ferrer les chevaux attend de regagner sa cellule. En apercevant le vieillard décharné et titubant, il se précipite à sa rencontre et l'aide à descendre les dernières marches.

— Beau sire frère, n'êtes-vous pas le chevalier Hugues de Pairaud ?

— C'est bien moi.

L'homme regarda l'ancien Visiteur avec étonnement. Il a du mal à reconnaître celui qui fut le dignitaire le plus respecté et le plus écouté du Temple. Puis brusquement il lui met un morceau de cire dans la main.

— Prenez cette tablette. Elle vient de notre maître. Quand vous l'aurez déchiffrée, faites-la parvenir à un autre chevalier.

Déjà le maréchal a disparu. Le moine et les sergents ne se sont aperçus de rien et entraînent Hugues de Pairaud à travers la cour principale vers l'hôtel du Grand Prieur. Les fenêtres des appartements des anciens dignitaires sont éclairées. La porte d'entrée est grande ouverte. Une bonne odeur de viandes grillées flotte dans les couloirs où des serviteurs passent en courant avec des pichets de vin. Leurs pas sont étouffés par d'épais tapis d'Orient. Les murs sont couverts de tapisseries aux couleurs douces. Des centaines de chandelles font miroiter les poutres sculptées du plafond. Le vieux Templier promène un regard émerveillé sur ce décor qui fut le sien pendant de longues années et qui lui semble aujourd'hui d'un autre monde. Il ne comprend pas ce qu'il fait là. Il craint de tomber dans un nouveau piège. La tête lui tourne un peu. Il est préoccupé par cette tablette qu'on vient de lui remettre. Il voudrait pouvoir s'isoler pour la lire. Mais pourquoi l'a-t-on sorti de sa cellule ? Pourquoi l'a-t-on amené ici ? Tout s'embrouille. Le sol se dérobe. Les émotions sont trop fortes. Il faut qu'il se repose. Il le faut...

Et tout à coup, il se souvient. Là-bas, au fond du couloir, il y a un petit oratoire avec une statue de la Vierge. C'est elle qui va le protéger. « Marie, Étoile des mers... » Ainsi commence la prière des Templiers dans la détresse. Hugues de Pairaud retrouve un peu de vigueur. Il s'adresse au Dominicain.

– Qui dois-je rencontrer, me le direz-vous enfin ?

– Vous le saurez dans quelques minutes, beau sire frère. Il nous faut attendre.

– Dans ce cas j'aimerais me recueillir dans mon oratoire qui se trouve à côté.

Le moine n'y voit aucun inconvénient. Il précède le Templier dans la petite pièce, s'assure qu'il n'y a pas une autre issue. Puis se retire, le laissant seul.

Aussitôt Hugues de Pairaud s'approche d'un candélabre et commence à déchiffrer la tablette de cire : « Sachez que les cardinaux envoyés par le pape viendront tous vous visiter, est-il écrit. Révoquez vos aveux comme j'ai révoqué les miens, comme les autres frères révoqueront les leurs. »

La griffe de Jacques de Molay est gravée dans la cire. Le message a bien été rédigé par le maître du Temple. L'ancien Visiteur de France reste pensif quelques instants puis il tombe à genoux le visage enfoui dans ses mains.

La table était dressée pour un dîner de prince. Le gibier était abondant ; il y avait des pâtés de toutes sortes, les sauces piquantes fumaient au milieu des coupes d'argent et des pichets de vin.

Pourtant il n'y avait que trois convives attablés devant ce festin et leurs discussions étaient si animées qu'ils laissaient refroidir les viandes rôties. Deux d'entre eux, assis le dos à la cheminée où crépitaient des fagots, portaient la pourpre cardinalice et avaient le menton lourd et le teint brique des amateurs de bon bourgogne. C'étaient les envoyés du pape, Béranger Frédol et Étienne de Suizy. Le troisième était Hugues de Pairaud, qu'ils avaient eu l'idée, un peu étrange, de tirer de sa prison pour l'inviter à dîner.

– Nous sommes totalement innocents ! Tout ce que nous avons avoué nous a été dicté par les Inquisiteurs ! Il est indigne de traiter des chevaliers de la sorte...

L'ancien Visiteur de France parlait avec véhémence, mettant autant de force à défendre le Temple devant les deux cardinaux qu'il avait été contraint de l'accabler devant les bourreaux. Mais ce qu'il disait impressionnait moins les envoyés du pape que le spectacle qu'il offrait. Le visage creusé, les pommettes rougies par le vin qu'il venait de boire, les yeux étincelants de fièvre, il agitait ses bras maigres de façon pathétique, empêtré dans son manteau froissé et couvert de taches.

– Sauvez-nous, Messeigneurs ! Sauvez-nous du roi de France qui veut notre perte ! Rendez-nous nos droits et nos biens ! Nous en ferons bon usage comme nous l'avons toujours fait et nous ferons amende honorable pour toutes nos fautes et tous nos manquements envers vous...

Les deux cardinaux étaient plus bouleversés qu'ils ne

voulaient se l'avouer en entendant cet homme jadis si fier les implorer de la sorte. Ils en voulaient à Philippe le Bel d'avoir brisé par la terreur cet Ordre dont le courage était légendaire.

Le lendemain ils entendirent Jacques de Molay et un grand nombre de ses chevaliers rassemblés à l'église du Temple. Tous clamèrent leur innocence, osant pour la première fois depuis quatre mois défier du regard les inquisiteurs et les bourreaux. Les envoyés du pape interrogèrent également de nombreux témoins, sergents et soldats du roi qui avaient assisté les inquisiteurs.

Leur rapport fut accablant : il révélait que trente Templiers étaient morts sous la torture, que tous les aveux avaient été arrachés aux accusés par la violence la plus atroce et que les inquisiteurs avaient eu un comportement indigne pour des hommes d'Église.

Impressionné par les rétractations des Templiers et par le rapport de ses cardinaux, le pape décide au début du mois de février 1308 de retirer ses pouvoirs à l'Inquisition, d'annuler toute la procédure entreprise contre les Templiers et de se réserver l'affaire. Les chevaliers du Temple exultent. Ils se croient sauvés. De toutes les prisons monte une prière qui est déjà une action de grâce : « Marie, Étoile des mers... conduis-nous à la porte du salut ! »

La garde a été renforcée à la tour du Coudray, la forteresse de Chinon, ce 20 août 1308, et les entrées sont minutieusement contrôlées. Des soldats du roi sondent à coup de lance les chargements de foin que les paysans livrent au château. Les chariots traversent la cour au pas lent des bœufs et viennent se ranger le long de la grange, à côté du donjon, répandant un parfum de fenaison dans toute la place.

Hugues de Pairaud s'approche de l'unique meurtrière

éclairant sa cellule et tente de découvrir ce qui se passe à l'extérieur. Mais l'ouverture est en partie comblée et il n'aperçoit qu'un bout de ciel bleu où se balancent de grands peupliers.

Alors l'ancien Visiteur de France, haut dignitaire du Temple, revient à petits pas vers son tabouret et recommence à déchiffrer, sur le mur, les inscriptions gravées par les frères qui depuis bientôt un an se sont succédé dans cette prison. Signes cabalistiques, dessins symboliques, écriture secrète des banquiers du Temple, tous ces graffitis racontent la même histoire de mort, de torture, de désespoir et maudissent « le Roi notre Sire » et « Monseigneur le pape »...

Car c'en est fini des folles espérances qu'avait suscitées au début de l'année la décision de Clément V de casser le pouvoir des inquisiteurs qui avaient instruit le procès des Templiers. Décision qui n'a jamais été suivie d'effet ; le procès ecclésiastique n'a pas eu lieu, les procès-verbaux des aveux arrachés aux frères par la torture n'ont toujours pas été détruits et les captifs qui devaient tous être remis au pape se trouvent encore dans les geôles de Philippe le Bel.

Ii est évident que le Souverain Pontife est lui aussi prisonnier du roi. Installé à Poitiers, dans le domaine royal, il ne possède pas de locaux assez vastes ni assez sûrs pour recevoir tous les chevaliers du Temple. Un des dignitaires de l'Ordre ne vient-il pas d'ailleurs de s'évader des prisons de la Curie ? Aussi Philippe le Bel a-t-il annoncé qu'il garderait les prisonniers au nom du pape et à ses frais !

Les Templiers sont accablés : ils savent qu'ils ne pourront pas se défendre librement tant qu'ils seront aux mains du roi. Les pressions et les menaces se multiplient. Jour après jour, un climat de terreur s'installe. Des frères qui n'avaient pas parlé sous la torture sont retrouvés pendus dans leur cellule. Ceux qui s'étaient rétractés meurent mystérieusement au cours de leur transfert de Paris vers les provinces ; les uns, affirment les baillis, se sont suicidés, les autres ont tenté de s'évader et ont été abattus par les archers de la garde.

Hugues de Pairaud, quant à lui, ne dort plus depuis ce fameux soir du mois de janvier dernier où il a été invité à dîner par les envoyés du pape chargés de faire une contre-enquête, les cardinaux Béranger Frédol et Étienne de Suizy. Dès le lendemain, reconduit dans sa cellule, il avait été durement malmené par deux gardiens. Ils l'avaient frappé à coups de poing, lui avaient coupé la barbe avec un couteau, lui arrachant des lambeaux de peau, et l'avaient obligé à manger à même le sol, les mains liées derrière le dos. Ils lui reprochaient bien sûr d'avoir révoqué ses aveux et d'avoir défendu le Temple devant les deux cardinaux. A bout de force, dans l'impossibilité de contacter à nouveau les envoyés du pape, Hugues de Pairaud s'était effondré :

— Je ne veux plus entendre parler de cet Ordre maudit ! avait-il crié à ses gardiens. Je ne suis plus Templier !...

Puis, une fois seul, il s'était jeté sur sa paillasse et pour la première fois de sa vie il avait pleuré.

La barbe noire, le sourcil autoritaire, la taille bien cambrée, Guillaume de Plaisians est un seigneur toulousain de belle prestance, redouté dans les tournois, apprécié par les dames et très écouté par le roi, dont il est l'un des principaux conseillers. Arrivé la veille à Chinon pour « préparer » les dignitaires du Temple à recevoir comme il convient la nouvelle délégation que le pape leur envoie, il se promène d'un air contrarié dans les couloirs de la forteresse, un linge parfumé sous le nez pour ne pas être incommodé par la puanteur des douves. Voilà quatre mois qu'il est sur les routes de France, bousculant le pape, rameutant les seigneurs, exhortant les bourgeois afin qu'ils aident Philippe le Bel à abattre le Temple. C'est lui qui a préparé, avec son ami le chancelier Guillaume de Nogaret, la réunion des états généraux qui s'est tenue du 11 au 20 mai dernier à Tours. Ensemble ils ont rédigé les convocations adressées aux trois ordres. Aux barons et au clergé, ils ont tenu un langage modéré, leur demandant simplement de venir prendre connaissance des aveux des Templiers afin de donner leur avis sur les sanctions à prendre à l'égard de l'Ordre. Mais pour le tiers état, ils ont paufiné un texte dont Guillaume de Plaisians n'est pas mécontent.

« O, douleur ! ô abominable, amer et funeste dévoiement des Templiers ! Vous le savez, non seulement ils reniaient le Christ en leur profession, mais ils y forçaient ceux qui entraient dans leur Ordre sacrilège !... Ils se donnaient des baisers aux endroits les plus vils, adoraient des idoles et n'hésitaient pas à affirmer que des mœurs contre-nature, refusées par les bêtes, leur étaient permises à eux, en vertu d'ignobles rites !... Le ciel et la terre s'émeuvent de tant de crimes ; les éléments en sont perturbés. Très prochainement nous en saisirons le Siège apostolique. Vous tous nous désirons que vous vous associiez à ce saint ouvrage... »

Un texte qui a produit l'effet escompté sur les maires, les échevins, les consuls et les communes. Tous ont demandé que l'on frappe les Templiers avec la plus grande sévérité. Les barons et les clercs n'ont pu que joindre leurs voix à ce concert de protestations indignées.

Le roi est alors apparu comme mandaté par tout son peuple et a pu, une nouvelle fois, exiger du pape qu'il condamne le Temple sur la base des aveux déjà recueillis par l'Inquisition. Mais Clément V a continué à résister.

— Je ne suis pas convaincu par ces aveux arrachés par la contrainte, a-t-il dit. J'exige que l'on m'amène les dignitaires de l'Ordre. Je veux les interroger moi-même.

Alors Guillaume de Plaisians a dû, au nom du roi, menacer, une fois encore, s'il s'obstinait à protéger les Templiers, de rendre public les vices et l'incroyance de son prédécesseur, le pape Boniface VIII.

— Nous avons des preuves, des témoins peuvent venir d'Italie, nous organiserons un procès et nous prouverons que Boniface était un faux pape !...

Clément V, lui-même pape simoniaque, avait quelques raisons de penser qu'un tel procès avait des chances de mal se terminer. Déclarer Boniface hérétique c'était remettre en cause toutes les nominations d'évêques auxquelles il avait procédées ! C'était désorganiser toute l'Église ! Le pape ne pouvait pas prendre un tel risque. Il finit donc par capituler. Il ne verrait pas personnellement les dignitaires du Temple, mais il exigeait tout de même que leur soit envoyée, pour la bonne forme, une nouvelle délégation de cardinaux chargée de les entendre.

Guillaume de Plaisians était satisfait. Le face-à-face entre Clément V et Jacques de Molay n'aurait pas lieu. Le sursaut qu'une telle rencontre aurait pu susciter chez le vieux maître du Temple n'était plus à craindre. Il ne restait plus maintenant qu'à préparer le dernier acte. Guillaume de Plaisians d'un pas ferme se dirigea vers la cellule du Templier.

Jacques de Molay s'avance vers Guillaume de Plaisians les bras ouverts et lui donne l'accolade. Il aime bien ce seigneur toulousain, dont il ignore l'acharnement à détruire le Temple. Pour lui c'est un chevalier de haute lignée et ils sont du même monde.

– Je suis content de vous voir, beau seigneur. Que me vaut l'honneur de votre présence ?

– Le plaisir de vous serrer dans mes bras, sire maître. Je suis venu accueillir les envoyés de Mgr le pape et j'en profite pour prendre de vos nouvelles.

Jacques de Molay sourit tristement en serrant les épaules de son visiteur. Bien qu'il soit fort maigre et que ses cheveux et sa barbe soient maintenant d'un gris sale, le maître a encore fière allure. Se tenant très droit, le visage creusé de rides régulières, le nez aquilin, il se dégage de toute sa personne une majesté impressionnante que dément cependant le regard, qui parfois vacille. Un regard clair et vide. Le regard d'un homme brisé.

Hugues de Plaisians le guide vers un banc, le fait asseoir et se campe devant lui.

— Que comptez-vous dire aux cardinaux de la Curie, sire maître ?

Jacques de Molay secoue la tête, les yeux dans le vague.

— Je n'en sais rien... Je suis perdu...

Puis, après quelques instants de silence, il lève la tête vers de Plaisians et lui demande :

— Que me conseillez-vous ?

Le Toulousain se détourne, un sourire fugace aux lèvres, et commence à marcher de long en large.

— Je suis mal placé pour vous conseiller, sire maître. Vous n'êtes pas sans savoir que je suis de la maison du roi...

Il se tourne à nouveau vers le Templier et le regarde droit dans les yeux.

— ... cependant, je vais vous dire mon sentiment, non pas en tant que légiste mais en tant que chevalier qui comprend et partage votre détresse.

— C'est bien ainsi que je l'entends. Je sais que vous êtes un homme d'honneur.

Le Templier a la voix cassée par l'émotion. Il dévisage Hugues de Plaisians avidement. Le Toulousain, gêné, recommence à déambuler, les mains derrière le dos, les sourcils froncés.

— Il faut d'abord que vous sachiez, sire maître, qu'il y a autour du roi des gens qui ont juré votre perte et qui ne reculeront devant rien pour vous briser. Certains de vos frères sont morts inexpliquablement, d'autres peuvent encore disparaître. Vos ennemis ne cesseront pas de vous accabler tant que vous protesterez de votre innocence...

Jacques de Molay hausse les épaules.

— Je sais tout cela, beau seigneur. Mais je sais également qu'en acceptant d'avaliser toutes les horreurs dont on nous accuse nous perdons notre dignité et nous risquons le bûcher !

— Je ne suis pas d'accord ! dit vivement de Plaisians.

Vous risquez bien davantage le bûcher comme relaps en révoquant vos premiers aveux qu'en reconnaissant tout ou partie de ce qu'on vous reproche. Vos adversaires veulent que le Temple soit dissout, ses droits suspendus et ses biens confisqués. Rien de plus !...

Jacques de Molay a un faible sourire.

– Rien de plus ? Comme vous y allez, beau seigneur ! C'est déjà beaucoup ! Détruire le Temple c'est nous détruire. Je ne pourrais pas survivre à mon Ordre, je lui dois tout.

Hugues de Plaisians soudain s'immobilise.

– Sire Maître, je vous dirais bien certaines choses que je sais et que vous ignorez si j'étais certain que...

Le Templier s'est levé, les yeux brillants.

– Parlez en confiance, je vous en conjure ! Rien de ce que vous me révélerez ne sera jamais répété. Vous avez ma parole de chevalier.

De Plaisians soupire, les yeux baissés, le front soucieux, jouant à merveille le déchirement et l'embarras. Puis brusquement il se décide.

– Voilà ! Je reviens de Poitiers. J'ai vu ce qui s'y passait et je peux vous assurer que Monseigneur le pape n'a pas dans l'immédiat le pouvoir de vous protéger. Le roi notre sire le tient à merci. Le Temple sera condamné. L'affaire est entendue. Mais Clément V a eu gain de cause sur un point capital : il se réserve le droit de régler lui-même le sort des dignitaires de l'Ordre. Il vous entendra personnellement, hors du royaume, en toute quiétude, quand le moment lui semblera opportun. Nul doute alors qu'il vous rétablira dans vos droits et dans vos biens. Ce n'est qu'une question de temps et de patience. L'important pour vous autres, dignitaires, est donc de rester à l'écart de tout ce qui se prépare, de ne pas vous mettre en avant, de vous faire oublier. Maintenez vos premiers aveux pour ne pas attirer sur vous la vengeance du roi, je vous en supplie ! En protégeant vos personnes vous donnez au Temple sa seule chance de survivre.

Jacques de Molay prend les mains d'Hugues de Plaisians dans les siennes et les serre longuement, sans rien dire.

Les trois cardinaux s'installent confortablement dans la grande salle de la forteresse qui sert à la fois de salle de réception et de chapelle. Cette dernière il est vrai, est séparée du reste de la pièce par un rideau. Les fenêtres petites et étroites empêchent la lumière mais aussi la chaleur torride de pénétrer à l'intérieur. Les prélats couverts de sueur et de poussière se laissent tomber sur les banquettes de chêne avec des soupirs d'aise et posent leurs mains bien à plat sur la nappe blanche qui garnit la table en attendant qu'on leur serve du vin frais. Le chancelier Guillaume de Nogaret, assis sur un tabouret, les jambes écartées, les poings aux hanches, les regarde, l'œil noir, de cet air mauvais qu'il a toujours en présence des gens d'Église. Guillaume de Plaisians, lui, s'empresse autour de Landulphe Bracaccio, le seul membre de la délégation pontificale qui ne soit pas français. Les deux autres, Béranger Frédol et Étienne de Suizy, étaient déjà venus enquêter il y a six mois sur la façon dont l'Inquisition avait mené ses interrogatoires et leur rapport avait été, on s'en souvient, très favorable aux Templiers, qui en leur présence, avaient tous révoqué leurs premiers aveux. Ils sont d'ailleurs persuadés que ce nouveau voyage est une simple formalité et que les dignitaires du Temple qu'ils doivent interroger aujourd'hui, ne pourront que confirmer leurs rétractations. Aussi ne sont-ils guère pressés de les rencontrer et réclament-ils une collation pour accompagner ce petit vin de Touraine dont ils viennent allégrement de vider quelques coupes. Mais Nogaret ne l'entend pas de cette oreille.

— Je suis désolé pour vous, dit-il, mais Jacques de Molay se trouve déjà dans le couloir. C'est un homme âgé et fatigué. Il ne serait pas charitable de le faire attendre.

Les prélats, déçus, demandent à leurs clercs de se préparer et font entrer le maître du Temple. Étienne de Suizy se lève pour le saluer. Il est frappé par la pâleur du vieux Templier et lui fait un bon sourire pour le mettre à l'aise. Mais Jacques de Molay se précipite à ses pieds et lui demande l'absolution pour ses fautes.

– Je vous ai menti, Monseigneur ! Et pour le salut de mon âme, j'implore votre pardon.

Le cardinal, incrédule, dévisage le Templier. Ses lèvres supplient mais ses yeux sont vides de toute expression. On le croirait somnambule. Les deux autres prélats se sont approchés, visiblement bouleversés par ce coup de théâtre. Béranger Frédol se penche vers le maître du temple.

– Vous reconnaissez donc avoir renié le Christ lors de votre admission dans l'Ordre ?

– J'ai renié l'image du Christ sur la croix et craché sur lui, des lèvres, pas du cœur !

Étienne de Suizy intervient à son tour.

– Que voulez-vous dire en précisant que vous avez renié « l'image » du Christ ?

– Cela est clair, Monseigneur. Je ne puis rien ajouter.

Guillaume de Nogaret se lève brusquement et demande d'une voix tonitruante :

– Puisque vous semblez vous repentir d'avoir menti, allez-vous nous dire enfin quelle était cette idole que vous adoriez en cachette ?

– Je n'ai pas à répondre aux questions de cet homme. Il n'a rien à faire ici.

Étienne de Suizy insiste.

– Je vous pose également la question de l'idole, sire maître. Existait-elle et que représentait-elle ?

– Je n'ai jamais vu ni entendu parler d'aucune idole.

Jacques de Molay se tient toujours à genoux, la tête baissée, l'air buté. Le cardinal de Suizy lui donne l'absolution puis le relève en lui serrant le bras avec force pour tenter de le faire réagir. Mais le maître du Temple garde les yeux baissés et s'en va sans ajouter un mot.

Les mêmes scènes vont se reproduire avec Rambaud de

Caron, commandeur de Chypre, Geoffroy de Charnay, précepteur de Normandie et Geoffroy de Gonneville, précepteur d'Aquitaine et de Poitou. Tous reconnaissent avoir renié le Christ figuré sur la croix. Deux avouent qu'ils ont donné des baisers impudiques au moment de l'initiation. Aucun n'a jamais vénéré une idole. Enfin on appelle Hugues de Pairaud, le visiteur de France. Lui aussi se jette à genoux et implore son pardon.

— Mais enfin, seigneur frère ! lui dit Étienne de Suizy, vous avez défendu le Temple avec passion au cours du dîner que nous avons pris ensemble il y a six mois ! Vous étiez convaincu et convaincant ! Comment peut-on mentir à ce point ?

— C'était le vin que vous m'aviez fait boire qui m'était monté à la tête, Monseigneur. Je ne savais plus ce que je disais.

— Frère Hugues ! hurle soudain le cardinal Frédol, ne vous moquez pas de nous ! Vous aviez des accents de sincérité qui ne trompaient pas quand vous révoquiez vos aveux ! Vous nous avez d'ailleurs très bien expliqué qu'on vous les avait arrachés par la torture et que...

— Non ! Non ! crie Hugues de Pairaud. C'était un abominable mensonge. Je n'ai jamais été torturé. Jamais ! Vous m'entendez ? Je vous ai affreusement trompé. La vérité est que l'ordre du Temple est mauvais et qu'il reçoit sa juste punition. Nous sommes des hérétiques et des idolâtres. Nous avons trahi les chrétiens en Terre sainte en signant des accords secrets avec les Sarrasins. Nous avons volé le roi de France notre sire. Nous avons...

— Emmenez-le !

Le cardinal de Suizy montre la porte du doigt. Il est rouge de colère. Le visiteur de France continue d'implorer :

— Donnez-moi l'absolution, Monseigneur, je vous en prie.

— Que dois-je absoudre, frère Hugues, dit le prélat. Votre mensonge d'hier ou celui d'aujourd'hui ?

– Ayez pitié, Monseigneur...

De Suizy lui donne l'absolution, revient à grand pas vers la table, se verse du vin dans un gobelet, et le vide d'un trait.

Revenu dans sa cellule Hugues de Pairaud reste un long moment prostré sur un tabouret. Puis il se lève, sort un petit silex caché dans le revers de sa manche et fébrilement commence à entailler la pierre, traçant des lettres maladroites : « Je requiers à Dieu pardon... »

Quand le pape apprit de la bouche de ses cardinaux que les dignitaires de l'Ordre avaient répété librement leurs premiers aveux il n'eut pas l'air surpris. Il fit simplement publier la bulle *Faciens misericordiam*, dans laquelle il rendait publique l'infamie des dignitaires du Temple qui « en présence de trois cardinaux avaient avoué les rites révoltants des réceptions et reconnu, en outre, d'autres choses horribles et déshonnêtes que le pape, par honte, désirait taire ».

Clément V ne pouvait pas faire moins après les scènes pénibles qui s'étaient déroulées à Chinon. Pourtant les cardinaux eurent un choc quand ils relurent le texte de la bulle. Il était daté du 12 août 1308. Il avait donc été rédigé, en termes assez vagues, huit jours avant qu'ils n'entendent les dignitaires du Temple. Le voyage de Chinon n'avait été qu'une formalité.

« Pour la défense du Temple ! Pour la défense du Temple !... »

La voix éraillée du bailli résonne dans les couloirs, réveillant en sursaut les prisonniers qui se retournent en grognant sur leur paillasse.

Il est cinq heures du matin, le 28 mars 1310. Le frère Pierre de Boulogne ouvre difficilement les yeux et rejette sa couverture. Le courant d'air tombant de l'étroite fenêtre du cachot est comme une douche glacée. Déjà il est debout, cherchant maladroitement son manteau dans le paquet de hardes posé sur la table. Puis il roule dans un linge propre ses rouleaux de parchemin, son stylet, ses plaquettes de cire et sa plume d'oie qu'il a soigneusement taillée la veille au soir. Il est prêt à aller témoigner devant les évêques chargés d'instruire le procès du Temple ; mais il se méfie des clercs chargés de consigner les dépositions et préfère rédiger lui-même un mémoire qu'il remettra aux membres de la commission pontificale.

Pierre de Boulogne attend maintenant devant la porte que le gardien vienne lui ouvrir. Il écoute attentivement les bruits du couloir ; quelques frôlements, une porte qui claque, des pas glissants sur les dalles... Ils ne seront encore une fois que deux ou trois à se rendre au palais de Monseigneur l'évêque ! Les frères n'ont plus confiance. Ils se laissent engourdir par la peur. Ils s'enferment dans leur solitude. Boulogne sait qu'autour de lui, dans les cellules, les chevaliers et les sergents ont tiré leur couverture sur la tête et qu'ils attendent que le silence revienne pour se réfugier quelques minutes encore dans le sommeil. Ah s'il pouvait les faire sortir de leur léthargie ! Les rassembler ! Leur faire prendre conscience de cette force perdue de la collectivité du Temple !...

Et tout à coup Pierre de Boulogne a une idée folle. Lui qui n'est pas même chevalier, et qui porte la robe noire des chapelains, se met à hurler, poussant de toutes ses forces le vieux cri de la croisade :

– Dieu le veut ! Dieu le veut ! Saint sépulcre aidez-nous !

L'appel se répercute dans les couloirs vides. Les gardes interloqués se mettent à courir, cherchant d'où vient ce vacarme. Dans les cachots les hommes ont tressailli. Quelque chose qui n'est pas un rêve fait resurgir des images de lumière, des heaumes qui étincellent au soleil, des bruits de galops, les odeurs oubliées des rues de Saint-Jean-d'Acre...

Et brusquement c'est le miracle. Dix, vingt, trente voix se mêlent et se répondent, répétant le cri des croisés. Les prisonniers tambourinent sur les portes des cellules. Tous veulent sortir, tous veulent témoigner, tous veulent se battre.

Une demi-heure plus tard ils sont plus de deux cents réunis dans la cour d'entrée de l'enclos du Temple. Deux cents chevaliers, sergents et chapelains qui rient, qui s'interpellent, qui se retrouvent. Les soldats du roi n'ont pas assez de chaînes pour les entraver tous. On doit aller en chercher dans les autres prisons. Des cavaliers partent dans Paris pour avertir l'évêque, le roi, les baillis ; les Templiers se lèvent ! Les Templiers se défendent ! La nouvelle fait le tour de la capitale en moins d'une heure.

Bientôt dans les rues, le long des berges, de longues colonnes de prisonniers se dirigent vers l'embarcadère du Pont au Change. Il en vient de partout. En apprenant que leurs frères de la maison « chêvetaine » bougeaient les autres Templiers emprisonnés à Paris, au Chatelet, à l'abbaye Sainte-Geneviève ou dans l'hôtel du comte de Savoie se sont eux aussi décidés à venir défendre l'Ordre. Tous les passeurs de la Seine sont mobilisés. Une foule de badauds se rassemble sur les berges, sifflant les bateliers qui font payer les prisonniers, encourageant les chevaliers qui semblent monter à l'assaut de l'Ile de la Cité ou siège la commission chargée de les entendre.

Les Parisiens qui étaient hostiles aux moines-soldats, arrogants et secrets, au temps de leur splendeur, ont fini par se laisser apitoyer par ces hommes qu'ils voient passer chaque jour depuis bientôt trois ans, enchaînés, marqués par la souffrance, et qui pourtant ont fière allure sous leurs guenilles. L'afflux de chevaliers est tel ce matin dans le palais de Monseigneur l'évêque qu'il faut les rassembler à l'extérieur, dans le verger qui s'étend derrière les bâtiments. En fin de matinée ils sont cinq cent cinquante Templiers, au coude à coude, enfin réunis, à nouveau solidaires et conscients de leur force.

La plupart ne se sont pas revus depuis ce terrible jour du 13 octobre 1307 où ils ont été arrêtés. Beaucoup même, appartenant à de lointaines commanderies, ne se connaissent pas. Quelques-uns sont étrangers, venant des provinces templières de Castille ou de Mayence. Mais tous se sentent frères, appartenant au même Ordre et à la même chevalerie. Tous sont prêts, à nouveau, à donner leur vie pour défendre la milice du Temple et ils sont là pour le dire haut et fort aux commissaires désignés par le pape. Cette réunion fraternelle met fin à trois ans de peur et de dérobades.

La commission devant laquelle les chevaliers du Temple vont déposer a été mise en place quelques mois auparavant après de longues et difficiles négociations. Le roi et le pape n'étaient pas d'accord sur la procédure à suivre pour juger les Templiers. Philippe le Bel réclamait la condamnation et la dissolution de la milice du Temple en s'appuyant sur les aveux arrachés aux frères et aux dignitaires immédiatement après leur arrestation.

Clément V en revanche ne reconnaissait pas la validité de ces aveux obtenus par la violence et la torture, bien que les dignitaires les aient réitérés devant trois cardinaux de la Curie. Il fallut trancher. On décida de recommencer l'instruction mais en utilisant un questionnaire établi à partir des fameux aveux.

Deux sortes de commissions auraient à connaître de cette affaire. Les unes présidées par les évêques de chaque diocèse poursuivraient les chevaliers tandis qu'une autre, siégeant au palais épiscopal de Paris, dans l'Ile de la Cité, instruirait le procès de l'Ordre lui-même. L'ensemble des travaux serait exposé solennellement en un concile qui jugerait en dernier ressort. Le pape, pour sa part, se réservait le cas du maître et des dignitaires du Temple.

Quant à la défense il était entendu que ce serait les Templiers eux-mêmes qui l'assureraient. Ceux qui désiraient défendre l'Ordre avaient donc été priés de se manifester sans retard. Dans toute la France des hérauts avaient donné lecture de l'injonction pontificale : « extraire de leur geôle et amener sous bonne garde à Paris les frères chevaliers ou sergents acceptant de prendre la défense du Temple afin qu'ils soient entendus par la commission ».

Dans un premier temps les prisons restèrent silencieuses. Chaque jour la commission se réunissait au Palais épiscopal après avoir entendu la messe. Un huissier criait à la porte de la salle :

– Si quelqu'un veut défendre l'Ordre de la milice du Temple il n'a qu'à se présenter.

Mais personne ne s'approchait de la chapelle où siégeaient les commissaires. Les frères, abrutis par la faim et la solitude, marqués par la torture, déçus par le pape qui n'avait pas pris ouvertement leur défense se dérobaient.

Cela devait durer quinze jours. Puis la commission avait brusquement décidé de convoquer le Maître du Temple qui semblait le mieux placé pour plaider en faveur de l'Ordre. Aussitôt le conseiller du roi, Guillaume de Plaisians était accouru, conscient du danger ; Jacques de Molay dirigeant en personne la défense du Temple c'était à coup sûr aller vers l'acquittement par le concile ! Il fallait à tout prix l'en dissuader...

La chambre qui touche à la grande salle du Palais épiscopal est bondée ce 26 novembre 1309. Tous les membres de la commission pontificale y sont réunis : Gille Aycelin, archevêque de Narbonne, ancien chancelier du royaume, qui a perdu son poste pour avoir refusé d'être « l'exécuteur » des Templiers. Aujourd'hui, il tient le rôle du fossoyeur. Surveillé par le roi, se sentant menacé, il n'est guère enclin à l'objectivité. Guillaume Durand, évêque de Mende, et Guillaume Bonnet, évêque de Bayeux, sont tous deux amis de Philippe le Bel. Quatre autres évêques de moindre importance n'ont aucune envie, quant à eux, d'avoir maille à partir avec le pouvoir.

Jacques de Molay fait son entrée, digne et imposant. Il parcourt la salle du regard à la recherche d'un visage ami. Mais la seule personne qu'il connaisse, Guillaume de Plaisians, a pris soin de se dissimuler derrière une tapisserie.

– Voulez-vous défendre l'Ordre ?

C'est l'évêque de Narbonne qui, abruptement, a posé la question. Le Maître du Temple est surpris. Il hésite un instant, puis il attaque :

– L'ordre a été confirmé et privilégié par le Saint-Siège apostolique, dit-il d'une voix tonnante. Cela m'étonnerait que l'Église romaine voulût subitement procéder à sa ruine, alors qu'elle a consacré trente-deux années à porter contre l'empereur Frédéric II, ennemi du Temple, une sentence de déposition.

Les évêques sont sidérés. On leur avait dit que le Maître du Temple était diminué et sans volonté. Et voilà qu'il s'en prend au roi ! Car la menace à l'adresse de Philippe le Bel est à peine voilée ; Jacques de Molay le compare à Frédéric II qui, autrefois, a calomnié le Temple et qui en a été sévèrement puni par l'Église. Et puis, en rappelant que l'Ordre n'est justiciable que du pape, le Maître tient à souligner que les mesures prises par le roi sont illégales !

Derrière sa tenture Guillaume de Plaisians s'inquiète. Doit-il se montrer ? Le vieux Templier sera-t-il, toujours, aussi vulnérable qu'il l'était dans sa prison de Chinon ? Le conseiller du roi préfère attendre encore. Il tend l'oreille. La voix forte, méconnaissable, de Jacques de Molay poursuit.

– Comment défendre l'Ordre convenablement ? Je suis prisonnier du pape et du roi de France et n'ai pas seulement quatre deniers à dépenser pour cette défense !

Pour tempérer l'ardeur du Maître, les évêques décident alors de lui lire ses « aveux ». Non pas ceux arrachés sous le coup de l'arrestation, mais les surprenants aveux de Chinon, faits aux envoyés du pape. Jacques de Molay rugit :

– Je vous dirais bien quelque chose si vous n'étiez pas ceux que vous êtes et que vous fussiez autorisés à l'entendre !

C'est un défi en bonne et due forme. Une véritable provocation en duel, bien dans la façon militaire du vieux chevalier. Les évêques se récrient, scandalisés qu'on ose les traiter de la sorte. Jacques de Molay emporté par sa fougue retrouve le goût du combat. Un mot encore de ses juges et il va enfin faire entendre la voix du maître du Temple ! Mais non. Il vient d'apercevoir dans la salle son « ami » Guillaume de Plaisians ! Aussitôt l'entretien de Chinon lui revient en mémoire. Il balbutie. Il s'excuse. Il demande humblement l'autorisation de s'entretenir avec « messire Guillaume »... La partie est perdue. On n'entendra plus parler le « maître ». Le 28 novembre il reviendra devant la Commission pour refuser de prendre la défense du Temple « parce qu'il n'est, dit-il, qu'un pauvre chevalier illettré ». Mais la voix plaintive qui supplie les évêques de lui laisser entendre la messe, et de le déférer au plus tôt devant « Monseigneur le pape », n'est plus celle de Jacques de Molay. Le chevalier est mort, mais il ne le sait pas encore.

A défaut de défenseurs illustres ce sont donc des sergents et des chevaliers anonymes qui le matin du 28 mars 1310 envahissent le verger de l'évêché de Paris, clamant leur innocence et celle du Temple, protestant contre la torture.

Les évêques de la Commision pontificale, un peu inquiets, réclament des renforts. Des hommes d'armes se tiennent discrètement derrière le mur du jardin, prêts à intervenir. Des baillis tentent de calmer la foule des chevaliers qui parlent tous à la fois, se libérant de trois ans de silence.

Un évêque, malgré le tumulte, commence à lire, en latin, la liste des onze chefs d'accusation. Longue et sinistre litanie due à la plume de Guillaume de Nogaret et qui phrase après phrase, minute après minute, rend les chevaliers plus silencieux, plus sombres, plus résolus.

Quand la lecture est terminée on leur propose de traduire le texte en français. A nouveau des clameurs s'élèvent.

– Le latin nous suffit ! crient les Templiers furieux. Nous n'avons cure de faire exposer en français de telles turpitudes. Tout est faux là-dedans et innommable...

Pour tâcher de mettre un peu d'ordre dans les débats, la Commission propose aux chevaliers de déléguer des procureurs pour parler en leur nom. Encore une fois c'est la confusion.

– Nous aurions préféré, crie un frère, n'être torturés que par procuration !

Les chevaliers désignent alors tout naturellement Pierre de Boulogne pour les représenter. Celui-ci à son tour choisit d'autres lettrés qui l'aideront dans sa tâche. L'un d'eux est le Commandeur d'Orléans, Renaud de Provins. Un autre, Aimery de Villiers-le-Duc, est un simple chevalier. D'autres sont chapelains. Tous ont eu à subir la torture. Tous sont prêts à révoquer leurs aveux et, sans plus attendre, ils se mettent au travail, répondent point par point aux accusations, rédigeant des mémoires et des protestations véhémentes.

Deux semaines après ce jour mémorable, les « avocats » du Temple, constatant qu'ils sont toujours soumis à des pressions et que certains d'entre eux ont été menacés de mort, lancent un avertissement à leurs juges. Il sera lu devant la Commission pontificale par Pierre de Boulogne.

– Si les frères du Temple ont dit, disent ou disaient à l'avenir, tant qu'ils sont en prison, quoi que ce soit à leur charge ou à la charge de l'ordre du Temple, cela ne porte pas préjudice à l'ordre susdit parce qu'il est notoire qu'ils ont parlé ou qu'ils parleront contraints ou poussés ou corrompus par les prières, l'argent ou la crainte ; et ils protestent qu'ils le prouveront en temps et lieu quand ils jouiront d'une pleine liberté... Ils demandent, supplient et requièrent que chaque fois que des faits seront examinés aucun laïc ne soit présent ou puisse les entendre, ni aucune autre personne de l'honnêteté de qui on puisse douter avec raison...

Voilà qui en dit long sur l'atmosphère qui règne dans la salle d'audience. Les défenseurs, avant de prendre la parole, regardent autour d'eux pour s'assurer qu'il n'y a pas d'espion du roi, et quand ils découvrent un visage nouveau il n'est pas rare qu'ils refusent de déposer. Ils savent combien ils sont vulnérables en retournant chaque soir dans leur prison. Gardiens et baillis multiplient les brimades et les chantages. Des seigneurs de la cour, des conseillers royaux, des légistes n'hésitent pas à leur proposer de l'argent ou à leur promettre la liberté pour qu'ils abandonnent la défense de l'Ordre. Certains chevaliers, à bout de force, cèdent à leurs pressions. Vers la fin mars, l'un des défenseurs, Raymond de Vossignac, disparaît brusquement. Le bruit court qu'il est détenu, au secret, dans un cachot du Palais de la Cité. Et puis un jour il reparaît à l'audience. Il n'a plus son habit de Templier. Aux questions des commissaires qui lui demandent s'il était vrai qu'il avait été détenu dans « un cachot déshonnête par les gens du roi », Raymond de Vossignac répond d'un ton rogue :

— Mais non ! Je suis bien honnêtement détenu selon mon gré. On pourvoit à mes besoins.

Le commissaire : — Entendez-vous toujours défendre l'Ordre ?

Frère Raymond : — Mais non ! Je n'aurais pas quitté l'habit de l'Ordre si j'avais voulu le défendre !...

Ulcéré, Pierre de Boulogne rédige alors une nouvelle protestation, plus violente encore que la précédente :

— Dans les prisons et les tortures, beaucoup et beaucoup sont morts ; d'autres en resteront infirmes pour leur vie. Plusieurs ont été contraints de mentir contre eux-mêmes et contre leur Ordre. Ces violences et ces tourments leur ont totalement enlevé le libre arbitre, c'est-à-dire tout ce que l'homme peut avoir de bon... Pour les pousser au mensonge, aux faux témoignages, on leur montrait des lettres où pendait le sceau du roi, et qui leur garantissaient la conservation de leurs membres, de la vie, de la liberté ; on promettait de pourvoir soigneusement à ce qu'ils eussent de bons revenus pour leur vie ; on leur assurait d'ailleurs que l'Ordre était condamné sans remède.

Cette fois Pierre de Boulogne ne plaide pas seulement pour le Temple. Il dresse aussi un véritable réquisitoire contre les méthodes employées par les gens du roi, et, à travers elles, contre le roi lui-même. Les évêques de la Commission commencent à s'inquiéter de la tournure que prennent les auditions. Non seulement l'Ordre relève la tête mais la défense, chaque jour, marque des points, dénonçant les irrégularités de procédure, démontrant la sottise de certaines accusations et soulignant avec force qu'en dehors du royaume de France, où règne la terreur, aucun Templier, à l'étranger, n'a proféré le moindre « aveu ». Guillaume de Nogaret ne peut en supporter davantage. Le 12 mai il obtient de l'évêque de Sens, Philippe de Marigny, que la commission épiscopale de sa ville juge et condamne comme relaps cinquante-quatre défenseurs de l'Ordre. Les malheureux sont brûlés le soir même en public, près de la porte Saint-Antoine. L'émotion est considérable chez les Templiers. Dès le lendemain le défenseur Aimery de Villiers-le-Duc, terrorisé, supplie les commissaires de ne pas dévoiler aux gens du roi qu'il a rétracté ses aveux.

— Ah ! si moi je devais être brûlé, s'écrie-t-il, je ne le supporterais pas ! J'ai trop peur de la mort ! J'avouerais que j'ai tué Dieu si on me le demandait !

Le même jour des dizaines de frères se précipitent au palais épiscopal pour annoncer qu'ils renoncent à défendre l'Ordre.

Alors Pierre de Boulogne exige des évêques de la commission pontificale qu'ils interviennent auprès du roi pour faire respecter les droits de la défense ; pour protéger ceux qui, répondant à l'appel du pape, ont accepté de défendre le

Temple. Les évêques se concertent pendant quelques instants. La discussion est animée. Certains semblent scandalisés par l'attitude de Philippe de Marigny. Mais en définitive ils se déclarent incompétents.

– Cette affaire, disent-ils, regarde les autorités diocésaines. Chaque évêque peut agir comme il l'entend dans sa juridiction !...

L'audience est levée. Les commissaires donnent rendez-vous aux défenseurs à huit heures le lendemain matin.

Pierre de Boulogne sait que la partie est perdue. Mais tandis que les gardes rivent les fers à ses poignets et à ses chevilles il lance un dernier défi aux commissaires.

– J'irai jusqu'au bout ! J'écrirai au pape s'il le faut ! J'obtiendrai justice pour les malheureux frères que vous avez brûlés !

Comme chaque soir, la barque qui doit lui faire traverser la Seine attend, amarrée non loin du Pont au Change. Les chaînes l'obligent à marcher à petits pas. Il a déjà demandé cent fois qu'on ne lui inflige pas ces entraves, jurant qu'il ne chercherait pas à s'évader, mais le bailli n'a rien voulu savoir. Le passeur lui tend la main pour l'aider à descendre le long de la berge... Et brusquement, il comprend qu'il va mourir. L'homme qui lui tient le bras n'est pas le batelier habituel. C'est un ancien frère chassé du Temple pour vol. Il l'a connu autrefois à Chypre. Déjà l'embarcation s'éloigne de la rive. Les deux soldats qui sont montés à bord lui sont inconnus... Pierre de Boulogne est surpris ; il n'a pas peur. Au contraire, il a l'impression de s'éloigner du bûcher, lentement, au gré du courant, comme en se promenant. Quand le bateau passe sous l'arche du pont, basse et obscure, le Templier ressent une vive douleur sous l'épaule gauche. Demain à l'audience on annoncera que le frère Pierre de Boulogne s'est « évadé »...

Le 5 juin 1311, la commission chargée d'instruire le procès du Temple suspend ses audiences. Tant de bûchers se sont allumés dans tous les diocèses de France, tant de frères ont été brûlés comme relaps qu'il n'y a plus ni défenseur ni témoin. Les survivants se terrent.

Les travaux de la commission auront duré deux ans. Cent trente et un Templiers seulement seront entendus sur les quinze mille qui se trouvaient dans les prisons du Royaume. Plusieurs centaines sont morts, brûlés, torturés ou assassinés. Quelques-uns ont été libérés pour « bonne conduite » ; ils avaient non seulement avoué mais dénoncé d'autres frères. Enfin, un petit nombre s'est réellement évadé. Ces « rescapés » se cachent au sein des confréries quand ils ne se sont pas réfugiés à l'étranger où de très nombreux frères continuent de vivre librement dans leurs Commanderies en attendant que le concile statue sur leur sort. Mais cela demandera encore un an. Les cent quarante évêques réunis à Vienne, hors du royaume de France depuis le 16 octobre 1311, se font tirer l'oreille. Nullement persuadés de la culpabilité des Templiers, déroutés par les interminables lectures des procès verbaux rédigés par les commissions, les pères conciliaires réclament à l'unanimité que les accusés viennent eux-mêmes présenter leur défense. Non seulement le pape se dérobe, mais il fait arrêter des chevaliers du Temple qui, malgré son interdiction, avaient réussi à venir jusqu'à Vienne. Les évêques protestent énergiquement. Surtout les évêques étrangers, qui n'ont aucune raison d'être agréables au roi de France.

Mais l'arrivée inopinée de Philippe le Bel, accompagné d'une puissante armée, calme les plus téméraires. Les travaux du concile sont suspendus. Le roi rencontre secrètement le pape et le somme d'agir au plus vite. A l'issue de cette conférence à huis clos, Clément V réunit à nouveau les pères conciliaires et leur demande de condamner la milice du Temple sans avoir entendu sa défense. Une majorité, terrorisée par la présence des troupes françaises, est sur le point d'accepter. Quelques évêques demeurent fermes sur leurs positions. C'est l'impasse.

Il faudra attendre la session du 3 avril 1312, inaugurée par Clément V en présence de Philippe le Bel, pour que l'Ordre des Templiers soit dissout par une sorte de « décret » du souverain pontife, la bulle *Vox clamantis.* Mis devant le fait accompli les évêques ne protestent pas. Ils sont trop contents de ne pas avoir eu à se prononcer.

Un mois plus tard, le 2 mai 1312, le pape réglera les problèmes concrets posés par la liquidation de la milice du Temple dans la bulle *Ad providam Christi Vicarii* : désormais, plus personne n'aura le droit de porter l'habit et de se comporter en Templier sous peine d'excommunication. Quant aux biens du Temple, ils sont attribués aux hospitaliers. L'ordre du Temple se trouve aboli sans même avoir été condamné.

Dans sa cellule du Châtelet, Jacques de Molay se prépare avec lenteur. Il passe ses doigts dans sa barbe, essayant de la démêler, rejette en arrière ses cheveux d'un blanc terne qui sont devenus très longs, arrange son manteau, le même depuis sept ans, qui, à force, a pris une couleur de muraille ; pour comparaître enfin devant ses juges il n'aura plus, c'est vrai, l'allure d'un Templier, mais il voudrait ne pas ressembler à une épave.

Son gardien l'attend sur le pas de la porte, sans rien dire. L'ancien maître du Temple est un peu étonné par ce mutisme. Habituellement ce petit homme aux cheveux noirs remplit la cellule de son accent chantant. Il est né à Tarbes. Jacques de Molay ne s'en plaint pas. Cela, bien souvent, l'a distrait.

— Alors, Thierry, crois-tu que Monseigneur le pape sera là pour mon procès ? Il avait pourtant promis de m'entendre en personne...

Le gardien baisse la tête, l'air buté. L'ancien Templier poursuit comme pour lui-même.

— ... Eh non il ne sera pas là ! Je le sais bien. S'il avait voulu me voir, il m'aurait fait venir en Avignon. C'est un fourbe...

Thierry a levé la tête.

— Il ne faut pas blasphémer, sire maître.

— Tu as raison. Ce n'est pas un fourbe, c'est un lâche.

Le geôlier s'agite, nerveux.

— Il faudrait vous dépêcher sire maître, on nous attend depuis longtemps déjà.

— Sais-tu où va se dérouler le procès ? Au palais de l'évêque, je suppose ?

Le petit homme détourne le regard, visiblement mal à l'aise.

— Non, sire Maître, à Notre-Dame.

Dans la charrette qui l'emporte vers la cathédrale, Jacques de Molay serre les dents. Il pensait ne plus s'émouvoir de rien. Mais être exhibé de la sorte, subir les rires et les injures de la foule alors qu'il porte encore l'habit du Temple, réveille en lui un sentiment oublié, la colère. Une formidable colère, qui secoue toutes ses peurs, toutes ses fatigues accumulées, et qui lui donne une énergie insoupçonnée. Cela est venu brusquement quand il a pris conscience de sa propre déchéance à travers le spectacle affligeant qu'offrent ses compagnons, petits vieillards desséchés et craintifs, flottant dans leur manteau sale et rapiécé dont la tête brinquebale à chaque cahot, mal assurée sur leur cou d'oiseau.

— Tenez-vous droit, frères ! Tenez-vous droit pour Dieu !

Il a crié de toutes ses forces et les autres le regardent, inquiets, comme s'il était devenu subitement fou. Il les foudroie du regard, reprenant lui-même toute sa hauteur et toute sa carrure. Mais les petits vieillards s'en moquent. Ils sont absents. Ils n'ont plus depuis longtemps la force d'avoir honte. L'ancien précepteur d'Aquitaine et du Poitou, Geoffroy de Gonneville, détourne les yeux et regarde défiler les maisons à colombages d'un air d'indifférence, tandis que l'ancien précepteur de Normandie, Geoffroy de Charnay, reste la bouche ouverte, les yeux dans le vague comme un homme ivre. Seul l'ancien visiteur de France, Hugues de Pairaud, soutient le regard de celui qui fut le Maître du Temple. Quand la charrette débouche sur le parvis de Notre-Dame, il lui lance d'une voix dure :

— Nous ne devons plus rien, sire Jacques, ni à vous ni à l'Ordre...

Mais Jacques de Molay n'a pas le temps de lui répondre. Il vient d'apercevoir la foule immense massée devant les portes de la cathédrale et son sang se glace. Il comprend que le pape l'a définitivement abandonné et qu'on va l'exhiber, lui le vaincu, comme un monstre de foire. Il comprend qu'il a été trompé, et que jamais plus il n'aura l'occasion de sauver le Temple. Il comprend qu'il n'a pas rendez-vous avec ses juges mais avec lui-même...

Siégeant sous un dais de velours rouge, les évêques de la commission apostolique étalent leur or et leur bedaine. Enfoncés dans de profonds fauteuils, les doigts couverts de bagues, ils bavardent, en regardant d'un œil distrait les anciens dignitaires du Temple monter sur l'estrade dressée devant la cathédrale. La cérémonie s'annonce un peu ennuyeuse. Il va falloir, une fois de plus, que les Templiers confirment solennellement leurs aveux. Le roi y tient. Monseigneur Philippe de Marigny, qui a fait brûler tant de chevaliers du Temple, s'adresse durement aux anciens dignitaires.

— Répétez devant Dieu et devant les hommes les ignominies dont vous vous êtes rendus coupables...

La foule gronde. Les Templiers récitent. La foule crie. Les Templiers demandent pardon. La foule montre le poing. Les Templiers s'entendent condamner à la prison perpétuelle...

Alors se produit une chose inouïe. On voit Jacques de

Molay se dresser face à ses juges. Ce n'est plus un vieillard. C'est un chevalier à la voix tonnante qui soudain crie sa colère et son indignation. C'est le maître du Temple qui prend le peuple à témoin :

— Il est bien juste que, dans un si terrible jour et dans les derniers moments de ma vie, je découvre toute l'iniquité du mensonge et que je fasse triompher la vérité. Je déclare donc, à la face du ciel et de la terre, et j'avoue, quoique à ma honte éternelle, que j'ai commis le plus grand des crimes, mais ce n'a été qu'en convenance de ceux qu'on impute avec tant de noirceur à notre Ordre. J'atteste, et la vérité m'oblige d'attester, qu'il est innocent. Je n'ai même fait la déclaration contraire, que pour suspendre les douleurs excessives de la torture, et pour fléchir ceux qui me les faisaient souffrir. Je sais les supplices qu'on a infligés à tous les chevaliers qui ont eu le courage de révoquer une pareille confession ; mais l'affreux spectacle qu'on me présente n'est pas capable de me faire confirmer un premier mensonge par un second ; à une condition si infime, je renonce de bon cœur à la vie.

Un sergent se précipite sur Jacques de Molay et le tire en arrière. Un autre le bâillonne avec la main. L'ancien Maître du Temple se débat. Et soudain une autre voix s'élève. C'est Geoffroy de Charnay qui à son tour défend l'Ordre dissous : « Nous sommes les chevaliers du Christ et notre Règle est sainte, juste et catholique... » Sur l'estrade la confusion est générale. Les archers se déploient pour contenir les Parisiens qui spontanément, bouleversés par les cris des deux dignitaires, ont pris fait et cause pour les Templiers. Bientôt c'est l'émeute. Les évêques s'enfuient, protégés par la troupe. Des chevaliers du roi sont obligés de tirer l'épée pour se défendre. Les anciens dignitaires du Temple, poussés sans ménagement à l'intérieur de la cathédrale, sont soustraits de justesse à la foule qui veut les libérer.

A l'ultime seconde Jacques de Molay est parvenu à humilier le roi et à sauver l'honneur des Templiers.

Le dernier acte va se jouer le soir même dans l'Ile aux Juifs, qui se dresse à la pointe de la Cité, face au Palais royal. Coiffés de la mitre de papier des hérétiques, Jacques de Molay et Geoffroy de Charnay montent sur le bûcher. Les évêques, remis de leur frayeur, les ont condamnés à être brûlés vifs comme relaps.

Le soleil ayant disparu à l'horizon, Philippe le Bel, qui s'est installé dans le balcon de la tour de l'eau, à l'ouest du palais, lève la main lentement comme pour saluer l'immense foule massée sur les berges de la Seine. C'est le signal attendu par le bourreau. Les brandons s'enfoncent en siflant dans les fagots. Les flammes montent dans la nuit. Alors une dernière fois une voix s'élève au milieu du brasier. Une voix effrayante, une voix impossible...

– Pape Clément!... Roi Philippe!... Avant un an je vous cite à paraître au tribunal de Dieu!...

Les mots qui s'échappent de la fournaise sont déjà des hurlements. Des milliers de personnes écoutent en silence. Après la mort du pape, quinze jours plus tard, et celle du roi, au mois de novembre suivant, elles affirmeront que cette voix était celle de Jacques de Molay.

10. Petiot

Allons, n'ayons pas peur des mots : le procès Petiot qui s'ouvre cet après-midi 18 mars 1946, au palais de justice de Paris, est le plus grand spectacle depuis le procès du maréchal Pétain. Songez que les billets d'entrée se vendent même au marché noir !... On se bat, on se bouscule, la salle est pleine, frémissante. Enfin il entre : le monstre, le docteur Satan, comme on l'appelle déjà. Une entrée de grand comédien : au seuil du box des accusés, il lève ses mains, ses mains prisonnières de celles des deux gardes qui l'encadrent. Le docteur Petiot veut être libéré. Et il va l'être. On lui retire les menottes ! Alors, arborant un sourire triomphal, il consent à descendre vers son banc, ôte son manteau à gros carreaux, le plie soigneusement et fait face aux photographes ; le spectacle peut commencer... Et quel spectacle !

Petiot est accusé de vingt-sept meurtres, oui, vingt-sept ! Noir, mince, il promène ses yeux sombres, ses yeux d'hypnotiseur, sur cette foule venue le voir. Aveuglé par les flashes au magnésium, Petiot se cache le visage, et soudain :

– Allons, messieurs, que de zèle ! Nous ne sommes pas à l'Alhambra !

Voilà, le ton est donné. Cet assassin hors du commun sera aussi un accusé hors du commun. Il n'hésitera jamais à intervenir, à railler, à insulter. Pour un peu, on oublierait l'horreur de ses crimes, on oublierait cet amoncellement de valises, qui va du sol au plafond juste derrière son dos. Ce sont les valises de tous ceux qui sont partis pour un voyage sans retour après l'avoir vu, lui, le docteur Satan !

– Ouschinow Joachim, Van Bever Jean-Marc, Hotin Denise...

Le greffier donne lecture de la longue liste de ceux qu'on n'a jamais revus :

– ... Grippay Joséphine. Dreyfus Yvan...

Alors, Petiot, qui semblait dormir, se lève et hurle :

– Je ne veux pas passer pour un coupable !

Une nouvelle fois, toutes les têtes se tournent vers l'accusé : quel regard ! Sous le front immense et les sourcils charbonneux, il fascine. C'est bien le mot. Il fascine comme l'œil du serpent fascine sa proie. Le greffier a terminé son effroyable appel : vingt-sept victimes, dont quinze juifs et juives, quatre souteneurs, quatre prostituées, trois clients de Petiot et un cadavre non identifié. Ce massacre, cet holocauste, a été découvert par hasard, deux ans plus tôt. Un jour de mars 1944, dans un élégant hôtel particulier du XVIe arrondissement de Paris, rue Le Sueur, un voisin signale un feu de cheminée, un étrange feu de cheminée qui dégage une odeur insoutenable.

Policiers et pompiers forcent la porte de l'hôtel particulier et ils découvrent au sous-sol une chaudière qui ronfle et rougeoie. Et, partout, des débris humains : des bras, des jambes, des crânes... A côté, une fosse remplie de chaux vive. Personne dans la maison.

Mais qui donc a allumé ce feu diabolique ? Et qui est le tueur ? La maison appartient à un certain docteur Petiot. On fouille, on découvre à côté du cabinet de consultation une curieuse pièce triangulaire, aux murs épais, et, dans le papier peint, un trou qui permet de voir à l'intérieur. On dirait une cellule, ou, pourquoi pas, une chambre à gaz. Alors que les policiers se livrent aux premières investigations, un homme venu à bicyclette pénètre dans la maison : « Je suis le frère du propriétaire. » Il visite lui aussi ; puis, il s'approche d'un agent : « C'est une affaire de Résistance ! Attention, je risque ma tête ! » Patriote ou bon bougre ; l'agent le laisse filer. C'était le docteur Petiot... Une affaire de Résistance ! Ah, on va en parler de la Résistance ! N'oublions pas que nous sommes en 1946, et que les assassinats ont été commis en 1944, alors que la France était encore occupée. N'oublions pas non plus, pour bien comprendre le climat si particulier de ce procès, que la France, qui va voter dans quelques jours pour sa nouvelle Constitution, est encore un pays convalescent et inquiet.

– Accusé, levez-vous !

Le président Léser est un magistrat bien connu pour sa courtoisie et sa tolérance.

On commence l'interrogatoire d'identité de l'accusé. Petiot répond sans se presser et toujours d'un air narquois. Le président évoque son enfance à Joigny et à Auxerre, puis :

– Après la Guerre de 1914 vous avez été interné et réformé pour débilité mentale...

Petiot lui coupe la parole :

– Mais j'ai obtenu une mention très bien pour ma thèse de médecine.

Voilà tout le paradoxe du personnage. Le fou, si fou il y a, est aussi un homme brillant, un médecin populaire, aimé de ses clients, le médecin des pauvres. Oui, il est capable d'attirer à lui de vraies ferveurs. Dans l'Yonne on l'élit maire et même conseiller général. Mais quel drôle d'homme politique ! Le président mentionne quelques faits étranges : le docteur Marcel Petiot volant de l'électricité ou dérobant des croix dans les cimetières...

Le président :

– Votre propriétaire signale vos fréquentes sautes d'humeur.

Petiot se dresse une nouvelle fois.

— C'est faux, ça ! Si ça commence comme ça, ça commence mal !

La salle croule de rire. Le calme revenu, le président poursuit l'interrogatoire. A Villeneuve-sur-Yonne, il s'est passé des événements plus graves que le vol d'une croix : qu'est devenue par exemple Louisette, la servante et la maîtresse de Marcel Petiot, disparue un jour sans raison ? L'accusé s'agite, conteste, raille.

Il y a d'autres disparitions inquiétantes dans l'entourage de Petiot. Petiot qui doit quitter l'Yonne et s'installe à Paris.

— Je n'ai pas besoin de vous faire un dessin, j'avais contre moi tous les bigots, tous les Tartufes de la contrée...

Le président :

— Donc vous vous installez à Paris où, rapidement, vous jouissez d'une grande popularité. Vous êtes d'ailleurs très séduisant.

— Merci ! répond Petiot.

— Mais vous utilisez des prospectus de médecin marron.

— Je vous remercie de cette réclame, mais je vous prie de réserver votre opinion.

On rit une nouvelle fois. Comme on rira à tous les bons mots de Petiot.

Mais là, c'est l'avocat de Petiot qui se lève, Me Floriot, un jeune et brillant avocat, la nouvelle étoile du barreau parisien. Très à l'aise derrière les trente kilos de dossier qu'il a déposés devant lui, il s'écrie :

— La première qualité de la Cour étant l'impartialité, je lui demande de retirer cet épithète de médecin marron.

Le président se rétracte. Un premier point pour la défense. L'interrogatoire continue.

— Vous vous vantez de gagner des sommes astronomiques. Mais par contre vos déclarations de revenus, elles, n'étaient pas astronomiques.

Petiot, malin :

– Je restais dans la tradition de ma profession. Quand un chirurgien gagne huit à dix millions par an, il annonce 100 000 F. Cela prouve que j'étais français. Je ne voulais pas passer pour une poire !

On rit encore. C'est du meilleur boulevard. Le Tout-Paris, qui se presse dans la salle, est ravi. Mais oui, ce diable d'homme réussit à faire oublier l'horreur des crimes dont on l'accuse. Écoutez-le, alors que le président vient d'évoquer un de ses petits délits : le vol d'un livre à la devanture de la librairie Gibert.

Petiot est furieux :

– Tous ceux qui ont le goût de l'invention sont soupçonnés de folie. Je suis un inventeur méconnu. Vous savez bien que ce jour-là il pleuvait et que j'ai emporté ce livre par mégarde. J'étais perdu dans mes pensées sur cet appareil destiné à combattre la paresse intestinale.

Le président :

– Vous prétendez être dément à chaque fois que vous avez des ennuis avec la justice...

Petiot :

– On ne sait jamais si l'on est fou ou pas fou. On ne peut être fou que par comparaison.

Qui mène les débats ? Est-ce vraiment le président, ou n'est-ce pas plutôt Petiot qui passe en un instant de l'invective à l'ironie. Un homme qui a réponse à tout, toujours. L'étrange pièce triangulaire aux murs énormes ?

– C'est très simple, répond Petiot, je voulais en faire un cabinet de radiothérapie. D'où l'épaisseur des murs. Le trou ? Eh bien c'était pour faire passer les fils électriques. Pourquoi a-t-il été caché sous le papier peint ? Une erreur des ouvriers, bien sûr ! Allons, tout ce qu'on a raconté sur moi n'est que mensonge et trahison. C'est la presse boche, la presse de la collaboration qui a colporté ces calomnies.

– Et les cadavres, demande le président ?

– Je n'y suis pour rien. Je sors de Fresnes où la Gestapo m'avait enfermé et je trouve des cadavres chez moi. Avouez que c'est trop fort, non !

Petiot semble ému. Il a les larmes aux yeux. Il est prêt à mettre en scène son nouveau personnage : le docteur Petiot, alias le capitaine Valéry, alias le capitaine Wetterwald, alias l'agent S-21, héros de la Libération, combattant des rues, auxiliaire de la justice militaire à la caserne de Reuilly. Jusqu'à son arrestation en 1945. Voilà le système de défense de Petiot ; il est clair. Car l'étrange médecin va avouer quelques crimes, oui, mais pas n'importe lesquels : des exécutions de traîtres, de gestapistes... Ah, quel massacre au nom de la Résistance ! Plus de soixante exécutions... Pour la bonne cause !

— Pas du tout, réplique l'accusation : vous avez attiré des gens chez vous en leur promettant un passage à l'étranger... En réalité c'était pour les dépouiller. C'est tout ! Et parmi ces gens vous avez choisi les plus vulnérables, les juifs.

Demain, sans nul doute, on s'expliquera sur ce point capital : Marcel Petiot a-t-il été un Résistant ou bien n'était-il qu'une crapule ? Ou bien encore, comme on l'a écrit, une créature des nazis, un artisan de la mort, un Eichmann au petit pied ?

Le docteur Petiot, l'assassin aux vingt-sept cadavres, était-il oui ou non un Résistant ?

Voilà la question qui va dominer, le 19 mars 1946, la seconde audience de son procès. Que prétend Petiot ? C'est simple : il assure avoir fait partie d'un groupe de Résistance baptisé « Fly-Tox ». Oui « Fly-Tox », comme l'insecticide ! Humour noir ? Sait-on jamais avec cet accusé insolite, ce personnage agité, inquiétant qui prend à partie le président, l'avocat général, la partie civile, toujours attentif aux réactions de la foule, comme un acteur qui mesure son talent au volume des applaudissements.

— Si vous avez été Résistant, donnez les noms de vos camarades ! tonne le président Léser.

Petiot :

– Ah non ! Vous seriez capable de passer les menottes à ces hommes qui ont supprimé tant de Boches !

Le président est excédé. Petiot poursuit :

– Je ne donnerai pas de noms tant que l'épuration ne sera pas faite, tant que tous les mouchards qui ont prêté serment à Pétain ne seront pas sous les verrous !...

La salle gronde. Quel toupet ! Petiot ne vise-t-il pas certains des magistrats qui se trouvent dans cette cour d'assises ?

Le président, découragé, lève les bras ; aussitôt Petiot s'écrie :

– Ne levez pas les bras au ciel, monsieur le Président !

– Je lèverai les bras si je veux.

– Alors vous les lèverez encore plus haut tout à l'heure.

On croit rêver !

Petiot explique maintenant son activité de Résistant : il aurait d'abord appartenu à l'organisation de Pierre Brossolette. Puis, après un contact avec un envoyé de Londres dont il a oublié le nom, il crée son propre groupe. Il se fait alors appeler docteur Eugène et se spécialise dans la liquidation des mouchards de la Gestapo.

– Comment procédiez-vous ? demande le président.

– Très simple. On arrêtait le traître en criant : « Police allemande, suivez-nous ! » Et il nous suivait. On le poussait dans une camionnette, et on allait dans les bois, à Marly, à Saint-Germain, à Poissy ; et là on l'abattait.

Le président :

– Mais soyez logique : vous avez aussi prétendu que l'exécution avait lieu rue Le Sueur.

– Bien sûr, quand ça pressait. Ah, monsieur le Président, vous ne vous doutez pas du courage et du culot dont nous étions capables !...

Oh si ! Personne ne doute de ce culot-là. Il faut voir Petiot, arc-bouté à la barre du box, sarcastique, dominateur, convaincu.

Soudain, au banc de la partie civile, la robe noire de Me Véron se dresse. Petiot l'a vu.

— Vous, l'avocat des juifs, assis ! Vous n'avez pas le droit à la parole !

Alors, Me Véron, ancien Résistant, explose :

— Je ne vous laisserai pas souiller la Résistance sous prétexte de vous défendre !

On applaudit, on crie, on ne s'entend plus.

— Maître Véron, vous êtes un agent double !

— Petiot, retirez ce mot immédiatement ou je vous casse la figure !

Le président Léser s'époumone.

— Silence ! Silence !...

Mais le calme est long à revenir. Quelle scène ! Et ça continue. Le docteur Petiot parle maintenant de son étrange organisation de voyages ; il y avait les vrais voyageurs, ceux qu'on dirigeait vers la ligne de démarcation, et les autres, les traîtres, ceux pour qui le voyage s'arrêtait rue Le Sueur.

— Mon premier client, dit Petiot, était un certain Jo-le-Boxeur. Il avait une tête de... euh, enfin, une vraie tête de maquereau... Je veux dire plutôt d'inspecteur de police.

La salle explose de rire. Petiot, modestement, sourit. Il est moins à l'aise quelques instants plus tard quand on lui demande des noms, des détails. Ah, il a oublié... Par prudence, bien sûr... Car, ne nous y trompons pas, Petiot a bien été arrêté par la Gestapo, emprisonné plusieurs mois, et même torturé.

— On m'a limé les dents, pendu par la mâchoire, serré la tête dans une presse... mais, monsieur le Président, grâce à mes qualités d'intelligence et de sang-froid, je suis encore devant vous, sain d'esprit et en possession de toutes mes facultés mentales.

Cette fois personne ne rit. Petiot poursuit son récit.

Il est libéré par les Allemands contre 100 000 F. Et c'est en sortant de prison qu'il découvre chez lui, rue Le Sueur, ces cadavres...

— Des cadavres, monsieur le Président, que je ne connais même pas, et que mes camarades avaient laissé là, par pure négligence, certainement...

– Mais la chaux, la chaudière ?

Petiot :

– Des amis peu délicats ont eu l'idée de brûler les cadavres en mon absence.

– Qui, Petiot. Qui ?

– Je ne suis pas du genre à dénoncer mes amis. Vous auriez tôt fait de les inculper pour complicité !

– Écoutez, Petiot, je m'engage à les laisser sortir s'ils n'ont exécuté que des agents de la Gestapo.

Petiot hausse les épaules :

– Je connais la musique. Si ce n'est pas vous qui les arrêtez, quand je serai acquitté, ce sera votre copain !

– Vous, Petiot, acquitté !

– Bien sûr, monsieur le Président. Je n'ai pas la moindre inquiétude. D'ailleurs, ce n'est pas vous qui me jugez, mais messieurs les jurés, et j'ai confiance en eux.

Petiot triomphe une nouvelle fois et met les rieurs de son côté. Pourtant ce qui suit n'est guère à son avantage. Pressé de questions par le président, il bafouille, il se trompe ; il est incapable de prouver son appartenance à la Résistance. D'ailleurs une enquête de la D.G.E.R. – les Services secrets issus de Londres – établit que le fameux groupe « Fly-Tox » n'a jamais existé. Me Véron, l'un des avocats de la partie civile, tient sa revanche.

– Si l'accusé a participé à des actions de Résistance, comme il le prétend, et placé des explosifs, il doit être capable de nous expliquer comment se manipule le plastic.

Petiot ne répond pas tout de suite ; il hésite, il rougit.

– On ne peut traiter un tel sujet à la va-vite.

Me Floriot a compris le trouble de son client et il vole à son secours.

– Mais enfin, est-ce un examen d'entrée à Polytechnique que vous voulez faire passer au docteur Petiot ?

– Non, réplique Me Véron, mais je sais maintenant que ce « grand Résistant » n'a jamais vu de plastic et qu'il ne sait même pas ce que c'est.

Petiot écume. Fou de rage, il accuse une nouvelle fois Me Véron d'être l'avocat des juifs. Curieuse accusation dans la bouche d'un homme qui prétend avoir combattu les Nazis. Mais le diabolique médecin n'en est pas à une contradiction près. Quelques minutes plus tard, voici ce qu'il déclare à Me Véron, avocat de la famille Dreyfus.

– Oui, j'ai exécuté trente-trois mouchards et trente soldats allemands. Mais j'avais plus d'estime pour eux que pour votre client.

Me Véron réplique aussitôt :

– C'est invraisemblable ! Comment auriez-vous pu tendre un guet-apens à trente soldats allemands ?

Alors, superbe, Petiot lance :

– Je ne vois pas pourquoi je m'expliquerais sur des assassinats qu'on ne me reproche pas.

Petiot a repris son assurance. Et quand le président Léser, qui semble épuisé, propose de suspendre l'audience, l'accusé laisse tomber :

– Mais pourquoi ? Je ne suis pas fatigué, moi !

Troisième audience.

Petiot entre, jette un coup d'œil vers le public : il y a moins de monde qu'hier. Petiot apostrophe son avocat :

– Dites donc, maître, nous faisons un four aujourd'hui !

Mais comment peut-on rire, oui comment, alors que tout au long de cette audience du 20 mars on va évoquer l'une après l'autre les victimes de ce sinistre agent de voyages pour l'au-delà ? Mais jamais, sans doute, le cynisme de Petiot ne s'est affiché avec une telle force. Mme Khayt a disparu. Involontairement mêlée à un trafic de stupéfiants où Petiot est impliqué, elle était un témoin gênant. Un témoin dont il fallait se débarrasser.

– Peuh, fait Petiot, les drogués, vous savez ce que c'est, ça ment, ça triche.

On passe à la disparition du fourreur Ouschinow, un juif très riche, l'un des premiers passagers du sinistre docteur.

– Pourquoi, demande l'avocat général Dupin, lui avez-vous recommandé d'ôter les marques de son linge ?

Petiot soupire :

– C'est élémentaire, pour peu que vous ayez fait partie de la Résistance.

– Et les magnifiques fourrures et peaux de bête que l'on a retrouvé à votre domicile ?

Petiot réprime un sanglot :

– C'étaient des cadeaux de mon ami le fourreur pour me remercier de mon aide.

Et les autres juifs Woolf, les Basch, Ehrenreich... ? Ah, ceux-là, c'est vrai, il les a fait exécuter, mais pour une seule et bonne raison : ils étaient allemands avant d'être juifs. Ils venaient de Berlin.

– C'est faux, interrompt un avocat de la partie civile, ils se cachaient pour échapper à la Gestapo.

– Bah, réplique froidement Petiot, ils se cachaient comme moi lorsque j'étais jeune marié. Je me mettais sous les draps et je disais à ma femme : « Essaie de me trouver ! » Non, ils étaient tous à la solde de la Gestapo et ils avaient pour mission de découvrir mon groupe de Résistance.

Toujours ce mythe du Résistant. Petiot s'accroche désespérément à ce système de défense. Un tueur, oui, mais un tueur de traîtres, de malfrats, de crapules. Quand on évoque les quatre souteneurs assassinés rue Le Sueur, Petiot n'omet aucun détail : le couteau, la matraque et le sang, tout y est. Toute l'assistance est muette d'horreur et d'effroi.

– Ces souteneurs, dit le président, portaient sur eux cinq millions de francs. Où sont-ils ?

Petiot éclate de rire. Il montre du doigt l'invraisemblable échafaudage de valises entassées derrière lui.

— Si cet argent existait vraiment, il doit être là ! Il va falloir faire garder la salle.

— Et les maîtresses de tous ces hommes. Fallait-il aussi les exécuter ? De quoi étaient-elles coupables ?

— Que vouliez-vous que j'en fasse ? C'étaient les maîtresses d'agents de la Gestapo. Elles nous auraient dénoncés !

La salle hurle son indignation. Peu importe. Il en faudrait beaucoup plus pour émouvoir Petiot. D'ailleurs l'instant d'après, pendant la suspension d'audience, c'est lui qui triomphe. On vient lui demander des autographes. Et il signe, il signe à tour de main jusqu'au moment où les gardes peuvent enfin l'arracher à la foule de ses admirateurs.

Mais on retombe très vite dans l'horreur, dès la reprise de l'audience. Le président évoque la disparition des Kneller : le père, la mère et l'enfant.

— Je leur ai fourni des faux papiers et trois billets pour Orléans. Les ingrats, ils ne m'ont envoyé une carte postale que quinze jours plus tard avec un seul mot : « Bonjour ! »

Le président :

— Petiot, n'aggravez pas votre cas ; expliquez-moi pourquoi on a retrouvé dans l'une de ces valises un pyjama rose d'enfant marqué aux initiales de la famille Kneller ?

Petiot ne perd pas son sang-froid.

— Auriez-vous emporté du linge sale, monsieur le Président, si vous aviez dû passer en zone libre ? Et n'auriez-vous pas été pressé de vous débarrasser d'un vêtement avec des initiales ?

Oui, mais la réponse, aussi habile soit-elle, sonne faux. Ce pyjama rose, ce témoin du meurtre d'un enfant, ne peut s'oublier ainsi. Nul doute qu'il ne hante longtemps la mémoire des jurés...

Le lendemain, Petiot reçoit. Oui, le 22 mars 1946, le docteur Satan, comme l'appellent certains journalistes, fait les honneurs de son hôtel particulier à la Cour tout entière : juges, jurés, avocats et journalistes. Un transport de Justice tout à fait exceptionnel que le président Léser a voulu, afin de comprendre comment fonctionnait le four crématoire et l'ensemble de l'usine à crimes de la rue Le Sueur.

– Il n'y a aucun mystère dans l'agencement de mon cabinet, a dit Petiot avant de quitter le palais de justice. Les façons de tuer que l'on me prête sortent de l'imagination des journalistes...

Oui, mais on ne prête qu'aux riches. Or, dans la manière d'envoyer son prochain dans l'autre monde, le docteur Petiot est incontestablement un expert. N'est-ce pas lui qui, à plusieurs reprises, a parlé de son arme secrète, une invention dont il ne veut rien dire... Mythomanie ou vérité ? Mais la justice en saura peut-être plus après cette extraordinaire audience rue Le Sueur.

14 heures. Les robes rouges des magistrats se mêlent aux robes noires des avocats. Il pleut. Une pluie fine, glaciale. Tout le monde s'engouffre dans les quinze tractions-avant qui attendent place Dauphine. Quel cortège ! Précédé par un peloton de motocyclistes, le roi Petiot traverse Paris. Petiot sourire aux lèvres, qui salue les piétons massés sur les trottoirs ou derrière les glaces embuées des bistrots.

14 h 20. On est arrivé. C'est un formidable embouteillage. On crie, on se bouscule, on se bat. Petiot, menottes aux poignets, sourit toujours. Il est chez lui, étrangement à l'aise.

– L'audience est publique, annonce le président Léser, en sortant de voiture.

On laissera donc les portes ouvertes ; mais il ne sera pas aisé d'entrer. Il faudra jouer du coude et affronter les poings et les poitrines de quelques agents de police musclés qui essaient de retenir la foule... Même l'avocat général Dupin a du mal à se frayer un chemin.

– A mort ! A mort ! Tuez-le !

Petiot, lui, est déjà entré. Très maître de maison. Il va faire visiter son hôtel, une magnifique bâtisse, un peu sévère toutefois... On pénètre dans l'immeuble, les cœurs sont serrés. Cette fois, on va approcher vraiment la réalité des crimes. Combien de clients de Petiot sont passés par cette porte et ne sont jamais ressortis ?... « De la lumière ! » On ne voit rien, on trébuche. L'électricité a été coupée. Jurés, magistrats, greffiers avancent en tâtonnant dans l'invraisemblable désordre de la première pièce. C'est le cabinet de travail de Petiot. Des tapisseries, un lit majestueux, des tableaux. Quel désordre et quelle poussière ! Mais quels trésors ! On avance dans la poussière. Une odeur de moisi se dégage de ce bric-à-brac. Un juré dit : « Ça sent encore la pourriture humaine ! »

Briquets en main, des journalistes ou des spectateurs fouillent dans la bibliothèque. Ici encore, comme dans l'appartement de Petiot, rue Caumartin, les images libertines sont nombreuses. A la faveur de l'obscurité, elles disparaissent dans certaines poches... Ce ne sont pas les premiers larcins de cette affaire.

Que sont devenus en effet certains objets scabreux de la collection du docteur Petiot ? Et en particulier un sexe de femme et trois sexes d'hommes naturalisés ! Oui, naturalisés ! Figurent-ils aujourd'hui dans la vitrine d'un appartement bourgeois de quelque inspecteur de police ? Ou bien ont-ils déjà été revendus ? Il eût été plus normal qu'ils figurassent parmi les pièces à conviction. Mais l'enquête et l'instruction de l'affaire Petiot, menées avant et après la Libération, donnent l'impression d'avoir été bâclées.

Enfin, on suit un étroit couloir. Voici la fameuse pièce triangulaire, cellule ou chambre à gaz. C'est ici que Petiot aurait tué ses victimes. Mais comment ? C'est ce qu'on voudrait comprendre aujourd'hui. On évoque d'abord le viseur, ce viseur fabriqué par Petiot lui-même, et incrusté dans la cloison. Grâce à cet appareil Petiot pouvait surveiller l'agonie de ses victimes. Oui, mais le viseur a disparu.

– Où est-il ? Où est ce viseur ? demande Me Floriot.

– Cet objet a été apporté à l'identité judiciaire.

– Appelez le professeur Sanié ! ordonne le président.

Ce digne personnage est le directeur de l'Identité judiciaire. Il accourt.

– Le viseur, je ne sais pas où il est...

Me Floriot éclate de rire.

– Ah ! Ah ! Si vous perdez vos scellés, maintenant !...

Pourquoi cette joie subite ? Eh bien, l'avocat de la défense voit là certainement une irrégularité qui lui permettra plus tard d'obtenir la cassation du jugement.

Quant à Petiot, il joue les outragés.

– J'aurais préféré que ce viseur soit là, j'aurais pu ainsi expliquer son fonctionnement à messieurs les jurés [1]...

Mais, bon prince, le médecin consent quand même à donner quelques explications. Dans cette pièce il voulait installer un appareil de radiothérapie, d'où l'épaisseur des murs propre à protéger des rayons X. D'où le viseur qui lui aurait permis de surveiller ses patients.

– Est-ce que ce cabinet aurait pu servir de cellule, demande le président ?

– Allons, répond Petiot, on voit bien que vous n'êtes pas du bâtiment. Les murs ont été construits en simple carreaux de plâtre... Ça ne tient pas... Alors, dites-moi comment il aurait fallu s'y prendre pour tuer dans ce trou?

– Dans ce cas, comment avez-vous exécuté vos victimes ?

Un juré intervient :

– Mais Petiot nous a dit qu'il avait aussi tué dans une camionnette.

– Oh, bien sûr ! réplique Petiot, on peut tuer partout !

Remarque de spécialiste agacé par ces amateurs, ces naïfs. Et puis l'accusé en a assez de toutes ces questions.

– Si je vous avais dit que je n'ai jamais tué, je compren-

1. Le « viseur » de Petiot est conservé au musée de la préfecture de Police.

drais votre entêtement, mais puisque je reconnais avoir exécuté plusieurs personnes, ici ou là, qu'est-ce que ça peut vous faire ?

Et Petiot, décidément très en verve, poursuit :

– Et puis, voyez-vous des traces de lutte sur les murs ? Non... Alors ?

Ce n'est pas tout. Petiot explique que cette chambre triangulaire ne pouvait pas servir de chambre à gaz. Ah, que de mensonges, que de calomnies ! Le président Léser lui-même, qui semble avoir abandonné la direction des débats, semble tout éberlué.

On repasse ensuite dans la cour intérieure. Dehors la foule hurle toujours : « A mort ! A mort !... »

– Silence à l'audience, dit calmement Petiot.

On arrive dans le garage, devant la fosse à chaux. La chaux qui devait engloutir les cadavres que le feu n'aurait pas consummés entièrement. Mais que se passe-t-il ? Soudain Petiot vacille.

– La tête me tourne, nom de Dieu !

Va-t-il avouer ?

Il défaille. Son avocat se précipite :

– Depuis le début du procès, il ne mange plus.

Enfin le docteur Petiot se ressaisit, et il lance à la cantonade :

– A l'étranger, toutes ces histoires vont nous faire passer pour des imbéciles !

Voilà, la visite est terminée. Avouons qu'elle ne nous a rien appris ; le mystère des assassinats reste entier. Petiot ricane ; la vérité se cache quelque part, derrière ces yeux vifs et noirs et ce masque de diable.

Quand l'audience reprend, à 17 heures, dans le cadre solennel de la cour d'assises, on a en tout cas l'impression de s'être déplacé pour rien. Mais cette journée des dupes n'est pas terminée. Des policiers, dont le célèbre commissaire Massu, viennent témoigner ; leur récit donne une nouvelle fois la preuve des manques et des incohérences de l'enquête. Un sac a disparu, un sac postal allemand, qui contenait un demi-cadavre. Où est-il passé ? Mystère. Et ce n'est pas fini : on apprend qu'après la découverte des valises, celles-ci n'ont pas été montrées aux familles des victimes. Pourquoi ? C'était l'Occupation ! L'Occupation qui explique beaucoup de choses, mais n'excuse pas tout... Et Petiot profite de toute cette confusion. Il se dresse soudain et lance à l'inspecteur Battut :

– Pouvez-vous dire combien de vrais patriotes arrêtés par vous ont été ensuite fusillés par les Allemands ?

Pas de réponse. Décidément, les policiers ne semblent pas très à l'aise. La seule information importante est donnée par l'inspecteur Casanova : « Les cadavres trouvés en forêt de Marly étaient ceux des membres de la Gestapo de la rue de la Pompe. Petiot ne peut pas revendiquer ces exécutions-là. »

Et l'audience commencée rue Le Sueur dans l'horreur va s'achever d'une façon burlesque. Le capitaine de gendarmerie Mourrot témoigne. A Villeneuve-sur-Yonne, ce gendarme était l'ennemi privilégié de Petiot, son souffre-douleur. Plus pandore que nature, le capitaine affirme :

– Ce Petiot, c'est un aventurier sans scrupule, j'ai dû lui dresser sept contraventions pour défaut d'éclairage et d'avertisseur.

Les spectateurs ricanent devant tant de maladresse. Ce soir, on est obligé de constater que ce procès piétine et que dans sa défense l'accusé Petiot a marqué des points contre l'accusation.

La petite dame en noir est terrorisée. Est-ce le regard du docteur Petiot qui lui fait si peur ? Est-ce le décorum de la cour d'assises ? En tout cas, c'est à peine si elle peut lever le bras pour prêter serment. Elle s'appelle Mme Ouschinow. Son mari, riche fourreur juif, était un ami et voisin de l'accusé. Sans doute, il a été la première victime de Petiot, le premier candidat à ces voyages pour l'inconnu et la mort.

— Petiot...

C'est l'avocat de Mme Ouschinow, Me Archevêque, qui prend la parole.

— Petiot, expliquez-nous pourquoi vous avez séquestré trois jours durant M. Ouschinow, rue Le Sueur ?

Petiot répond. Un Petiot moins vif, moins rigolard que les autres jours. En ce 25 mars 1946, ressent-il lui aussi la fatigue de ce long procès qui en est déjà à sa deuxième semaine ?

Petiot :

— Chez moi, à mon cabinet, rue Caumartin, il y avait toujours des oreilles qui traînaient. Ma femme, les bonnes, ma clientèle... Alors rien d'étonnant à ce que j'aie choisi un endroit discret pour remettre des faux papiers.

— Bravo, j'admire votre intelligence !

— Vous savez, mon cher Maître, l'intelligence est une question de comparaison.

Voilà, le docteur Petiot s'est retrouvé. Il excelle dans ces échanges de répliques, brèves et cinglantes.

Mme Ouschinow, tremblante, toujours apeurée, commence à déposer. Elle raconte :

— Un jour de 1942, le docteur Petiot a laissé entendre à mon mari qu'il connaissait un moyen de faire passer les juifs à l'étranger, en Argentine...

La femme en noir poursuit d'une voix faible. Son mari ne réfléchit pas longtemps ; il se sent menacé : les nazis peuvent l'arrêter et le déporter d'un jour à l'autre. Alors il faut partir. Ça vous coûtera 25 000 F, dit Petiot.

25 000 F, c'est une somme colossale. Mais c'est aussi la promesse d'une vie sauve. Le fourreur rassemble ses bijoux, ses objets de valeur. Il est prêt à partir ; sa femme le rejoindra plus tard. Il n'est pas question de la laisser seule. « Bravo, dit Petiot. Voilà une décision courageuse ! » Et c'est ainsi que le samedi 2 février 1942 M. Ouschinow prend le chemin de l'hôtel particulier de la rue Le Sueur.

Mme Ouschinow :

– Le docteur Petiot devait s'occuper de tout et notamment des vaccinations.

– Des vaccinations, s'insurge Me Archevêque, mais pourquoi aurait-on eu besoin de vaccins pour un voyage clandestin ?

Petiot se lève :

– Vous êtes complètement idiot. Vous savez très bien qu'il n'y a aucun règlement sanitaire pour entrer en Argentine. Je n'ai fait aucune piqûre...

Oui, mais ces mots de vaccins et de piqûres ont impressionné les jurés et les spectateurs. Petiot faisait-il croire à ses victimes qu'il devait les vacciner ? Et la seringue ne contenait-elle pas un poison mortel ?

Me Floriot, sentant le danger, intervient. Il s'adresse à Mme Ouschinow :

– Pourquoi n'avez-vous pas suivi votre mari ?

– Je ne suis pas partie pour des raisons de santé. Plus tard, en recevant des lettres de mon mari, j'ai constaté que son écriture était tremblée et j'ai commencé à me méfier.

Il faut revenir un instant sur ces lettres : des lettres écrites en style télégraphique, sans enveloppe et sans indication sérieuse de lieu... C'est le docteur Petiot qui les a transmises directement à Mme Ouschinow. Mais dès la première lettre celle-ci n'a plus confiance. Son mari est-il arrivé réellement en Argentine ? Et puis cette écriture qui lui ressemble si peu...

Petiot, une nouvelle fois, proteste :

– C'était un grand malade. Voilà pourquoi son écriture était tremblée. Sans compter l'inquiétude, le voyage... Allons tout cela ne tient pas debout. A-t-on retrouvé rue Le Sueur des vêtements de M. Ouschinow ?

– Non, dit le président, mais on a trouvé une valise lui appartenant.

– Un simple échange. Je lui ai prêté un sac, il m'a donné sa valise.

Mme Ouschinow sort. Cette femme qui porte depuis quatre ans le deuil de son mari est sans nul doute une rescapée. Autres rescapés, un couple, les Cadorel. Ils viennent témoigner. M. Cadorel, artisan-décorateur, voulait à tout prix quitter la France. Il a rencontré une rabatteuse du docteur Eugène, alias Petiot. Elle demande 90 000 F pour passer en Argentine. Cadorel rencontre Petiot.

– Moi et ma femme nous avons ressenti une impression de trouble. On sentait bien que malgré les promesses, il n'y avait rien derrière. Petiot nous a dit qu'il nous donnerait de faux papiers de diplomates et qu'il nous cacherait dans la cave d'une maison lui appartenant, où il nous ferait les vaccins requis.

La cave, les vaccins, on commence enfin à comprendre comment fonctionnait la terrible machine à tuer du docteur Petiot.

Alors, pourquoi ces deux-là ont-ils échappé au monstre ? Oh il s'en est fallu de peu, de très peu ! M. et Mme Cadorel ont remarqué que cet étrange médecin avait les mains sales. Un médecin aux mains sales : ce simple détail les a fait reculer. Et puis il y avait aussi l'argent : 90 000 F. Comment se procurer une telle somme ? Petiot, grand seigneur, avait d'ailleurs consenti à baisser ses prix. Il ne demandait plus que 25 000 F.

– Mais, dit M. Cadorel, c'était encore trop cher. Et puis tout cela n'a pas d'importance.

– Comment, pas d'importance ! s'exclame Petiot. Mais si, puisque ça vous a sauvé la vie !

L'assistance explose. Enfin, Petiot le cynique avoue. Car cette réplique, qui lui a échappé, est bien un aveu.

Petiot se reprend. Il essaie de se justifier. La foule hurle. Enfin, M. Cadorel poursuit et la fin de son témoignage est écrasant :

– Vous deviez nous faire des piqûres destinées à nous soustraire aux yeux du monde. Ce sont vos propres paroles. Avouez qu'il y avait de quoi se méfier.

Me Floriot pourra bien malmener les autres témoins, et même, brillamment, mettre en difficulté le ministère public qui n'a pas essayé de s'assurer par exemple que M. Ouschinow n'était jamais arrivé en Argentine, il reste que pour la première fois on a approché la terrible vérité.

Pourtant, Me Floriot s'agite. Il ne rate aucun effet d'audience.

— Monsieur l'avocat général, parmi tous les témoins que vous avez cités, trente n'ont pas été retrouvés. Personne pourtant ne prétend qu'ils ont été victimes de Petiot. Ah oui, vraiment, la découverte du charnier de la rue Le Sueur a été pour la police un événement trop commode : c'est bien simple, à chaque fois qu'une disparition reste inexpliquée on l'impute immédiatement à mon client. Mais où sont les preuves ? Et n'y a-t-il pas d'autres pistes à suivre que celle de Petiot ?

Belle envolée. C'est bien le jeu de la défense : semer le doute, toujours le doute, effacer ces images de piqûre, de cave, d'argent, de bijoux, de fourrure...

Mais, dès l'audience suivante, on replonge dans l'horreur : l'homme qui est appelé à la barre des témoins est, dans son domaine, une célébrité : c'est le fameux docteur Paul, médecin légiste. L'air bonhomme et presque gourmand, le médecin détaille la macabre découverte de la rue Le Sueur.

— Un minimum de dix victimes. Cinq hommes et cinq femmes. Aucune trace de balle, aucune fracture du crâne, aucune preuve permettant de conclure à l'asphyxie, au poison, à la strangulation ou au coup de couteau.

Et le docteur Paul, souriant, poursuit l'abominable inventaire :

— Trois types de fragments de cadavres : des corps presque entiers, des tas d'ossements calcinés ou cassés, et enfin deux cadavres entiers, l'un masculin, l'autre féminin, mais tous deux sans sexe ! Détail horrible. L'assistance en est secouée d'effroi... Impassible, le docteur Paul continue :

— Je n'ai pas l'habitude de me gargariser d'hypothèses, mais je peux dire que le dépeçage fut l'œuvre d'un habitué du bistouri connaissant parfaitement bien l'anatomie.

Petiot, vers lequel tous les regards se tournent, semble absent. Ce déballage ne l'intéresse pas. L'avocat général Dupin s'adresse au docteur Paul :

— Cela me rappelle tous ces corps repêchés dans la Seine en 1942.

— Effectivement, affirme le médecin légiste. Treize cadavres dépecés en petits paquets, dépecés par un professionnel. Je l'ai dit à l'époque ; c'est un médecin qui a fait ce travail.

Alors est-ce encore Petiot, dont les victimes seraient innombrables ?... Me Floriot intervient :

— Je vous ferai remarquer, cher docteur Paul, que mon client n'a jamais pratiqué de dissection lors de ses études médicales.

— Vous m'étonnez, réplique le docteur Paul, du tac au tac. Et, en tout cas, c'est regrettable, car Petiot dissèque fort bien.

— Vous n'avez pas le droit ! Dites : « Le dépeceur dissèque fort bien », et non Petiot !

Toujours souriant, le célèbre docteur Paul ne réplique pas et quitte la barre. Il est remplacé par le professeur Piédelièvre, chargé de déterminer la date des différents décès des corps de la rue Le Sueur.

Il avoue son impuissance ; le feu et la chaux vive ont rendu cette expertise impossible. C'est un point capital car, dans ces conditions, Petiot peut toujours prétendre que ces cadavres ont été acheminés rue Le Sueur alors qu'il était encore en prison à la suite de son arrestation par la Gestapo. Enfin, un autre scientifique, le docteur Griffon, directeur du laboratoire de toxicologie de la préfecture de police, vient dire que si l'on n'a pas décelé de traces de poison, cela ne veut pas dire qu'il n'y en ait pas eu. Et le toxicologue ajoute :

— La petite chambre triangulaire de la rue Le Sueur était suffisamment close pour retenir un gaz mortel.

M. Griffon évoque enfin les stocks énormes de morphine retrouvés chez Petiot, rue Caumartin.

– C'était pour pratiquer des accouchements sans douleur, se défend l'accusé. D'ailleurs, rue Le Sueur, il n'y avait pas de morphine.

C'est vrai : sur ce point au moins Petiot a raison et M. Griffon doit le reconnaître.

La fin de l'audience approche. Il reste à entendre les trois experts psychiatres qui ont examiné Petiot. Tous les trois, docteur Genil-Perrin, docteur Gourriou, docteur Heuyer, sont d'accord :

– Petiot est doué d'une remarquable intelligence, mais c'est un pervers qui a le goût du mal, un simulateur, un être amoral. Il est donc responsable, entièrement responsable.

Le docteur Gourriou ajoute :

– J'ai consulté les notes qu'il a obtenues à la faculté de médecine de Paris. Thèse de médecine : *Très bien* ; dissection : *médiocre*.

La salle croule de rire. Comme si, après tant d'évocations macabres, elle avait soudain besoin de se défouler, d'oublier. Petiot médiocre en dissection. Le brave docteur Paul doit ricaner... Alors Me Floriot attaque :

– Docteur Gourriou, les autres membres de la famille de mon client, sa sœur par exemple, sont-ils normaux...

– Oui, répond le psychiatre.

Sa sœur est parfaitement normale...

– Le malheur, réplique l'avocat en riant, c'est qu'il n'a pas de sœur !

Nouveau coup réussi de Me Floriot. En une phrase, il vient de faire oublier la mauvaise impression produite par les expertises des psychiatres. Mais, malheureusement pour lui, l'audience ne se termine pas à l'avantage du docteur Petiot. Les graphologues qui ont examiné les lettres écrites par les victimes de Petiot, et en particulier celles écrites par le fourreur Ouschinow, sont formels : ces lettres ont été dictées et rédigées dans un état d'agitation anormal.

Petiot, l'assassin, machiavélique qui pensait à tout, faisait donc écrire ses victimes avant de les occire. Des lettres qu'il envoyait plus tard aux familles afin de prouver que le voyage s'était bien terminé. C'est sur cette note sinistre que se termine cette audience.

Demain on entendra ceux qui ont peut-être été les complice du docteur maudit.

En effet, le 27 mars 1946, neuvième journée du procès Petiot, tout un monde ressurgit : le petit monde de la Collaboration, des trafics, des combines, du marché noir. Un monde sur lequel plane l'ombre menaçante de la Gestapo avec ses indicateurs, ses truands, ses victimes, juifs et Résistants.

Au milieu, Marcel Petiot, ou plutôt le docteur Eugène. Comme un poisson dans l'eau. En ces heures tragiques, il a compris. Il a su comment faire fortune. C'est simple : regardez ce Raoul Ferrier qui avance vers la barre des témoins. Il a 61 ans, il est posticheur rue des Mathurins. C'était un des rabatteurs de Petiot. Un homme banal, un homme qui ne paie pas de mine, un homme qui connaît beaucoup de monde et circule aisément dans les cafés à la recherche du candidat au voyage clandestin : « J'ai une combine, l'Amérique du Sud, garanti, en toute sécurité... » Ah, on l'entend bien, Ferrier, le roi de la combine... Mal assuré sur ses jambes il tremble quand le président lui demande :

— Quel était votre bénéfice personnel pour chaque passage ?

— Mais rien, rien du tout, monsieur le Président. Je n'allais pas tirer profit de la fuite de pauvres gens.

— N'avez-vous jamais cherché à savoir si les personnes que vous aviez aidées à partir étaient bien arrivées.

— Je ne vois pas pourquoi je me serais méfié du docteur Eugène. Et puis, il m'a montré des lettres provenant de Buenos Aires. Ça m'a donné confiance.

Il n'est pas bien curieux le posticheur de la rue des Mathurins ! En fait, chaque passage, quoi qu'il en dise, rapporte gros. Et puis, ce qu'il advient des voyageurs ne le regarde pas. Il ne veut pas savoir si le voyage s'arrête au 21 de la rue Le Sueur ; son complice et ami Pintard, maquilleur de cinéma, ancien chanteur de caf' conc', n'était pas plus curieux. Et pourtant ces deux-là ont bel et bien envoyé dix-neuf personnes à la mort... Leur absence de curiosité a coûté cher.

Le témoin suivant est très attendu. C'est le frère de Petiot, Maurice. Un Petiot triste, rabougri, terne. Car, c'est vrai, il ressemble beaucoup à... l'autre. Mais à ceci près qu'il n'a pas ce regard inquiétant qui fait toute l'étrangeté du docteur Petiot. Lui, Maurice, n'est pas docteur en médecine. Il est électricien et visiblement il souffre d'être le point de mire de tous ces gens.

– Parlez plus fort, demande le président.

– Je ne peux pas, répond Maurice Petiot d'une voix faible et cassée.

Maurice est malade, gravement malade. La salle se fait silencieuse pour entendre cet homme qui défend farouchement son frère. Jamais, non jamais il n'a cru à la culpabilité de Marcel. Des meurtres, oui, il en a commis, mais c'étaient des meurtres patriotiques. Et, pour lui, les cadavres dépecés de la rue Le Sueur ne peuvent être que ceux de soldats de la Wehrmacht.

On harcèle Maurice Petiot, on le presse de questions. Le témoin répond du mieux qu'il peut. On examine des points de détails, on se perd dans l'écheveau déjà si complexe de cette affaire. Dans son box, le docteur Petiot se lève :

– Plus ça va, plus on s'embrouille.

– Voilà, c'est ça, lui répond le président Léser, qui manifestement semblait penser à autre chose.

Les spectateurs s'esclaffent. On suspend l'audience. Petiot a encore eu le mot de la fin.

A l'audience suivante tous les hommes retiennent leur souffle : toque de loutre, cheveux roses, grosses lunettes, c'est Greta Garbo qui avance dans le prétoire vers la barre des témoins. Comme à Hollywood ! Non, c'est plus simplement une dame du nom de Eryane Kahan. Cinquante ans mais quelle allure ! Une beauté qui a joué un rôle capital dans l'affaire Petiot. Sa déposition est très attendue. D'origine juive, Eryane Kahan a rencontré le docteur Petiot dans le salon de coiffure du posticheur Fourrier. Très vite elle apprend que Petiot, alias Eugène, est à la tête d'un réseau d'évasion.

– Pour moi, Petiot était un dieu ! Le sauveur des juifs réfugiés...

Elle admire Petiot, elle a confiance en lui... Elle-même profiterait bien des services du bon docteur mais elle préfère d'abord lui adresser des amis, des amis riches bien sûr. Tous partiront pour ce voyage sans retour. Oui, Eryane Kahan, la belle Eryane, n'était-elle également qu'une rabatteuse ? Écoutons-la :

– Je comprends maintenant quel merveilleux appât j'étais pour lui. Il m'avait dit qu'il ne pouvait plus me quitter... D'ailleurs je me souviens qu'il m'a questionnée fort adroitement sur la situation de fortune de mes amis. Et sur la mienne. Mais moi, monsieur le Président, je suis fine mouche, j'ai bien senti qu'il en voulait à notre argent.

Pourtant cela ne l'empêche pas de continuer à envoyer des clients à Petiot. Que valent aujourd'hui ses larmes lorsqu'elle évoque, par exemple, les Baston, des gens charmants, traqués. Deux réfugiés qui s'étaient exclamés quand Eryane leur avait parlé du docteur Eugène : « Sont-ils merveilleux, ces Français, ils viennent en aide à des juifs étrangers sans même les connaître ! » Au banc de la défense, Me Floriot sourit. Il n'est pas le seul à penser que la dame Kahan « en fait trop ». D'ailleurs elle le perçoit elle-même et tente aussitôt de se défendre et de se justifier :

– Je suis juive ; je me sentais moi aussi poursuivie comme une bête malfaisante... On m'a présentée comme une aventurière, une pourvoyeuse, une rabatteuse, et même comme un agent de la Gestapo. C'est une ignominie ! On n'a pas le droit de maltraiter ainsi une pauvre femme !

Eryane Kahan extrait d'un portefeuille une carte !... C'est une carte de la Résistance. Et le témoin ajoute :

– Voici, monsieur le Président, des papiers qui attestent ce que je suis.

Le président Léser ne répond pas, mais l'avocat général Dupin acquiesce.

– C'est vrai, les renseignements recueillis sur Mme Kahan sont honorables du point de vue de la Résistance.

Alors Me Floriot se lève :

– Ah ça, c'est nouveau ! Dans votre dossier, M. l'avocat général, je lis au contraire que le témoin est une intrigante et que l'on doit se méfier de ses mensonges.

– Nous plaiderons plus tard, maître !

Mais non, Me Floriot ne veut pas en rester là.

– Combien le témoin touchait-il par passage ?

– Je ne touchais rien, dit Eryane Kahan.

Me Floriot ironise et attaque à nouveau.

– Mme Kahan n'a-t-elle pas eu une liaison avec un officier allemand ?

Le témoin proteste :

– C'était un Autrichien.

– Hitler aussi !

La réplique de Me Floriot fait mouche, la salle murmure. L'avocat poursuit :

– Mme Kahan vivait chez une logeuse qui recevait des Allemands. Curieux endroit pour se cacher des nazis... Et puis on l'a vue un jour au siège de la Gestapo.

– Peut-être, admet Eryane Kahan.

Mais le ton monte encore. Floriot accuse. Dupin, l'avocat général, proteste et tente de défendre le témoin. Les deux hommes s'affrontent, se dressent l'un contre l'autre ; le débat est si violent que le président doit lever la séance... A la reprise, Me Floriot reprend l'offensive. Il fait état d'un dossier pour intelligence avec l'ennemi concernant Mme Kahan.

– Qu'est devenu ce dossier ? demande l'avocat de Petiot.

– Je ne sais pas, répond le témoin d'une voix éteinte.

– Eh bien, moi, je le sais. Et je vais même vous donner son numéro...

On en est là quand soudain Petiot, qui semblait absent, s'écrie :

– On m'a vexé !

On se regarde. Que veut dire Petiot ? On lui demande de s'expliquer. Il le fait avec vingt-quatre heures de retard. Hier, en effet, le témoin Cadorel a dit qu'il avait été impressionné par les mains sales du docteur Petiot. Un médecin ne doit pas avoir les mains sales, c'est sûr... Petiot qui se reproche de n'avoir pas réagi sur le moment veut aujourd'hui s'expliquer.

– J'avais dû me salir en trifouillant mon vélo, dit-il.

Son explication est longue, laborieuse. Dans la salle on rit. Encore plus ulcéré, Petiot lance :

– Et même en supposant que j'aie eu les mains sales, moi au moins je ne les ai pas salies en les levant pour prêter serment à Pétain.

– Je ne vous permets pas d'être insolent, s'écrie le président.

– Insolent ? Envers qui ? Envers Pétain ?

Le président Léser n'insiste pas. Il sait que beaucoup de ses confrères ont prêté serment à Pétain. Il ordonne à Mme Kahan de se retirer. L'incident est clos. Mais la déposition de cette femme laisse une impression désagréable. Une fois encore, le procès Petiot laisse découvrir une société peu ragoûtante. Et l'on peut s'étonner que l'avocat général Dupin ait eu recours à de tels témoins.

Le contraste avec le témoin suivant n'en sera que plus saisissant : digne, émouvante, Mme Dreyfus est la veuve d'une des victimes de Petiot. Elle raconte la pitoyable histoire de son mari Yvan Dreyfus, un jeune et riche industriel alsacien, fournisseur d'émetteurs pour la Résistance. Il est arrêté par les Allemands et enfermé à Compiègne ; là il va se trouver malgré lui au centre d'une machination montée par des aigrefins et le commissaire allemand Yodkum, chargé des Affaires juives. De quoi s'agit-il ? La Gestapo a appris qu'un mystérieux docteur Eugène se vante de faire passer des juifs clandestinement à l'étranger. Il faut lui tendre un piège. Dreyfus sera l'appât. Des gangsters et un ancien commissaire de police contactent la famille Dreyfus : Yvan peut être libéré contre le versement d'une rançon. La famille paye. Ce n'est jamais assez. Il faut toujours plus d'argent. Au total 3 millions 400 000 F payés en or. Mais il faut aussi que Dreyfus accepte de signer deux lettres où il dit accepter de donner des renseignements aux Allemands. Dreyfus accepte. Ce qu'il veut c'est sortir et disparaître sans, bien sûr, tenir ses engagements. Dreyfus est libéré mais il ne sait pas à quoi il doit sa liberté. Un certain Guélin, qui a mené les transactions, se propose aussitôt de l'aider.

Mme Dreyfus :

– Guélin nous a conduits chez un coiffeur nommé Fourrier, rue des Mathurins. Nous devions y rencontrer le docteur Eugène, chef d'un réseau clandestin de voyage pour l'Amérique latine... Mon mari donna 175 000 F.

Ensuite, les choses traînent. Dreyfus attend le départ. Enfin, un jour, il boucle ses valises.

– Nous avions entassé ce que nous avions de plus beau, dit Mme Dreyfus : des diamants, des bijoux, une grosse somme d'argent en billets...

Yvan Dreyfus part. Sa femme ne le reverra jamais. Que se passe-t-il ce jour-là, 19 mai 1943 ? Il semble que Dreyfus, accompagné par Guélin, se soit d'abord présenté chez Fourrier. Mais celui-ci se méfie de Guélin qu'il soupçonne d'appartenir à la Gestapo. Les deux hommes réussissent à tromper sa surveillance et Dreyfus rejoint le docteur Eugène, place de la Concorde. De là il part pour la rue Le Sueur. Dreyfus a échappé à la Gestapo mais il a rendez-vous avec la mort.

– C'est faux ! hurle Petiot. Ce n'est pas moi qui ai exécuté cet homme-là. D'ailleurs, j'ai été arrêté le lendemain. Il était toujours rue Le Sueur et bien vivant. Ce sont mes camarades qui l'ont tué. Et ils ont eu bien raison. C'était un traître !

– Taisez-vous, Petiot !

Le président Léser n'a jamais été aussi ferme. Mme Dreyfus, épuisée, quitte la barre. Peu après on donnera lecture d'un télégramme de Pierre Mendès-France qui vient de parvenir à la Cour :

– J'apprends avec stupeur que Petiot a osé diffamer la mémoire d'Yvan Dreyfus. Les allégations de Petiot sont impensables pour ceux qui ont apprécié le caractère, le courage et le patriotisme de Dreyfus.

D'ailleurs un témoin viendra dire qu'Yvan Dreyfus à Compiègne était un Résistant parmi les plus fermes. Un des avocats de la partie civile, Me Henry, se lève :

– Petiot, pour quelle raison avez-vous été libéré par la Gestapo ? Cette question est capitale, j'exige une réponse !

Fou de rage, Petiot réplique :

– Pour insinuer ce que vous voulez insinuer, vous êtes un salaud ! Retirez votre question, salaud !

Me Henry ne retire rien, bien au contraire. Tous les avocats de la partie civile se lèvent et insultent Petiot. Devant cette tempête, le président fait évacuer la salle et suspend l'audience.

Silence dans la cour d'assises. Au centre du prétoire, l'huissier fait sauter les scellés. Il ouvre la valise et en sort une chemise et un chapeau. Ces deux pièces de vêtement pourtant bien banales vont pourtant être au centre de l'audience du 30 mars 1946.

– Petiot, reconnaissez-vous cette chemise et ce chapeau ?

– Le moment n'est pas venu pour moi de parler.

Le président Léser :

– Parlez, je vous l'ordonne !

– Je parlerai quand les autres témoins auront été entendus.

– Pas bête, riposte un avocat de la partie civile. Comme ça, vous aurez le temps de réfléchir.

Petiot se dresse dans son box :

– Je répète ce que j'ai dit : je parlerai, mais dans une demi-heure montre en main...

Puis, rigolard, il ajoute :

– Ne vous en faites pas. Mon Dieu, je ne m'en irai pas d'ici.

On rit dans la salle comme à chacun de ses bons mots. Mais en attendant que l'accusé veuille bien répondre, il faut expliquer la présence de cette chemise, de ce chapeau et aussi, hélas, la disparition du docteur Braunberger, telle que nous pouvons la connaître, telle qu'elle résulte de la déposition de sa veuve.

Un soir de mai 1942 les Braunberger font connaissance de Petiot chez un certain Raymond Vallée, qui est justement un cousin de Petiot. On parle des événements, de l'antisémitisme, de la persécution des juifs. Petiot laisse entendre qu'il connaît un moyen de quitter la France.

Un mois plus tard, le 20 juin à 8 h 30, Paul Braunberger, qui est riche, reçoit un coup de téléphone. On lui demande de voir un malade rue Durel. Rendez-vous est pris au métro Étoile. Le correspondant n'a donné ni son nom ni son adresse, mais il semble connaître le médecin. Trois heures plus tard, le docteur Braunberger n'est toujours pas rentré, mais Raymond Vallée, cousin de Petiot, remet à Marguerite Braunberger un pneumatique qu'il vient de recevoir : le médecin écrit – sa femme a reconnu son écriture – qu'il a failli être arrêté. Il demande à Vallée de prévenir sa femme. Qu'elle reste silencieuse et qu'elle prépare des valises avec leurs biens les plus précieux.

Deux jours plus tard, une lettre arrive au domicile du docteur Braunberger. Elle n'est pas datée. Elle contient à peu près le même message que le pneumatique. Puis à nouveau une lettre le 23 juin : le docteur Braunberger demande à sa femme de préparer son départ et surtout de ne rien dire à personne... Une dernière lettre arrive le 1er juillet : « Ma chérie, suis la personne qui te donnera des instructions pour me retrouver... »

Curieuse cette lettre, car elle n'a pas été donnée mais postée... Ce n'est pas la seule étrangeté... Ce « Ma chérie » qui commence cette missive et les précédentes est inhabituel. Jamais dans ses lettres le docteur Braunberger n'a appelé sa femme autrement que « Ma chère Maguy »... Et puis il y a l'écriture, tremblée, bizarre ; une écriture que les graphologues à la barre ont dit avoir été tracée sous la contrainte.

Ce n'est pas tout : le 24 juin, Raymond Vallée a reçu lui aussi une de ces lettres non datées : « Mon cher ami, écrivait le docteur Braunberger, je sais que votre cousin qui est médecin (il s'agit de Petiot, bien évidemment) a acheté un petit hôtel du côté de l'avenue du Bois. Voulez-vous me rendre le service de tout arranger avec lui pour y faire transporter mes meubles et tout ce qui se trouve chez moi. »

Bien sûr, Raymond Vallée n'en a rien fait et a averti Mme Braunberger. Pourquoi, en effet, s'est étonné Vallée, le docteur Braunberger a-t-il pensé à Petiot, Petiot qu'il n'avait rencontré qu'une fois dans sa vie ?

A la fin de son récit, Mme Braunberger accuse Petiot d'avoir fait disparaître son mari. La preuve : cette chemise et ce chapeau qui ont appartenu à son mari et que l'on a retrouvés dans le fameux stock de valises de l'accusé.

Raymond Vallée témoigne à son tour. On sent que cet agent immobilier n'est pas très fier du cousinage qui l'unit à Petiot... Il regrette bien de lui avoir présenté le docteur Braunberger... Soudain on entend un cri : tous les regards se tournent vers le box des accusés.

— Assieds-toi ! ordonne un des gardes à Petiot.

— Je vous défends de me tutoyer !

— Assieds-toi !

— Et moi, je t'emmerde ! hurle Petiot.

On n'a jamais entendu cela dans une cour d'assises. Que faire ? Le président Léser hésite un instant. Il demande au témoin de se retirer. Puis il le rappelle : en effet, comme Petiot voulait, semble-t-il, lui poser une question, il pourrait y avoir là un motif de cassation.

– Accusé, vous avez la parole.

Petiot a recouvré son calme. Cynique, il dit :

– Je voulais dire à mon cher cousin que je n'avais aucune raison de supprimer ce vieux juif.

Puis, calmement, Petiot affirme que le chapeau est de deux pointures au-dessus de celle du docteur Braunberger, qu'il n'a jamais été prouvé que la chemise appartenait au médecin et qu'il n'avait aucun intérêt à faire disparaître un vieil homme parti de chez lui sans argent.

Petiot s'empare de la chemise et du chapeau et les lance à la tête du greffier.

– Je ne veux plus entendre parler de tout cela ! dit-il.

On rit, on s'agite dans la salle. Où est la sérénité de règle dans une enceinte de justice ?

Enfin, l'avocat de Petiot, Me Floriot, prend la parole. Il va faire une démonstration éblouissante. Résumons :

Mme Braunberger a soutenu que le chapeau trouvé chez Petiot appartenait à son mari. Il portait les initiales P.B. et avait été acheté chez Gelot. Faux ! Le chapeau porte la marque Berteil... Alors Mme Braunberger explique que la maison Gelot étant fermée, elle a fait réparer le chapeau chez Berteil. Encore faux ! En 1942, la maison Berteil était fermée... Quant aux mensurations, eh bien, l'avocat a retrouvé sur un registe de chapelier les vraies mensurations du docteur Braunberger : elles ne correspondent absolument pas au chapeau que l'on a exhibé tout à l'heure.

– Alors, messieurs les jurés, demande Floriot, qu'en pensez-vous ?

La salle applaudit. Et, au milieu de ce tumulte, on entend Petiot, gouailleur :

– Pour le coup du chapeau, chapeau !

Alors que reste-t-il des accusations de Mme Braunberger ? Des présomptions, encore des présomptions !... Toujours pas de preuve ! Me Floriot le sait bien, qui s'ingénie en permanence à semer le doute dans l'esprit des jurés.

D'ailleurs, le temps des témoins à charge est terminé : la treizième journée, qui s'ouvre le 1er avril, est entièrement consacrée à l'audition des *bons* témoins, ceux qui vont couvrir Petiot de louanges : « Ah ! quel médecin ! » « Ah quelle générosité ! » « On lui doit tout. » « Mais si on lui avait laissé sa chance, il serait ministre aujourd'hui ! » La population de Villeneuve-sur-Yonne, dont Petiot est originaire et où il a été conseiller général, défile à la barre des témoins ; c'est un triomphe... Puis vient un authentique Résistant, le sous-lieutenant Lhéritier, qui a partagé pendant cinq mois la cellule de Petiot à Fresnes. Pour lui, pas de doute, cet homme qui lui a appris à résister à la torture, cet homme de caractère qui a réussi à faire passer des messages à l'extérieur, cet homme était un Résistant.

Me Floriot :

– Pensez-vous que pendant cinq mois un homme puisse dissimuler ces sentiments ?

– Impossible, répond Richard Lhéritier, je suis persuadé que Petiot n'agissait pas seul et que son parti faisait de la Résistance. Peut-être pas une Résistance officielle mais une Résistance quand même.

Troublant témoignage, le sous-lieutenant Lhéritier semble très sûr de lui. Aurait-il pu passer cinq mois dans la cellule de Petiot sans deviner que le médecin était un personnage trouble, un monstre ? L'audience se termine sur cette interrogation.

Le lendemain, on entend les neuf plaidoiries des avocats de la partie civile. Une journée interminable, un torrent oratoire. Petiot somnole, la salle somnole, Floriot somnole. Et pourtant tous ces avocats, dont le talent n'est pas en cause, plaident pour les disparus, les victimes, dont il ne reste, pitoyable souvenir, que ces valises disparates empilées derrière le dos de l'accusé.

Retenons quand même la fin de la plaidoirie de Me Véron, avocat des familles Valbert, Baston, Kaeller et Dreyfus.

– Il est une légende que vous connaissez, celle des naufrageurs. Des hommes cruels qui dressaient sur les falaises des feux destinés à attirer les navigateurs en détresse pour leur faire croire que c'était quelque navire. Et les navigateurs confiants se lançaient sur les récifs et se perdaient corps et biens, tandis que ceux qui prétendaient les sauver s'enrichissaient de leurs dépouilles. Eh bien, Marcel Petiot, c'est cela : le faux sauveteur ! Il attire les gens sous prétexte de les sauver puis il les assassine après avoir abusé de leur instinct de conservation. Moi, Me Véron, je demande la tête du naufrageur !

Le silence retombe dans la salle. Petiot le naufrageur, pour une fois, n'ose pas répliquer. Il est presque 17 h 30 et l'avocat général Dupin, à son tour, va accuser Petiot. On attendait cet homme qui a trop souvent semblé accablé par l'énormité du dossier et l'ironie de l'accusé.

– Les archives de la cour d'assises de la Seine, affirme le représentant du Ministère public, n'offrent aucun exemple d'une telle horreur. Même Landru n'arrive pas à la hauteur de cet épouvantable simulateur, cet illusionniste talentueux, ce menteur invétéré...

On regarde Petiot. Que fait-il ? Il dessine. Oui, pendant que l'avocat général l'accable, il caricature Dupin. Tel est Petiot... Un haussement d'épaules et il recommence son dessin, indifférent à toute justice, insensible à toute émotion.

– Petiot n'a travaillé ni pour ni contre la Résistance. Ce n'est qu'un petit assassin civil de droit commun. Un assassin dont on a fait trop de cas...

Et l'avocat général reprend un à un les cas de tous les disparus, de toutes ces femmes, de tous ces hommes assassinés par Petiot dans des circonstances qu'au quinzième jour du procès nous ne connaissons toujours pas. Mais soudain le président Léser se lève. Il est tard, trop tard : l'avocat général devra terminer son réquisitoire demain. Petiot le regarde, narquois : le spectacle n'est toujours pas terminé.

Le visage couleur de cendre, le regard étincelant, Petiot observe tous ceux qui sont venus assister à l'hallali : curieux, vedettes, diplomates, hommes politiques, ils se pressent sur les bancs du public. On transpire, on frissonne, on a le cœur battant. Ce soir, enfin, on saura. Isolé dans son box, un homme joue à quitte ou double avec la mort. C'est sans doute le dernier spectacle qu'il offre à la société en ce 4 avril 1946. Le docteur Petiot n'entend pas rater sa sortie.

Il est 13 heures et l'avocat général Dupin va poursuivre son réquisitoire interrompu la veille au soir.

– Le moment de la justice a sonné...

L'avocat général Dupin va conclure. A plusieurs reprises, le président Léser demande le calme. L'avocat général poursuit :

– Non, nous ne laisserons pas Petiot souiller plus longtemps le souvenir sacré de la Résistance française ! Il faut faire cesser ce blasphème.

Alors, Petiot, un grand sourire aux lèvres, s'écrie :

– Ça, c'est signé : procureur général de l'État français !

L'assistance fait un sort à cette réplique ; l'avocat général très vivement s'écrie :

– Allons, Petiot ! Le rôle de justicier ne te convient guère.

– Ni à toi !

Après cet éclat, l'accusé se rassoit. L'avocat général conclut :

– J'exprime le vœu que Petiot rejoigne promptement ses victimes.

Étrange formule ! Pourquoi Me Dupin n'a-t-il pas demandé la mort très clairement. Pourquoi cette périphrase ? Décidément, dans ce procès rien n'est ordinaire.

Il est maintenant 15 heures et Me Floriot va commencer une plaidoirie qui durera 6 heures et 50 minutes. C'est une vague énorme qui bouscule tous les faits, toutes les présomptions. Me Floriot est sûr de lui. La preuve ? Il ne plaide pas l'irresponsabilité de son client. Or, la démence aurait pu être soutenue, étant donné le passé médical de Petiot, étant donnée l'attitude insolente, déraisonnable de l'accusé tout au long de son procès. Mais Floriot a choisi la solution la plus courageuse pour son client : s'il perd, ce sera l'échafaud pour Petiot.

Reprenons dans le détail cette extraordinaire plaidoirie. L'avocat démontre d'abord que Petiot a été victime de l'opinion publique.

— Replaçons-nous, dit Floriot, dans l'atmosphère de la Libération : il y a le charnier de la rue Le Sueur, l'information selon laquelle plusieurs victimes sont isréalites et des articles de journaux qui insinuent que Petiot est un agent de la Gestapo. Voilà, c'est très simple. Petiot ne peut avoir été un Résistant car il déshonorerait la Résistance tout entière. Alors il faut en faire un forban à tout prix. Il faut l'accabler de tous les vices, de toutes les forfaitures. Mais ces accusations ne résistent pas à l'examen des faits. Que nous apprennent les enquêtes de police, les deux cents clients de Petiot, qui ont été entendus à Villeneuve-sur-Yonne ? Que Petiot était un médecin admirable, qu'il se dévouait corps et âme à ses malades. N'a-t-il pas soigné pendant cinq ans une petite fille leucémique, sans demander d'honoraires, alors qu'il venait la voir tous les jours ?

« Et cet autre enfant de Bagnolet qu'il a sauvé et qu'il a visité des mois entiers...

« Alors, bien sûr, il y a une ombre à ce tableau, une seule : une affaire de stupéfiants ; mais mon client a été condamné en son temps. Il a payé. »

Petiot hoche la tête. Il approuve. Il tient enfin sa revanche. Voilà quel homme il était... Dans la salle, pas un souffle, pas un murmure.

Me Floriot en vient à la rue Le Sueur et à la découverte des corps brisés, dépecés, certains brûlant dans le calorifère, d'autres gisant dans la fosse de chaux vive.

– Mon client a reconnu que la fameuse chambre triangulaire avait été utilisée comme cellule. Et s'il a nié avoir amené les cadavres qui brûlaient rue Le Sueur, il a admis avoir exécuté des gens rue Le Sueur. Alors ce décor n'a pas d'intérêt. Car d'autres sont venus. Qui ? N'a-t-on pas tué dans cet hôtel d'autres personnes que Petiot ne connaissait pas ? Et pourquoi nierait-il avoir tué celles-là, alors qu'il a avoué pour les autres ?

« Non ! La vérité, c'est que Marcel Petiot était un Résistant. Les débats ont démontré que Petiot avait eu constamment une attitude anti-allemande. Il a délivré de faux certificats pour les travailleurs français appelés par le STO, il a averti des juifs avant une rafle, il a caché un réfractaire, il a subi les tortures de la Gestapo. Est-ce parce qu'il n'a pas eu de contacts établis avec la Résistance officielle qu'on peut nier sa qualité de Résistant. Non ! car avant même son inculpation, alors qu'il était enfermé par les Allemands, il a évoqué l'existence du groupe « Fly-Tox ». Et puis, s'il peut établir qu'il a fait de la Résistance en tuant par patriotisme, qui peut lui reprocher de ne pas avoir appartenu à un réseau ?

« Alors voici les faits débarrassés de leurs implications politiques : on reproche à Petiot vingt-sept meurtres. Petiot en conteste huit mais en reconnaît dix-neuf. Si l'accusation démontre qu'il a tué une seule des huit personnes qu'il nie avoir assassinées, alors il faut le condamner. Quant aux dix-neuf autres, c'est à nous de prouver qu'ils appartenaient à la Gestapo et nous allons le faire.

L'avocat reprend cas par cas les vingt-sept dossiers.

– Les souteneurs, les prostituées, les clients de Mme Kahan, tous des complices des Allemands que mon client est fier d'avoir supprimés. Petiot a épuré à sa manière. Par patriotisme. Les huit autres ? Ah ! les huit autres !... Eh bien il n'y a pas de preuve. Non, aucune preuve contre Petiot. C'est si vrai qu'on a même cherché à attribuer à Petiot tous les crimes impunis de l'époque !

Et l'avocat revient une nouvelle fois longuement sur la disparition du docteur Braunberger, et sur cette chemise et ce chapeau qui n'ont jamais appartenu au médecin. La démonstration de l'avocat est étourdissante.

– Alors, messieurs les jurés, dit encore Me Floriot, c'est sous le nombre que je risque de succomber. Mais ne vous y trompez pas, le nombre est artificiel. Tenez-vous-en aux faits. Rien qu'aux faits.

Il est 21 h 50. La plaidoirie de René Floriot s'achève. Le président Léser se tourne vers Petiot.

– Petiot, qu'avez-vous à ajouter pour votre défense ?

Pâle, éteint, détaché. Petiot balbutie :

– Rien, rien du tout.

Mais quelques secondes plus tard, il ajoute sur un ton très mélodramatique :

– Messieurs les jurés, vous êtes français ; j'ai supprimé des membres de la Gestapo. Vous savez ce qu'il vous reste à faire !

La Cour se retire pour délibérer. Les jurés doivent répondre à cent trente-cinq questions, pas moins. Deux longues heures se passent. Il est presque minuit.

– Messieurs, la Cour !

Sur son banc Petiot est endormi, le visage écrasé sur son coude. Oui, il dort, alors qu'on va annoncer s'il vivra ou s'il mourra.

Me Floriot le secoue à plusieurs reprises ; hébété, Petiot se redresse :

– Oui, oui, oui...

Cent trente-deux fois les jurés ont répondu OUI aux questions qui leur étaient posées. Petiot est reconnu coupable de vingt-quatre meurtres... Il mérite vingt-quatre fois la mort.

— Petiot, vous êtes condamné à être guillotiné !

Le condamné n'a pas bougé. Encore ensommeillé, il tapote le rebord de son box d'une main indifférente. Le Président continue la lecture de la sentence, tandis que Petiot bavarde tranquillement avec Me Floriot. La mort compte-t-elle pour cet homme hors du commun ? On peut en douter. La mort était sa voisine, sa complice, sa familière. Petiot la connaît bien. Il l'a vue si souvent se glisser dans le regard de ses victimes. Pourtant une dernière fois, Petiot, comme un fantôme, se dresse dans son box :

— Il faudra me venger !

A qui s'adresse-t-il ? A tous ces spectateurs qui ont suivi, haletants, les seize audiences ? Peut-être, mais il est trop tard, le rideau tombe.

Marcel Petiot a été exécuté le 25 mai 1946 dans la cour de la prison de la Santé. Il a marché jusqu'à l'échafaud sans un mouvement de peur. Sa dernière phrase a été :

— Je vous en prie, ne regardez pas, je crains que ce ne soit pas très beau et je voudrais que vous gardiez de moi un bon souvenir[1].

1. On a trouvé dans sa cellule un manuscrit de plus de deux cents pages où Petiot traite de la chance. Pathos parfois délirant qui contient néanmoins, ici et là, de profondes et originales réflexions sur le hasard et certaines concomitances. Petiot avait lu Pascal. Son écriture heurtée, désordonnée, trahit un déséquilibre mental incontestable.

11. Les quatre sergents de La Rochelle

A Paris, le mercredi 21 août 1822, en pleine canicule, s'ouvre au palais de justice le procès tant attendu du complot de La Rochelle. La cour d'assises est bondée ; les couloirs du palais sont envahis par une foule de militaires et de femmes qui feraient n'importe quoi pour avoir accès au prétoire. Il y règne pourtant une chaleur insupportable... On veut voir les vingt-cinq accusés, dont douze sont considérés comme « dangereux » alors que les treize autres sont qualifiés de « comparses ».

Parmi les « dangereux », les « meneurs », se trouvent ceux que la foule désigne comme les « quatre sergents de La Rochelle ». Leurs noms sont déjà connus de tous : Bories, Pommier, Goubin et Raoulx.

A leur apparition dans le box, la réaction de la foule est spontanée, comme un cri : « Dieu ! Comme ils sont jeunes ! »

Et c'est vrai qu'ils sont jeunes. Vingt-cinq accusés et 25 ans de moyenne d'âge. Certains même ont gardé quelque chose de l'enfance, qui contraste étrangement avec leur habit militaire.

Le président, M. le conseiller de Monmerqué, prend place. A sa droite, l'avocat général, M. de Marchangy. En face, la longue file des prévenus et de leurs défenseurs.

L'huissier donne aussitôt lecture de l'acte d'accusation, rédigé par M. de Marchangy. C'est le récit de l'aventure de ces jeunes gens, une aventure rocambolesque, qui prend par moments des allures d'opérette.

Tout commence en 1821 au 45ᵉ régiment de ligne cantonné à Paris, en plein Quartier latin. Six ans après la Restauration — ce n'est un secret pour personne — bien des unités de l'armée sont restés bonapartistes, et c'est le cas du 45ᵉ de ligne qui vit au contact quotidien des étudiants du Quartier, lesquels ont, pour le moins, mauvais esprit.

Le premier accusé est le sergent-major Jean-François Bories. C'est lui qui a tout déclenché le jour où il a adhéré à la Charbonnerie.

L'acte d'accusation décrit par le détail ce mouvement révolutionnaire clandestin, importé d'Italie, mi-républicain mi-bonapartiste, et dont le but affiché est le renversement de Louis XVIII et des Bourbons.

Sur le plan local, la Charbonnerie française est divisée en « ventes », c'est-à-dire en cellules. Au-dessus, se trouvent des « ventes centrales », puis des « hautes ventes », et enfin la « vente suprême », dont on murmure qu'en font partie les députés libéraux les plus en vue : Manuel et Dupont de l'Eure, notamment, et dont le chef ne serait autre que La Fayette, le héros de l'Indépendance américaine, aujourd'hui âgé de 64 ans.

Au 45ᵉ de ligne, on n'aime pas les Bourbons, et Bories n'a eu aucune difficulté à y constituer une « vente ». Ses plus proches compagnons sont trois autres sergents : Jean-Joseph Pommier, Charles-Paul Goubin et Marius Raoulx.

Fin 1821, la Charbonnerie met au point le projet d'un coup d'État militaire dont l'exécution est confiée au général Berton. Berton est un être bavard, impulsif et faible, et les conjurés auraient sans doute préféré quelqu'un d'autre à leur tête, mais il est d'un bonapartisme à toute épreuve, et surtout il est le seul à avoir accepté de jouer ce rôle de chef. Dans ce complot, le 45e de ligne doit jouer un rôle essentiel, puisqu'il est stationné à Paris et que c'est bien naturellement de Paris que tout doit partir.

Mais au début de 1822, en raison précisément de son mauvais esprit, le 45e de ligne est muté à La Rochelle. Qu'à cela ne tienne ! Une réunion fiévreuse se tient dans l'arrière-salle d'un café du Quartier latin, au cours de laquelle un responsable de la Charbonnerie, Nicolas Hénon, ancien officier devenu instituteur, harangue les conjurés.

Le coup d'État doit désormais avoir lieu sur le trajet du 45e de ligne. Le général Berton soulèvera la garnison de Saumur, Bories et ses camarades lui prêteront main-forte par la suite. Avant le départ, Bories reçoit, des instances supérieures de la Charbonnerie, tout le matériel, ou plutôt l'attirail prévu : des foulards de couleur servant de signe de reconnaissance, des cartons déchirés dont les complices auront sur place l'autre moitié, et enfin les fameux poignards de la Charbonnerie à lame moitié or, moitié azur.

Le régiment prend la route le 22 janvier. Bories a recommandé à ses camarades la plus grande discrétion. Mais, à peine arrivé à Orléans, la première étape, Bories lui-même se bat avec un garde suisse qui l'invitait à trinquer à la santé de Louis XVIII. Condamné à être incarcéré dès que le régiment aura atteint La Rochelle, il sera surveillé par un garde armé pendant tout le reste du trajet.

Et comme si cela ne suffisait pas, à Poitiers, l'étape suivante, Bories, logé chez un colonel en retraite, lui dévoile après dîner tout le complot. Naturellement, l'ancien officier s'empresse de tout raconter au général Despinois, commandant la région de l'Ouest. Et, dès l'arrivée à La Rochelle, Bories est enfermé dans la célèbre tour de la Lanterne.

Pendant ce temps, le général Berton déclenche son insurrection. Le 24 février 1822, à la tête d'une cinquantaine d'hommes, il se rend maître de la garnison de Thouars, composée... de cinq gendarmes. Le général s'attarde à fêter cette brillante victoire et, quand il se présente, le lendemain à Saumur, les autorités ont eu tout le temps de se ressaisir. Bien loin de fraterniser, la garnison de Saumur pointe ses canons sur les conjurés. Le général Berton s'enfuit en toute hâte et se retrouve à La Rochelle.

Là, le moral des éléments de la Charbonnerie revient au beau fixe. Certes, Bories est en prison, mais il y a le général Berton. C'est de La Rochelle que partira l'insurrection victorieuse, fixée maintenant au 17 mars.

Il y a un nouveau venu parmi les conjurés : le sergent Goupillon, lui aussi du 45e de ligne. Il se distingue par ses propos incendiaires, au propre comme au figuré. Pour lui, pas de demi-mesures : il faut mettre le feu à la caserne, égorger les officiers... On a du mal à le convaincre de patienter jusqu'à la date prévue.

Mais le 17 mars il ne se passe rien. Dans la précipitation de sa fuite, le général Berton a oublié son uniforme à Saumur. Et un général prenant la tête d'un coup d'État militaire habillé en civil... non, vraiment. L'insurrection est reportée.

Pourtant il est trop tard. Ce contretemps a porté un coup fatal au moral du sergent Goupillon. Il craque, il va trouver ses chefs et leur raconte tout. La « vente » du 45e de ligne est arrêtée en bloc. Le général Berton parvient à s'enfuir, mais il sera pris un peu plus tard et il est actuellement incarcéré à Poitiers, où il sera jugé dans les jours qui viennent.

C'est cela, l'équipée des quatre sergents de La Rochelle, une histoire un peu folle où les maladresses ont succédé aux maladresses. Un complot naïf, presque puéril, et qui ferait plutôt sourire.

Pourtant, personne ne songe à rire, ce 21 août 1822, au palais de justice. En faisant juger le procès à Paris, sous prétexte que c'est de là qu'est parti le complot, il est évident que le gouvernement et le Trône ont choisi de faire un exemple en effrayant l'opposition bonapartiste et républicaine.

L'acte d'accusation rédigé par M. de Marchangy se termine d'ailleurs sur des phrases lourdes de menaces. Le complot de La Rochelle « se rattache à un vaste plan d'insurrection contre les trônes et contre chaque famille de citoyens, menacée d'être replongée dans les horreurs de l'anarchie ». Il fait partie également d'une conspiration internationale qui regroupe les carbonari italiens et les décabristes russes.

Un silence pesant succède au discours de l'accusateur. Si les accusés l'ont écouté avec la plus grande impassibilité, l'assistance, elle, est glacée d'effroi. On sait maintenant que M. de Marchangy fera tout pour obtenir la tête des quatre sergents de La Rochelle.

Ces jeunes gens qui ont juré, lorsqu'ils sont entrés à la Charbonnerie, de se taire jusque sur l'échafaud, seront-ils fidèles à leur serment ? C'est la question que chacun se pose, avec inquiétude ou avec espoir, le matin du 22 août 1822, dans les couloirs du palais de justice, juste avant l'ouverture de la deuxième journée du procès. On murmure en effet que si les quatre sergents, au cours des débats, passent des aveux complets, s'ils donnent, en particulier, le nom de leurs chefs, ils pourront compter sur l'indulgence du roi.

Les interrogatoires commencent. D'abord celui du sergent Pommier Jean-Joseph, 25 ans, originaire de Pamiers, dans les Pyrénées. Le jeune homme parle d'une voix ferme, et l'on sent tout de suite que sa défense sera celle de ses trois camarades.

Après son arrestation, il a pourtant signé des aveux devant le général Despinois, commandant de la région de l'Ouest. Mais à présent il nie tout.

Le président Monmerqué donne lecture des aveux écrits de Pommier. Le sergent ne conteste pas l'authenticité de ce document, mais il affirme que c'est le général Despinois lui-même qui le lui a dicté.

– Le général Despinois m'a recommandé de faire ces aveux en me disant qu'ils me sauveraient, explique-t-il.

– Comment avez-vous pu faire l'aveu d'un si grand crime dans l'espoir d'être sauvé ? demande le président, surpris.

– Le général Despinois m'a menacé cent fois de me faire passer en conseil de guerre. Il m'a dit que si je ne parlais pas, je serais fusillé avec mes compagnons dans les cinq jours.

Il n'y a plus rien à tirer de Pommier. Le président passe à l'interrogatoire de Bories. Jean-François Bories, sergent-major, né à Villefranche, dans l'Aveyron, est un soldat exemplaire, qui a été blessé à Waterloo. C'est son bonapartisme farouche qui l'a poussé à rejoindre les rangs de la Charbonnerie. Grand, les traits fins, ce fils de paysan âgé de 26 ans s'est fait sa propre éducation à force de lectures, et c'est lui que l'on considère comme l'âme et le cerveau des quatre sergents.

D'emblée, il adopte la même attitude que son camarade Pommier. Il nie tout avec toute la fougue de sa jeunesse, contre toute évidence, toute vraisemblance.

– Il résulte des faits que vous avez créé dans le 45e régiment une « vente » composée de sous-officiers, commence le président Monmerqué.

– C'est faux, réplique Bories. Il s'agissait de fonder une société philanthropique pour donner des secours aux militaires malades. Et il y en avait beaucoup...

– Comment entrait-on dans votre société ?

– En donnant vingt sous par mois.

– Quelle était la formule du serment ? A quelle peine s'exposait-on si on y manquait ?

– A aucune...

– Cependant, insiste le président, tous vos compagnons ont déclaré – et vous également – qu'ils avaient prêté serment sur un sabre ou un poignard.

– Les francs-maçons ont des serments bien plus terribles et ils sont purement symboliques, répond tranquillement Bories.

Comme il se montre décidément tout aussi intraitable que son camarade Pommier, on passe au troisième sergent, Charles-Paul Goubin, 20 ans, originaire de Falaise, en Normandie. Non seulement il a passé des aveux, comme les autres, devant le général Despinois, mais il les a réitérés devant le conseiller Cassini, chargé de l'instruction. Et voilà qu'aujourd'hui il nie, lui aussi. Il nie avec une effronterie proche de la provocation.

... C'est le général Despinois qui lui a tout suggéré. C'est invraisemblable, peut-être, mais c'est ainsi. Tous les détails qu'il a donnés sur la Charbonnerie, c'est Despinois qui les lui a soufflés.

C'est maintenant au tour du dernier des quatre sergents, Marius, Charles Bonaventure Raoulx, un Méridional de 24 ans, originaire d'Aix-en-Provence. Comme il fallait s'y attendre, il revient sur ses aveux avec autant de fermeté que ses trois camarades. La Charbonnerie ? Il ne connaît pas... Un complot ? Il n'y en a jamais eu... A lui aussi, on a dicté ses aveux en le menaçant de le fusiller.

L'interrogatoire suivant est celui du sergent Goupillon, celui qui a dénoncé ses camarades aux autorités militaires et qui porte bien mal son nom d'église accolé à ses deux glorieux prénoms de César-Alexandre. Confronté à ses anciens amis, mal à l'aise, visiblement honteux, il tente toutefois de se racheter... Il a bien parlé d'un complot, mais finalement rien n'est moins sûr. En fait, il n'y a jamais été question de complot.

Tout cela semble incroyablement léger, enfantin, à l'image des accusés, de ces quatre jeunes gens qui se sont lancés, les yeux fermés, dans une entreprise insensée et qui s'entêtent maintenant à nier l'évidence, comme des collégiens pris en faute.

L'assistance, elle, est grave, silencieuse, comme si elle réfléchissait sur le serment prêté par ces jeunes gens.

Les quatre sergents, désormais, ne sont plus les acteurs légers d'une entreprise qui les dépassait. Ce sont maintenant des hommes qui savent ce qu'ils font. En refusant de répondre et de nommer leurs chefs, ils risquent délibérément leur tête.

Mercredi 5 septembre 1822. La quatorzième journée du procès du complot de La Rochelle vient tout juste de se terminer.

Pendant deux semaines on a assisté à l'interminable défilé des témoins. Des témoins qui n'avaient rien à dire qui soit de quelque importance, tant les faits, dans cette histoire, sont à la fois confus et bénins. Ce n'est que le 29 août, lors de la neuvième journée, que les choses sérieuses ont commencé avec le réquisitoire de M. de Marchangy.

Louis-Antoine de Marchangy, né en 1782, substitut de procureur sous l'Empire, a publié en 1813 une *Gaule poétique*, espèce de bric-à-brac moyenâgeux en huit volumes qui a connu son heure de gloire. Mais il y avait une ombre sur la carrière de ce magistrat qui taquine la muse : son ancien bonapartisme. Ainsi s'est-il découvert tout d'un coup de vifs sentiments royalistes, et, depuis lors, les Bourbons n'ont pas de procureur plus inflexible que lui. Tout récemment encore, il a manifesté son ardeur légitimiste en plaidant, avec une véhémence qui a surpris, contre Béranger, poursuivi pour avoir écrit des chansons séditieuses.

Son réquisitoire contre les quatre sergents est impitoyable. En bon homme de lettres, Marchangy l'a déjà fait imprimer avant même de le prononcer, et il s'étale sur cent quatre-vingt-seize pages. C'est une interminable dissertation au style ampoulé, redoutable cependant, puisqu'il réclame la peine de mort pour les quatre jeunes gens.

— Si c'est à Paris que s'est organisé un comité corrupteur qui a entrepris le bouleversement de la société, s'écrie pour conclure le procureur tourné vers les jurés, c'est là aussi que se trouvent des hommes intègres et inébranlables qui, en brisant les instruments des complots, prouveront que dans la capitale des lys fleurit encore l'amour de la justice et la fidélité...

Pendant tout le temps du réquisitoire, le sergent-major Bories a dormi.

Les audiences suivantes ont été consacrées aux plaidoiries des avocats. La principale étant celle de Me Merilhou, avocat du sergent Bories. Ce n'est un secret pour personne : Me Merilhou, de même que certains de ses confrères présents dans le tribunal, est intéressé à titre personnel aux débats. Il est en effet de notoriété publique qu'il fait partie de la « haute vente » de la Charbonnerie. C'est un des chefs de Bories et de ses camarades. Il aurait suffi d'un mot de son client ou de l'un de ses compagnons pour qu'il se retrouve, lui, au banc des accusés. C'est Me Merilhou, comme La Fayette et les députés libéraux, que Bories et ses camarades sont en train de protéger par ce silence qui risque de leur coûter la vie. Cela, tout le monde le sait, et le public assiste, mi-ébahi, mi-indigné, à ce spectacle rare d'un avocat plaidant pour un client qui est bien moins coupable que lui.

Me Merilhou s'acquitte au demeurant fort bien de sa tâche. Il souligne en particulier un point sur lequel reviendront à leur tour les autres défenseurs. Ce procès est inique, il est même scandaleux. Car le droit français est formel : il ne peut y avoir de délit s'il n'y a pas commencement d'exécution. Un projet, même s'il s'agit de complot contre l'État, n'est pas un crime. Il y a bien eu l'insurrection du général Berton à Thouars et à Saumur, et il est possible que la « vente » du 45e de ligne ait dû y prêter main-forte. Mais la chose ne s'est pas faite. Il n'y a donc pas de délit, et pas d'action judiciaire possible.

Abordant le cas particulier du sergent Bories, Me Merilhou rappelle d'autre part qu'au moment des faits, son client était incarcéré à La Rochelle et qu'il n'a pu, par conséquent, prendre aucune part à quelque action que ce soit.

Les journées suivantes sont occupées par les plaidoiries des avocats des autres accusés : vingt-cinq plaidoiries qui, en substance, répètent toutes la même chose : il ne saurait y avoir de délit puisqu'il n'y a pas eu de passage à l'acte. Les accusés ne sont donc coupables... de rien.

La seule sensation est venue d'un jeune avocat, Me Chaix d'Est-Ange, défenseur d'un obscur comparse, le soldat Bicheron. Dans son réquisitoire destiné à étayer une accusation chancelante, l'avocat général Marchangy avait évoqué à plusieurs reprises les poignards à lame moitié-azur moitié-or dont disposait Bories, comme s'il s'agissait non d'objets symboliques, mais d'armes véritables, et comme si des militaires parfaitement équipés pouvaient avoir besoin de ces instruments de pacotille.

D'un geste théâtral, le jeune avocat a extrait un poignard de sa robe et s'est écrié :

— Cet emblème me vient de mon père. Il était franc-maçon. Et pourtant, quand je le tiens en main, je ne conçois aucune de ces pensées homicides qui hantent l'esprit de M. l'avocat général.

Et de s'exclamer pour conclure :

— Quelle étrange contradiction entre cette formidable accusation et ces malheureux accusés ! Où sont-ils, ces redoutables conspirateurs qui épouvantent le monde et la royauté ? Je vous le demande, messieurs : regardez-les, regardez mon client : le soldat Bicheron.

Un moment, devant l'inanité des charges, on pense que l'accusation va s'effondrer sous les coups conjugués des défenseurs. Il semble qu'on se dirige, sinon vers l'acquittement, du moins vers un verdict de clémence.

C'était compter sans M. de Marchangy. L'ancien poète bonapartiste va donner toute sa mesure. Il se dresse soudain et déclare au président :

— J'ai une réplique à faire.

Cette réplique de l'accusation après les plaidoiries est

déjà en soi quelque chose d'exceptionnel. Mais elle l'est aussi par sa longueur, puisqu'elle représente l'équivalent de cinquante pages imprimées : un quart du réquisitoire. M. de Marchangy apparaît ce jour-là pour ce qu'il est vraiment : non pas un magistrat qui fait son travail, mais un adversaire irréconciliable, quelqu'un qui est là pour obtenir des têtes et qui est prêt à tout pour y parvenir.

L'air grave, il s'adresse aux jurés. Qu'importe les faits eux-mêmes, leur dit-il. Seule compte votre intime conviction ; si vous avez la conviction que l'ordre a été menacé, vous devez frapper sans hésiter.

Il revient ensuite sur les poignards. Contre toute vraisemblance, il maintient que les armes aux lames bariolées étaient bien destinées à servir et qu'elles prouvent qu'il y a eu effectivement début de réalisation du complot. Puis il s'en prend plus directement à Bories. Pour l'accabler. Bien sûr, il était en prison, c'est vrai, mais il faisait certainement parvenir ses ordres à ses complices d'une manière ou d'une autre. Et M. de Marchangy, regardant le jeune homme dans les yeux, s'écrie d'une voix terrible :

– Bories, aucune puissance oratoire ne saurait vous arracher à votre destin...

L'avocat général se rassied. Il a bien fait son travail. Il est content de lui. Rarement un procureur aura mis autant d'acharnement à réclamer la tête des accusés.

Bien entendu, la défense a un droit de réponse. L'avocat de Bories s'indigne des propos de l'avocat général prédisant l'échafaud à son client. Les autres défenseurs reprennent leurs arguments. Lorsqu'ils ont terminé, le président Monmerqué, qui a jusque-là mené les débats avec beaucoup d'humanité et une parfaite impartialité, demande aux accusés s'ils ont quelque chose à ajouter. Bories alors se lève et, d'une voix assurée :

– M. l'avocat général n'a cessé de me présenter comme le chef d'un complot. Eh bien, messieurs, j'accepte cela comme un devoir, et je serais heureux si ma tête, en roulant sur l'échafaud, pouvait sauver celle de mes camarades !

Cette déclaration soulève une grande émotion dans le prétoire. Le courage de Bories, comme celui de ses trois compagnons, étonne et fait peur. Et pourtant, on se refuse toujours à croire que l'audience du lendemain, la dernière, celle du verdict, verra tomber des condamnations à mort.

Le 6 septembre 1822, le président Monmerqué ouvre la quinzième et dernière journée du procès par un résumé des faits. Il s'exprime avec son objectivité coutumière, sans charger les accusés. Après quoi, le jury, présidé par le baron Trouvé, dont on connaît les sentiments royalistes, se retire pour délibérer. Il est 18 h 30.

L'attente commence. Elle va durer trois heures. Enfin le baron Trouvé, suivi des autres jurés, regagne le prétoire et, la main sur le cœur, se prépare à donner la réponse aux questions posées.

Au banc de la défense, seuls les avocats sont présents. Les accusés ont dû quitter la salle d'audience sur l'ordre du président.

Bories, Pommier, Goubin et Raoulx sont coupables ! Dans le public, il y a un cri. On entend à peine la suite. Coupable aussi Goupillon, qui bénéficie de sa qualité, si l'on peut dire, de dénonciateur. Parmi les co-accusés, six sont coupables de non-dénonciation de complot, les autres sont déclarés innocents.

La salle ne parvient pas à se remettre de sa stupeur, et c'est dans un silence figé, oppressé, que le président Monmerqué fait rentrer les accusés déclarés non coupables, qui vont être libérés sur-le-champ.

Aucune manifestation n'accueille cette déclaration. Chacun sent bien que cette faveur de la Cour n'a d'autre but que de contrebalancer la rigueur du châtiment qui va frapper les autres.

Les autres ? Ce sont les quatre sergents de La Rochelle et les six comparses déclarés coupables de complicité. Il est 11 heures du soir quand ils regagnent le banc des accusés. Il fait totalement nuit. La grande salle du palais de justice de Paris est chichement éclairée. Quelques bougies dispensent une lumière faible et tremblotante. Dans cette atmosphère un peu irréelle, on devine plus qu'on ne voit les silhouettes de Bories, Goubin, Pommier et Raoulx, très droits dans leur uniforme. Le président donne lecture du verdict du jury. Ils n'ont pas un mot. Puis, avant que la Cour ne se retire pour délibérer sur l'application de la peine, le président leur demande si l'un d'eux a quelque chose à dire. C'est Bories qui prend la parole. Il réclame simplement que, quoi qu'il arrive, lui et ses camarades ne soient pas séparés.

– Ce n'est pas de ma compétence, répond M. de Monmerqué, mais je vous promets de transmettre votre demande.

Les avocats tentent alors une ultime intervention. Me Berville, bouleversé par le verdict, s'exprime d'une manière à peu près inaudible. Le procureur Marchangy en profite pour l'interrompre d'une voix à la fois hargneuse et triomphante.

– Parlez donc plus haut, Maître, on ne vous entend pas...

– Tout le monde ne peut pas garder sa voix dans un aussi triste moment..., répond seulement l'avocat.

La Cour se retire, et l'attente recommence, lugubre, dans une obscurité presque totale et un silence si absolu qu'on peut entendre les paroles que les futurs condamnés échangent à voix basse avec leurs avocats. On entend Goubin dire à son défenseur, en montrant le siège vide de l'avocat général :

– Dire que, pendant trois mois, j'ai eu des sentiments royalistes, quand mon père a été mené au tribunal révolutionnaire pour avoir protesté contre la mort de Louis XVI...

Raoulx lui fait écho tristement :

– Moi, ce n'est pas à mon père que je pense en ce moment, c'est à ma mère...

Bories, lui, reste de marbre. On l'entend simplement déclarer un peu plus tard :

– Pour moi, cette condamnation n'est pas infamante. J'aurais seulement voulu que ma tête sauvât celle des autres.

Dans le public, on a les larmes aux yeux. Enfin, la Cour rentre. Il est une heure du matin. M. de Monmerqué va lire la sentence.

On sait déjà ce qu'il va dire. Mais on n'ose pas y croire, tant cela semble absurde. Ces jeunes gens imprudents vont donc vraiment être envoyés à la guillotine ! Et tout cela parce que, par leur silence, ils ont voulu protéger leurs chefs !

Les vrais coupables, pourtant, on les connaît. Ce sont La Fayette, les députés libéraux Manuel et Dupont de l'Eure, ou même Me Merilhou, l'avocat de Bories, qui est en plein prétoire. Ce ne sont pas ces jeunes gens, pas ces gamins !

La voix du président Monmerqué résonne dans le silence de cette chaude nuit de septembre.

– Les sergents-majors Bories et Pommier et les sergents Goubin et Raoulx sont condamnés à la peine de mort. Le sergent Goupillon est libre, mais restera quinze ans sous la surveillance de la police.

Pour les comparses également les peines sont lourdes, compte tenu du délit retenu : deux ans à cinq ans de prison ; mais personne n'y prête plus attention. L'incroyable sentence a été prononcée. Le procureur Marchangy peut être satisfait. Il a eu ses quatre têtes, ses quatre têtes de vingt-cinq ans.

Alors, s'élève la voix du sergent Bories. Il s'adresse au président et réitère sa demande :

– M. le président, l'impartialité que vous avez mise dans ce procès m'autorise à vous prier de donner des ordres pour que nous ne soyons point séparés tous les quatre.

Et d'une voix plus émue qu'il ne le voudrait, le président répond comme la première fois.

– Je vous promets d'écrire en ce sens au préfet de police.

Déjà les bougies grésillent, elles ne sont pas loin de s'éteindre. Les gendarmes enchaînent les condamnés. On n'entend que le cliquetis sinistre des chaînes dans la vaste salle obscure et, encore une fois, la voix de Bories.

– Nous finissons notre carrière à vingt-cinq ans, c'est bien tôt...

Puis la voix de Pommier :

– Adieu mes amis, nous sommes innocents ! La France nous jugera.

Il est 1 h 30 du matin. Tout est dit.

Samedi 21 septembre 1822. C'est l'équinoxe, et un effroyable premier jour d'automne. Les feuilles sont encore aux arbres ; aujourd'hui ce sont les têtes qui tombent. Et Paris aujourd'hui a quelque chose de hagard. Personne, dans l'opinion, même les gens les moins suspects de bonapartisme ou d'idées républicaines, n'est encore revenu de la quadruple condamnation à mort des sergents de La Rochelle. Jusqu'au dernier moment, personne n'est arrivé à croire que cette aventure d'opérette allait réellement se terminer dans le sang. Il restait les recours en cassation et la grâce octroyée, espérait-on, par le roi.

Le recours, il a été rejeté hier. Quant à la grâce... Ce matin, dans Paris en effervescence, un bruit a couru : les quatre sergents venaient d'être transférés de la prison de Bicêtre, où ils étaient détenus, à la Conciergerie. L'exécution allait bien avoir lieu, aujourd'hui même, sur l'ancienne place de Grève, devenue récemment la place de l'Hôtel-de-Ville.

Et déjà on se répète une anecdote sinistre. Comme l'un

des avocats tentait une dernière fois d'obtenir la grâce des jeunes gens, Louis XVIII lui aurait demandé :

– Quand l'exécution doit-elle avoir lieu ?

– Le 21 septembre, Sire, à 5 heures du soir.

– Eh bien, monsieur, je ferai grâce ce jour-là... A 6 heures du soir.

Il n'y aura pas de grâce. Ces militaires qui prennent place le long des quais, ces patrouilles qu'on voit traverser et retraverser le centre de Paris, ne permettent pas de s'y tromper. La décision est prise, l'irrévocable va se commettre.

La nouvelle s'est répandue comme une traînée de poudre, et la foule, à son tour, s'est mise en marche. De Saint-Germain-des-Prés, des rues étroites de la Montagne-Sainte-Geneviève, des artères aristocratiques du Marais, le peuple converge vers le lieu du supplice.

C'est donc sur cette place sinistre, qui s'est appelée place de Grève jusqu'au Consulat, que va avoir lieu le dernier acte. Cette place, qui depuis des siècles a vu couler tant de sang, a vu tant de corps brisés, tant de chairs souffrantes, va encore voir tomber les têtes de quatre jeunes gens.

La foule est grave, silencieuse. Il y a, bien sûr, tous ceux qu'attire l'odeur du sang, mais pour une fois ils sont la minorité. Le peuple de Paris ne se rend pas à l'exécution de Bories et de ses camarades comme il se rendrait au spectacle. Il va *assister*, oui, mais comme on assiste un parent, un ami, dans ses derniers moments.

Et comme au palais de justice, au moment où s'était ouvert le procès, c'est la même phrase qui revient sur toutes les lèvres :

– Ils sont si jeunes !...

Cinquante mille personnes s'écrasent bientôt sur la place de l'Hôtel-de-Ville, ceinturée de soldats et de policiers. Des ouvriers montent les planches qui serviront d'estrade à la guillotine.

Sinistre premier jour de l'automne : ni long, ni court, ni

chaud, ni froid. C'est ce jour-là que les quatre sergents de La Rochelle deviendront des héros populaires.

Le peuple n'est pas tendre pour ceux qui tuent ses héros. On va les immoler à la raison d'État, dont le procureur général Marchangy a été le bras efficace et haineux. Ils vont mourir tout à l'heure parce qu'il fallait faire un exemple, parce que Louis XVIII et son gouvernement en ont décidé ainsi.

Pendant les interminables heures d'attente, où les conversations vont bon train, on n'est pas plus indulgent pour les chefs de la Charbonnerie, ces « Messieurs » de la « vente suprême » : les La Fayette, les Manuel, les Dupont de l'Eure, Me Merilhou, l'avocat de Bories, tous ces prétendus révolutionnaires qui ont laissé agir des jeunes gens sans expérience, et étaient prêts à prendre le pouvoir si leur action avait réussi. N'attribue-t-on pas au député Manuel cette phrase qui restera comme le symbole du soulagement le plus lâche et le plus cynique :

– Ils mourront bien !

Car Bories et ses camarades n'auraient qu'un mot à dire. On doit les interroger en ce moment à la Conciergerie, leur demander s'ils n'ont pas un dernier aveu à faire. Un mot, deux ou trois noms, ceux de leurs chefs, et l'enquête serait réouverte, l'exécution suspendue, la grâce accordée à coup sûr.

Les rumeurs les plus folles circulent parmi la foule. On veut croire au miracle. Tout n'est pas perdu... On chuchote que les camarades des quatre sergents, les membres de la Charbonnerie, sont partout... le long du parcours, près de l'échafaud. Des complices armés vont surgir au moment où on s'y attendra le moins et disparaître avec les condamnés. La foule espère encore quand, vers 16 h 45, une rumeur parcourt ses rangs :

– Les voilà !...

Les voilà, en effet, au milieu d'une bousculade de soldats en armes, dans quatre charrettes qui bringuebalent sinistrement sur le pavé. Chacune d'elles a quatre sièges, deux pour les gardes, un pour l'aide-bourreau, un pour le condamné. C'est en vain qu'on chercherait une robe de prêtre. Les condamnés ont refusé les secours de la religion.

Dans le silence qui est tombé sur la place, on n'entend plus que le cahotement des roues de bois. Il n'y a rien de plus terrible que le silence d'une foule. Tour à tour, Bories, Pommier, Goubin et Raoulx passent au milieu de la marée humaine. Leurs chemises blanches échancrées et leurs cheveux coupés courts, selon le règlement, pour que le couperet ne soit pas gêné dans sa chute, leur donnent des allures de pages.

Si le miracle doit se produire, c'est maintenant. C'est maintenant que les sauveurs doivent surgir de l'ombre pour les arracher à leur sort.

Pourtant, de même qu'il n'y a pas eu de grâce, il n'y aura pas de miracle. Les quatre charrettes viennent de s'arrêter au pied de la guillotine. Le bourreau Sanson, le petit-fils de Charles-Henri Sanson, l'exécuteur de Louis XVI, de Danton et de Robespierre, fait un signe.

L'ordre des exécutions a été fixé par la justice : du moins coupable au plus coupable, comme si cela voulait dire quelque chose. C'est Raoulx qui doit monter les marches le premier. Les mains attachées derrière le dos, il embrasse ses camarades avant de s'écrier :

— Vive la liberté !

Et il s'avance courageusement, fidèle jusqu'au bout au serment de la Charbonnerie qui lui enjoignait de se taire, jusqu'à l'échafaud inclusivement. Ce soir, ses chefs pourront dormir tranquilles : leurs noms n'auront pas été prononcés.

C'est ensuite au tour de Charles-Raoul Goubin, puis de Jean-Joseph Pommier. Eux aussi embrassent leurs camarades, eux aussi crient :

— Vive la liberté !

C'est maintenant à l'âme de ce complot d'enfants, c'est à Jean-François Bories de mourir. Il a supporté sans faiblir l'abominable spectacle de l'exécution de ses camarades. Il n'a plus personne à embrasser au moment où il monte à la guillotine. Il est seul. Seul, au milieu d'une foule immense qui ne retient plus ses larmes. Il a une dernière phrase :

– Rappelez-vous que c'est le sang de vos frères qu'on fait couler aujourd'hui...

Il est 17 h. C'est fini. Les quatre sergents de La Rochelle sont morts. Mais déjà la mémoire populaire s'est emparée de leur souvenir pour en faire une légende.

12. Violette Nozière

– Messieurs, un deuil cruel nous a frappés hier. Un souverain ami de la France et notre propre ministre des Affaires étrangères sont tombés à Marseille sous les balles d'un misérable. Je propose de lever l'audience en signe de deuil.

Cette déclaration du président Peyre fait l'effet d'une douche froide sur la salle comble de la cour d'assises de Paris. C'est vrai qu'hier, 9 octobre 1934, les Oustachis croates ont assassiné à Marseille le roi Alexandre Ier de Yougoslavie et le ministre Louis Berthou venu l'accueillir. C'est vrai que ce 10 octobre a été proclamé jour de deuil national. C'est vrai, mais on n'est pas venu là pour pleurer un roi, on est venu voir une criminelle de 19 ans : Violette Nozière, accusée d'avoir tué son père et tenté d'empoisonner sa mère. Tout en arpentant les couloirs du palais, vaguement frustré, on se console pourtant en se disant qu'après tout cette suspension inattendue ajoute un frisson de solennité à l'événement. La journée, décidément, sera historique.

Elle l'aurait été sans cela. Jamais, depuis celui de Landru, on n'a autant attendu le début d'un procès. Il y a plus d'un an que la jeune parricide exerce une sorte de fascination ; d'abord, parce qu'elle est jolie, ensuite parce que les mobiles de son crime ne sont pas clairs.

Quand elle empoisonne ses parents, Violette a 18 ans. Son père, Baptiste Nozière, est mécanicien de locomotives à la compagnie P.L.M. Un mécanicien si bien noté que c'est lui qui conduit le train du président de la République. La famille Nozière habite rue de Madagascar, près de la gare de Lyon. Violette est fille unique. Trop unique, peut-être. En tout cas, objet unique de l'affection de ses parents, qui ne voient que par elle et lui font une confiance aveugle.

Et cependant, elle étouffe sous cet amour familial trop enveloppant, trop ordinaire aussi. En 1931, à 16 ans, Violette prend son premier amant. D'autres suivent, à partir de l'automne 1932, après son entrée au lycée Fénelon.

Désormais, la vie de Violette c'est le Quartier latin, ses cafés, ses fins d'après-midi flottantes, ses tentations. Elle a un peu d'argent de poche. Pas assez pour tenir son rang, ou plutôt celui qu'elle s'est inventé, car la vie de Violette c'est d'abord la vie qu'elle s'invente. Son père, dit-elle à ses amis, est ingénieur, sa mère travaille chez Paquin, le célèbre couturier. Elle-même est modéliste.

Pour trouver cet argent, elle franchit de temps en temps la Seine, arpente les grands boulevards en attendant que viennent à elle des messieurs généreux. Prostitution épisodique qui lui rapporte de l'argent, certes, mais aussi la syphilis.

Comment expliquer cela à ses parents, toujours convaincus de l'innocence de leur fille ? Violette persuade le médecin qui la traite, le docteur Déron, de lui délivrer un certificat de virginité. Sa maladie, dès lors, ne peut qu'être héréditaire. Ses parents la croient. Ils croient toujours Violette.

Un soir de mars 1933, Violette leur apporte, « de la part du docteur », dit-elle, un médicament qu'ils doivent prendre pour éviter la contagion. Et, sans méfiance, M. et

Mme Nozière avalent de fortes doses de Véronal, un barbiturique puissant que Violette a réussi à se procurer. Fortes, mais pas suffisantes... la première tentative d'empoisonnement a échoué.

Les choses en resteraient peut-être là, si, en juin 1933, Violette ne rencontrait un étudiant en droit de 20 ans, Jean Dabin, qui vend *l'Action française* sur le boulevard Saint-Michel. C'est le grand amour, enfin. Les deux jeunes gens se retrouvent chaque fois qu'ils le peuvent dans une chambre d'hôtel de la rue Victor-Cousin.

Dabin manque d'argent. Violette en a. C'est elle qui entretient son amant en se prostituant, ce que Dabin ignore. Le 17 août, Jean Dabin part en vacances en Bretagne. Violette doit le rejoindre. Maintenant, elle veut vivre avec lui. Mais, pour cela, il lui faut se débarrasser de la tutelle de ses parents : elle est épuisée de devoir ruser toujours. Elle aurait bien besoin aussi de leurs 180 000 F d'économie. Le 21 août, sa décision est prise. Le soir même, elle apporte de nouveau à ses parents de petits sachets de poudre blanche.

Au juge d'instruction, elle a affirmé que son père abusait d'elle depuis qu'elle avait 12 ans. Quant à sa mère, Violette prétend qu'elle n'a jamais eu l'intention de la tuer.

— Faites entrer l'accusée !

L'audience a repris. Manteau sombre à col de fourrure et feutre noir dissimulant en partie un visage pâle et fermé, Violette Nozière fait son apparition dans un silence impressionnant. Elle jette un coup d'œil craintif vers le banc de la partie civile, car sa mère a décidé de se constituer. Mais Mme Nozière a préféré ne pas assister à cette première audience, et c'est son avocat, Me Boitel, qui la représente.

Le président Peyre commence l'interrogatoire. Il n'a pas l'air bien redoutable avec sa tête de vieux professeur et sa petite barbiche blanche. Pourtant, il attaque brutalement.

– C'est un de vos traits de caractère que le goût du mensonge, déclare-t-il. Vous avez menti à vos parents, à vos amis, à vos amants. Souvent même sans raison. Aujourd'hui, vous êtes devant vos juges. Êtes-vous décidée à dire la vérité ?

– Oui, monsieur.

La voix est faible, et elle a gardé quelque chose d'enfantin.

Le président évoque alors l'enfance de Violette, cette enfance tellement protégée, tellement choyée, dans un foyer qui semble si paisible et si uni. Et comment parler de l'enfance sans parler de ce père qu'elle a tué ? Ce père, a-t-elle déclaré, dont elle était la maîtresse *forcée* depuis plus de six ans... Sa mère assure qu'elle n'a rien soupçonné de ces relations « contre nature »... Elle ne savait pas non plus que Nozière, parfois, buvait.

Le président Peyre veut savoir, mais Violette lui coupe la parole ! Elle implore :

– Je vous en supplie, monsieur le Président, ne me demandez rien.

Le président est interloqué.

– Comment ne rien vous demander à vous qui en avez tant dit ? Vous maintenez les déclarations faites à l'instruction ?

– Oui, monsieur le Président.

M. Peyre a un haussement d'épaules.

– Bien ! Parlons du mois de mars. Racontez-nous ce que vous avez fait.

Le mois de mars, c'est la première tentative d'empoisonnement. Violette avait consciencieusement écrasé les cachets de barbiturique pour les réduire en une poudre blanche, d'allure anodine. Il y fallait beaucoup de détermination, de préméditation. M. et Mme Nozière vont se coucher. Ils gémissent dans leur sommeil. Violette met le feu à un rideau, appelle les pompiers. Veut-elle faire croire à une asphyxie par la fumée ? S'est-elle affolée ? M. et Mme Nozière, cette fois-ci, en seront quittes pour de violents malaises. Violette manque encore d'expérience.

Aujourd'hui, elle se tait. On la sent terrorisée par tous ces regards braqués sur elle. D'une voix neutre, le président lui demande.

– Vous aviez bien l'intention d'empoisonner vos parents ?

– Oui, monsieur le Président.

Violette a répondu dans un souffle. Mais, déjà, le président Peyre l'interroge sur ce terrible soir du 21 août, celui de sa deuxième tentative.

Ce soir-là, Violette refait ses gestes du mois de mars. Trente-six cachets de véronal réduits en une poudre que Violette place ensuite dans des sachets de papier. Il y a un troisième sachet pour elle. Elle est censée absorber le même médicament que ses parents : il s'agit toujours de soigner cette syphilis. Mais son contenu est inoffensif et le sachet lui-même légèrement différent des autres. Violette ne risque pas de se tromper. Avec la lettre, la fausse lettre, du docteur Déron, ses parents ne se méfieront pas.

Quelques heures plus tard, le poison a fait son œuvre. Quelques heures que Violette a passées à écouter, venant de leur chambre, les râles de ses parents. Quand ils se sont tus, Violette fouille la maison à la recherche d'argent, ne trouve que 3 000 F. Elle ferme la porte derrière elle et s'en va dans la nuit.

Après une longue journée d'errance, elle revient chez elle le 22 au soir, pour parfaire sa mise en scène. Son père est dans son lit, mort. Les oreillers sont tachés de sang. Sa mère est par terre dans le coma ; Violette la traîne sur le plancher avant de la hisser à côté de son père, sur le lit, et de la déshabiller. Puis elle ouvre le gaz et réveille les voisins. Ses parents, explique-t-elle, se sont suicidés. Elle vient de les trouver morts en rentrant.

La police découvre très tôt qu'il ne peut s'agir d'un suicide au gaz. La consommation a été infime depuis le dernier relevé. D'autre part Mme Nozière présente bien tous les symptômes de l'empoisonnement. Le lendemain, les policiers emmènent Violette au chevet de sa mère, toujours dans le coma. Prise de panique, Violette s'enfuit. Elle vient de signer son crime.

Elle sera arrêtée cinq jours plus tard, dénoncée par un homme qu'elle a abordé au Champ-de-Mars et qui l'a reconnue. (La photo de Violette s'étalait à la première page des journaux.)

Le président a été long, mais pas un instant l'attention de la salle ne s'est relâchée. On a beau savoir tout cela, qui a été rapporté cent fois par la presse, c'est autre chose de l'entendre ici, en présence de cette jeune fille pâle, que l'on a sentie terriblement oppressée pendant tout ce temps.

De nouveau, le président Peyre se tourne vers Violette. Il a du mal à dissimuler son émotion quand il lui demande :

– Et quand vos parents, sous vos yeux, ont porté à leurs lèvres les verres remplis de poison, vous n'avez pas été tentée d'arrêter le geste qui allait les tuer ?

C'en est trop pour la jeune fille, qui s'écroule sur le sol en hurlant :

– Laissez-moi, mais laissez-moi donc !

Son avocat, Me de Vésinne-Larue, tente de la calmer. On l'emmène, et le docteur Sicard, médecin du palais, doit lui faire une piqûre. Quelques minutes plus tard, Violette est de retour dans le box. Elle n'a plus de chapeau, sa chevelure est en désordre. Elle est livide. Aussitôt, le président Peyre revient à la charge.

– Pourquoi, après le mois de mars, avez-vous recommencé au mois d'août ? Dites-le à messieurs les jurés.

Violette pâlit de nouveau, et cette fois elle perd tout à fait connaissance. Nouvelle interruption. Quand elle regagne sa place, le président demande au docteur Sicard si l'audience peut se poursuivre :

– Je le crois, monsieur le Président. Elle m'a dit simplement : « C'est dur ! » Et je lui ai répondu : « C'est une mauvaise pilule à avaler. »

Éclats de rire dans la salle. M. Peyre, lui, ne rit pas. C'est d'une voix glaciale qu'il conclut :

— J'ai cherché en vain un élément qui puisse être considéré comme une circonstance atténuante en votre faveur. Je n'ai rien trouvé. Si cette circonstance existe, je vous autorise à le dire ici, fille Nozière.

Fille Nozière ! Ces mots sont terribles. Violette se lève, et son émotion semble sincère quand elle dit :

— Monsieur le Président, je vous demande pardon, ainsi qu'à tout le monde, de ce que j'ai fait. Surtout, je voudrais que ma mère me pardonne !

Pour la première fois, on sent passer dans l'assistance comme une sorte de pitié. L'audience s'achève avec le témoignage du docteur Déron, le complice involontaire de Violette. Mais le médecin n'a pas grand-chose à dire, ou ne veut pas dire grand-chose. Il se retranche prudemment derrière le secret professionnel.

Le 11 octobre 1934, c'est une foule surexcitée qui se lance à l'assaut du palais de justice, envahissant les galeries extérieures qui mènent à la cour d'assises. Le flot grossit sans cesse, et il faut bientôt faire appel à une compagnie de gardes républicains pour l'endiguer un peu.

On vient assister à la deuxième journée du procès de Violette Nozière : aujourd'hui la jeune parricide doit être confrontée à la fois à sa mère et à son amant.

Et sur cette foule qui se rue vers le prétoire, où l'on s'insulte avant d'en venir aux mains pour avoir une place, plane le lourd relent du crime et des amours coupables. Oui, Violette fascine le public comme elle fascine les poètes, qui voient en elle une héroïne de la liberté amoureuse. Est-ce que les surréalistes ne viennent pas de lui consacrer une brochure enthousiaste, regroupant des poèmes d'André Breton, Benjamin Péret, Paul Éluard ? Paul Éluard, qui écrit, reprenant les accusations d'inceste portées par Violette contre son père :

Violette a rêvé de défaire,
A défait,
L'affreux nœud de serpents,
Des liens du sang.

Ces liens du sang, pourtant, comment ne pas penser qu'ils vont se renouer, se renouer affreusement, quand Violette, dans un instant, se retrouvera face à sa mère ? Une fois déjà, une fois seulement, elles se sont revues depuis la nuit du crime. C'était il y a presque un an, à l'hôpital Saint-Antoine, quelques jours après que Mme Nozière soit sortie du coma. Entrevue terrible. Violette s'était jetée aux genoux de sa mère en implorant son pardon. D'une voix sans timbre, une voix d'outre-tombe, Mme Nozière avait simplement répondu :

– Je te pardonnerai quand tu seras morte.

Mme Nozière n'avait pas voulu assister à l'ouverture du procès. Aujourd'hui, elle est là, un long voile noir lui dissimulant le visage. Quand le président Peyre l'appelle à la barre, elle écarte son voile, révélant un visage tendu, des yeux fiévreux, douloureux.

– Madame Nozière, demande le président, voulez-vous dire à messieurs les jurés pourquoi vous vous êtes portée partie civile ?

– Pour rechercher les complicités dans le crime et pour défendre la mémoire de mon mari, répond Germaine Nozière d'un ton calme et ferme. J'aimais mon mari. Je ne peux pas supporter, même de la part de ma fille, qu'on veuille ainsi le salir.

Être partie civile contre sa fille, c'est un rôle difficile à tenir. C'est la raison pour laquelle, sans doute, la mère de Violette Nozière déclare après un silence :

– Je n'ai plus de haine pour ma malheureuse enfant !

Dans le box des accusés, la « malheureuse enfant » couvre son visage de ses mains.

Et Mme Nozière, qui a parlé de complicité, affirme qu'elle ne peut pas croire que Violette ait pu seule se procurer le poison et rédiger la fausse lettre du docteur Déron. Et surtout, elle ne voit pas comment elle aurait eu, seule, la force physique de la déplacer, elle Mme Nozière, de la hisser sur son lit, alors qu'elle était dans le coma. Non, il faut que Violette ait eu un complice. Ce complice, pour Germaine Nozière, il est tout trouvé : c'est Jean Dabin, l'amant de Violette. La preuve, c'est que lors d'une confrontation avec celui-ci, la pauvre femme, horrifiée, s'est aperçue, qu'il portait au doigt une chevalière qui appartenait à son mari.

C'est un moment d'intense émotion. Chacun sait bien, en effet, que Dabin était loin de Paris, en Bretagne, au moment du drame. Quant à la chevalière, c'est tout simplement Violette qui lui en a fait cadeau après l'avoir volée à son père. Oui, Violette a bien agi seule. Mais il est au-delà des forces de sa mère de se faire à cette idée, d'accepter cette réalité.

Sur une question de M. Peyre, Mme Nozière confirme quc Violette savait parfaitement que ses parents avaient 180 000 F d'économie à la banque.

– Ne pensez-vous pas, madame, demande le président, que c'est l'espoir de recueillir cet argent qui a déterminé votre fille à faire ce qu'elle a fait ?

– Si, monsieur le Président, je le pense, répond Germaine Nozière d'une voix pitoyable.

Le président s'adresse à présent à l'accusée.

– Violette Nozière, avez-vous quelque chose à dire au sujet de la déposition de votre mère ?

Violette se lève brusquement et crie :

– Maman ! Maman !

Mme Nozière se tourne vers sa fille. C'est elle, maintenant, qui lui tend les bras en sanglotant.

– Violette, je ne peux pas oublier que tu es ma fille. Ce

que tu as dit de ton pauvre père est faux, et atroce, mais je ne peux pas oublier que tu es mon enfant.

De nouveau, Violette appelle sa mère. Si elles l'avaient pu, les deux femmes seraient tombées dans les bras l'une de l'autre. Très embarrassé, le président Peyre dit à Germaine Nozière :

– Vous pouvez vous retirer, madame. La Cour vous remercie et vous plaint.

En passant devant les jurés, Germaine Nozière s'arrête un instant. Les mains jointes, elle leur crie.

– Pitié ! Pitié pour mon enfant !

La salle tout entière est comme en état de choc. On se demande ce qui pourrait bien se passer maintenant, ce qui pourrait être encore plus mélodramatique.

Ce qui se passe, c'est le défilé des psychiatres qui ont examiné Violette à la prison de la Petite-Roquette. Trois psychiatres, parmi lesquels le célèbre docteur Truelle, médecin-chef de l'asile Sainte-Anne, qui en est à sa 3 363e expertise.

Pour ces experts, pas de doute, Violette est entièrement responsable. Elle ne présente aucun signe de maladie mentale. Sa syphilis ne s'accompagne d'aucune lésion cérébrale ou nerveuse. Violette est peut-être une jeune fille égoïste, rêvant de liberté et d'aventure, menteuse aussi, mais il n'y a pas de mythomanie chez elle.

On s'étonne un peu. Si Violette n'est pas mythomane, pourquoi passait-elle son temps à s'inventer une vie qui n'avait aucun rapport, même lointain, avec sa vie réelle ? Et s'efforçait-elle parfois, aussi éperdument, de faire coïncider ce rêve avec la réalité ? Pourquoi tant de mensonges, à propos de tout et de rien dans les moindres détails ? Si Violette n'est pas mythomane, pourquoi ces accusations d'inceste contre son père ? Qui pousserait jusque-là le simple mensonge ?

Ces questions, les experts, apparemment, ne se les sont même pas posées. Il est vrai qu'à eux trois ils ont vu Violette une heure et demie en tout.

Après l'émotion causée par la confrontation de Violette et de sa mère, l'intervention des psychiatres laisse une impression de malaise. Mais on n'a guère le temps de s'y attarder, c'est maintenant au tour de Jean Dabin de venir à la barre.

L'amant de Violette n'inspire a priori aucune sympathie au public. On sait qu'il a profité des largesses de la jeune fille, et c'est tout juste si la presse ne l'a pas présenté comme un souteneur – ce qu'il n'est pas. Menacé d'expulsion de l'Université, Dabin a préféré s'engager dans l'armée, qui l'a envoyé dans le Sud-Tunisien. Il porte d'ailleurs aujourd'hui son uniforme kaki de cavalier. Grand, svelte, il faut bien dire que Jean Dabin ne manque pas d'allure. Mais il affiche une désinvolture qui va indisposer encore davantage des magistrats déjà prévenus contre lui.

Sans un regard pour Violette, il évoque ses relations avec elle et conclut :

– Malgré ce qui s'est passé, je garde un excellent souvenir de Mlle Nozière. Ce qu'elle a fait me paraît inexplicable.

– Vous ne vous sentez pas un peu responsable ? demande le président.

– Si, bien sûr ! répond Dabin.

Mais son ton dément ses paroles.

– A quoi employait-elle son argent ? reprend M. Peyre.

– Elle payait la chambre d'hôtel et me donnait 50 à 100 F par jour.

– Et vous trouviez cela naturel ?

La réponse de Dabin est légère, trop légère :

– Elle me disait que ses parents étaient riches.

– Jean Dabin, tonne le président Peyre, je n'ai pas à vous juger, mais vous avez fait preuve d'une inconscience et d'une amoralité rares ! Vous vous engagez dans l'armée. Puisse votre changement de vie vous aider à vous réhabiliter.

Un sourire goguenard passe sur les lèvres du jeune homme, provoquant la fureur de l'avocat général Louis Gaudel :

— Vous devriez avoir un autre comportement, Dabin. Vous ne sentez donc pas ce qu'on pense de vous dans cette salle.

Dabin a alors un haussement d'épaules qui montre clairement ce qu'il pense, lui, de l'opinion de la salle. Cette fois, l'avocat général s'emporte tout à fait.

— Vous avez déshonoré votre famille ! s'écrie-t-il. Vous avez vécu aux crochets de la malheureuse contre laquelle je vais devoir requérir. Vous ne relevez pas de la Justice, et c'est regrettable. Mais vous relevez du mépris général, soyez-en persuadé !

Violette, pendant tout ce temps, n'a rien manifesté, mais elle est très pâle, et chacun ressent ce mélange de tension et de lassitude qui l'habite. C'est d'un regard mort qu'elle suit le jeune militaire qui quitte la salle sous les sifflets, et qu'elle ne reverra plus. Elle l'aimait, elle ; elle l'aimait vraiment. Elle sait maintenant que, pour Jean Dabin, Violette Nozière n'aura été qu'une passade, une passade profitable.

Après cela, c'est à peine si l'on arrive à s'intéresser au défilé des amis du mécanicien Baptiste Nozière qui viennent louer ses qualités de travailleur, d'époux et de père.

L'audience est levée dans un sentiment de tristesse générale.

Troisième et dernier jour du procès de Violette Nozière. L'assistance est aussi nombreuse que la veille. On attend le réquisitoire de l'avocat général Gaudel. Aura-t-il été sensible à l'appel à la pitié lancé hier par la mère de l'accusée, ou ne retiendra-t-il que le crime atroce de la jeune fille ?

Me Boitel, l'avocat de la partie civile, prend la parole. Il évoque d'abord, comme les témoins de l'audience précédente, ces qualités d'homme et de père de Baptiste Nozière, victime d'une fille qui se dit sa victime. Me Boitel a parlé sur un ton modéré, mais sa voix se charge soudain d'émotion lorsqu'il rend compte de l'entretien qu'il a eu ce matin même avec Mme Nozière, qui n'assiste pas à l'audience.

– Mme Nozière m'a crié : « N'accablez pas Violette. Dites-lui que je lui pardonne tout le mal qu'elle m'a fait. Je lui pardonne tout, tout, même ses odieux mensonges. »

Me Boitel se tait un instant. Puis il se tourne vers les jurés, et c'est la surprise.

– Mme Nozière, reprend-il, se désiste d'une intervention qui, quoi qu'on en dise, n'a jamais été dirigée contre sa fille. Je vous transmets ses supplications. Mme Nozière vous demande, messieurs, d'avoir pitié de son enfant.

La salle est stupéfaite. Ainsi, Mme Nozière ne poursuit plus Violette ; comme si son amour pour sa fille avait triomphé de tout, du deuil et de la haine ! C'est à peine croyable. Violette elle-même a l'air assommée par cette nouvelle.

Ce châtiment que la victime, la mère, ne réclame plus, la société va-t-elle l'exiger ? L'avocat général Gaudel se lève dans un silence tendu.

Le crime de Violette Nozière est de ceux qui écartent de la pensée et du cœur la moindre pitié comme la moindre indulgence. Me Gaudel marque une pause. L'avocat général est un homme redoutable : ses réquisitoires sont des modèles de sobriété et d'efficacité.

– Je vous demanderai, messieurs les jurés, de prononcer la peine capitale contre cette malheureuse fille qui, non contente de tuer, a déversé sur la tombe de sa victime, de son père, le flot immonde des calomnies et des mensonges créés par son imagination perverse.

Dans son box, Violette, une nouvelle fois, s'est évanouie. Elle n'entend pas la suite du réquisitoire de Me Gaudel, qui conclut :

– C'est un rude combat qui s'est livré en moi avant de requérir ainsi. J'étais déchiré entre mon devoir et ma pitié envers cette enfant de 19 ans, mais elle n'a pas la moindre circonstance atténuante. Messieurs les jurés, vous savez qu'on ne guillotine plus les femmes. Faites votre devoir comme j'ai fait le mien.

Le président Peyre annonce une suspension d'audience. Violette, qui a repris ses esprits, se lève brusquement et crie :

– Ils veulent ma mort, mais ils ne m'auront pas ! Je me tuerai, je me tuerai !

Il faut que les gardes la saisissent à bras-le-corps pour lui faire quitter le prétoire.

A la reprise des débats, le président Peyre donne la parole au jeune avocat de Violette, Me de Vesinne-Larue. Et c'est la deuxième surprise. Au lieu de plaider, Me de Vesinne-Larue fait venir à la barre un témoin imprévu. C'est un étudiant en droit de 20 ans, comme Jean Dabin. Il s'appelle Ronflart et il est le fils du consul de France à Varsovie. Violette n'avait jamais prononcé son nom devant le juge d'instruction.

– Je suis ici, déclare-t-il, pour libérer ma conscience. J'ai rencontré Violette il y a deux ans. Je n'ai jamais été son amant, un ami seulement, mais elle m'a fait des confidences précises sur ses relations avec son père. Elle me disait : « Il oublie souvent que je suis sa fille. » Je ne suis d'ailleurs pas le seul à qui elle en ait parlé, et je suis surpris que les autres n'aient pas le courage d'être à mes côtés en ce moment.

Que penser de ce témoignage ? Le président Peyre est visiblement embarrassé. Quant à l'avocat général, il le met carrément en doute, ce qui scandalise le jeune homme.

– On ne croit donc ici que les témoins à charges ! s'écrie-t-il.

Et, sur un rappel à l'ordre du président, Ronflart se retire en adressant à Violette un salut amical de la main.

Cette intervention a produit sur l'auditoire une impression mitigée. On se demande où la défense a voulu en venir, d'autant que le témoin, contrairement à ce qu'il avait annoncé, n'a apporté ni informations précises, ni éléments nouveaux.

Bref, c'est un peu un coup d'épée dans l'eau. Me de Vésinne-Larue s'en rend compte, et désormais le jeune avocat va s'efforcer, dans sa plaidoirie, de s'attacher le moins possible aux faits. Ceux qui s'attendaient à le voir axer sa défense sur l'inceste, à en démontrer la réalité, à grand renfort de détails scabreux, ceux-là restent sur leur faim. L'avocat y fait allusion, bien sûr, mais il n'insiste pas, sachant bien que sur ce point la conviction du jury est déjà faite. Personne ne croit Violette.

Me de Vesinne-Larue s'attache en revanche à démontrer que Violette n'a jamais voulu tuer sa mère. Pourquoi l'aurait-elle fait ? Mme Nozière, révèle-t-il, aurait promis à sa fille une dot de 60 000 F si Dabin l'épousait. N'était-ce pas suffisant pour être heureuse avec ce garçon ? Personne dans l'auditoire n'est très convaincu, bien qu'on soit encore sous l'impression des manifestations d'amour des deux femmes, la veille. Si c'était vrai, pourquoi ce poison auquel Mme Nozière n'a échappé que par miracle ?

Il reste que Violette a tué son père. Mais jusqu'à quel point est-elle responsable ? Les psychiatres ont affirmé qu'elle l'était, mais on sait qu'ils n'ont presque pas vu Violette. Et l'avocat s'en prend violemment aux experts désignés par le Parquet.

– Rappelez-vous que le mutisme est actuellement le trait dominant du caractère de ma cliente, et que les experts avouent eux-mêmes qu'ils n'ont jamais pu obtenir les éclaircissements désirés. Vous concluerez comme moi, j'en suis sûr, que du point de vue scientifique ce rapport est purement illusoire.

Me de Vesinne-Larue ne s'en tient pas là. Il attaque nommément le docteur Truelle, l'homme aux 3 363 expertises.

– N'oubliez jamais, s'exclame-t-il à l'adresse des jurés, que c'est le docteur Truelle qui, l'année dernière, a examiné les sœurs Papin, ces deux bonnes du Mans qui ont affreusement massacré leurs patronnes avant de leur arracher les yeux ? Et quelles ont été les conclusions de notre expert ?

Que les deux sœurs étaient parfaitement saines d'esprit ! Or, quelques semaines à peine après le procès, Christine Papin a été reconnue totalement irresponsable et il a fallu l'interner. Voilà, messieurs, ce que c'est qu'un expert quand il est d'abord un auxiliaire de la justice !

Me de Vésinne-Larue frappe très fort, décidément, mais les jurés n'ont pas bronché. L'avocat évoque maintenant ce qu'il appelle le « mal spécifique » de Violette : sa syphilis.

— A la période secondaire de la maladie, explique-t-il, les idées s'embrument, la volonté s'alourdit, la moralité s'affaisse. L'émotivité s'exaspère.

Pourtant, l'avocat ne veut pas tout expliquer par ce mal. Dans un silence absolu, il poursuit :

— Je suis le défenseur des enfants. C'est une enfant que j'assiste ici. Pour comprendre ce drame, il faut se rappeler les émois que chacun a connus dans la traversée, dans l'odyssée de l'adolescence. Car le crime de Violette Nozière est la réaction brutale d'une adolescence égarée.

Et Me de Vesinne-Larue brosse un portrait très dur des parents de Violette. Il leur reproche leur manque d'attention, de vigilance et leur méconnaissance profonde de leur fille, l'idéal petit-bourgeois de l'éducation qu'ils lui donnent. Violette est une enfant terriblement vivante, terriblement sensible ; ses parents veulent en faire une fille savante. A ce jeu-là, et livrée aux tentations et aux mirages du Quartier latin, Violette ne pouvait que perdre sa santé et son âme. L'avocat marque une pause avant de conclure :

— La responsabilité appartient toujours à ceux qui ont l'autorité. Les parents de Violette sont les premiers responsables des fautes de leur fille. Je vous demande de beaucoup pardonner à l'enfant coupable.

Cette fois, Me de Vesinne-Larue a terminé.

— Vous avez quelque chose à ajouter ? demande le président à l'accusée.

Non, Violette n'a rien à ajouter. Elle redit simplement, une fois de plus :

— Je demande pardon et je remercie ma mère de m'avoir pardonné.

Nouvelle suspension d'audience, pour la délibération du jury. Elle va durer une heure. Une heure au bout de laquelle le premier juré, un inspecteur général de l'Académie, corrézien, la main sur le cœur, prononce les « oui » qui condamnent Violette à la peine de mort. On ne lui a trouvé aucune circonstance atténuante. La salle se tait.

— Faites entrer l'accusée !

C'est la dernière fois qu'on entendra ces mots. L'accusée, maintenant, est une condamnée. Très droite, très pâle, les cheveux défaits, Violette écoute la sentence sans rien manifester. Pourtant, cette fois encore, on sent bien que ce n'est pas indifférence mais extrême tension. Le docteur Picard ne s'y trompe pas. S'attendant à un évanouissement, ou à une crise de nerfs, il s'approche de Violette. Mais la jeune fille n'a pas besoin de lui, elle n'a plus besoin de personne. Elle n'a jamais été aussi seule. Et soudain, elle se tourne vers les jurés, et elle crie, elle hurle :

— Vous me dégoûtez tous ! Vous êtes des saligauds sans pitié ! Voilà ce que vous êtes !

Il faut l'entraîner de force.

Le soir même, le directeur de la prison de la Petite-Roquette accueillait Violette — à qui son avocat avait entre-temps fait signer son pourvoi en cassation —, en disant :

— Conduisez-vous bien à présent, et vous verrez : avec les grâces et les remises de peine, vous serez libre dans dix ans. Vous serez encore très jeune à ce moment-là.

« Conduisez-vous bien... » A dater de ce jour, les prisons françaises n'auront pas de détenue plus exemplaire que Violette Nozière. Avide de retrouver sa liberté et se raccrochant, dans sa solitude, à l'amour de sa mère, l'adolescente meurtrière va très vite se transformer en prisonnière modèle. Pas un mot plus haut que l'autre, jamais un élan de révolte ou de désespoir, une imperméabilité totale aux habituelles dégradations de l'univers carcéral — pour ses gardiens, pour l'administration, pour tous ceux qui continuent à s'intéresser à elle, Violette est un cas.

Le jour de Noël 1934, le président Albert Lebrun a gracié Violette, qui a été transférée à la centrale d'Hagueneau, en Alsace. Sa mère est venue la voir ; elle le fera désormais chaque fois que ce sera possible. Quand elles ne se voient pas, les deux femmes s'écrivent. En 1937, Violette rétracte publiquement, dans une lettre à sa mère, les accusations d'inceste qu'elle avait portées contre son père.

A partir de ce jour, Germaine Nozière s'associe aux efforts de Me de Vesinne-Larue, qui ne désespère pas d'obtenir une remise de peine. Les pères dominicains s'en mêlent à leur tour, Violette ayant déclaré qu'elle prendrait le voile dès sa sortie de prison.

Le 6 août 1942, le maréchal Pétain commue la condamnation à perpétuité en une peine de douze ans, et, le 28 août 1945, douze ans, jour pour jour, après son arrestation, Violette Nozière est libre. A ses côtés, un jeune homme souriant, qui porte galamment sa valise. C'est son fiancé.

Son fiancé ! Violette Nozière n'a pas fini de surprendre, et les dominicains ne cachent pas leur déception, leur amertume. Malgré ses promesses, ils n'auront pas la parricide repentie.

Elle est libre, désormais. Libre d'aller où elle veut, puisque le général de Gaulle vient d'annuler la peine accessoire de vingt ans d'interdiction de séjour. Libre d'aimer et de vivre. En décembre 1946, elle épouse son fiancé. Violette a pris sa mère avec elle. Les deux femmes ne se quittent plus. C'est Violette qui mourra la première, en 1966, d'un cancer des os. Elle est enterrée dans le cimetière de son village natal, Neuvy-sur-Loire, dans le même caveau que son père.

Mais celle qui repose là, aux côtés de l'homme qu'elle a tué, n'est plus une criminelle. L'exemplarité de sa vie jointe à l'obstination de son avocat, Me de Vesinne-Larue, qui, tout au long de sa carrière, aura continué à soutenir la cause de sa première cliente, aura, entre-temps, abouti à l'incroyable.

En mars 1963, Violette Nozière, empoisonneuse et parricide, avait été réhabilitée par la cour de Rennes, entièrement rétablie dans ses droits ; sa condamnation fut même effacée de son casier judiciaire, mesure absolument unique dans l'histoire judiciaire française, pour une condamnée à mort.

Pourquoi la cour de Rennes et la chancellerie ont-elles, à la suite des efforts déployés par Me de Vesinne-Larue, pris de telles décisions en faveur de Violette Nozière ? Les choses n'ont jamais été clairement et publiquement explicitées. On croit savoir pourtant que la jeune fille avait été victime, à l'insu de sa mère, de sollicitations incestueuses d'un père pris de boisson. Bien que le cas de légitime défense n'ait pas été invoqué, on estima en haut lieu — du moins le croit-on — que la conduite irréprochable de la condamnée et sa volonté de réinsertion sociale méritaient sa réhabilitation totale.

Il est certain que Violette Nozière, rendue à la liberté, mariée et mère de famille attentive et dévouée, éleva fort bien ses enfants, et entoura des soins les plus affectueux, jusqu'à sa mort, son brave homme de mari. Aujourd'hui qu'elle n'est plus, ses enfants conservent d'elle le souvenir d'une mère douce et charitable.

Il était une fois une jeune fille de 18 ans à laquelle il n'est jamais rien arrivé du tout !

13. Le procès de Socrate

Un à un, les cinq cent un juges s'installent sur les gradins et sur les bancs de bois recouverts de nattes de jonc qui leur sont réservés. Le président siège en face d'eux, sur une haute estrade. Il est assisté d'un greffier, d'un héraut public et d'archers qui assurent la police. Au milieu de l'enceinte se trouve l'urne dans laquelle les juges déposeront leur vote.

La séance est publique et la foule – composée uniquement d'hommes – se presse en grand nombre. Il est encore tôt, mais la journée s'annonce belle. Les cigales ont commencé à chanter. Les juges, en les entendant, se rassurent : le mauvais temps ne perturbera pas le procès, qui a lieu en plein air.

Surprenant décor en vérité. Mais le lieu et la date expliquent le dépaysement par rapport à nos cours d'assises modernes : nous sommes à Athènes, un matin de printemps de l'an 399 av. J.-C...

Athènes, il y a vingt-quatre siècles, on a du mal à imaginer ce que c'est. « Une ville de dix mille maisons », écrivent les contemporains. Chiffre considérable ! Cela veut dire une agglomération de trois cents à quatre cent mille habitants. Il faut se l'imaginer ramassée sur elle-même, avec des rues étroites, des habitations rudimentaires en bois ou en briques blanchies à la chaux, collées les unes aux autres et, sur tout cela, les odeurs, la saleté et le grand soleil de la Méditerranée.

Au cours des décennies précédentes, Athènes a inventé un système politique unique au monde : la démocratie. Tous les Athéniens de sexe masculin ayant accompli leur service militaire sont citoyens de droit et participent directement à l'administration de la cité. Sont exclus du pouvoir les femmes, les étrangers résidents et les esclaves.

Pourtant, en cette année 399, la plus grande cité grecque traverse une période tragique. Elle sort d'une guerre terrible, un conflit de vingt-sept ans, contre sa vieille rivale, Sparte. Et Athènes a été battue. Elle a subi l'occupation et l'ennemi lui a imposé un régime tyrannique – le régime des « trente tyrans », dirigé par l'Athénien Critias – dont elle vient tout juste de se débarrasser.

Convulsions et malheurs viennent de prendre fin, mais, comme c'est souvent le cas au sortir d'époques troublées, on voit resurgir, à côtés de vraies interrogations, de vieilles rancœurs. C'est le temps des règlements de comptes. Mais, du moins, les institutions démocratiques fonctionnent de nouveau, et, parmi elles, la justice. A Athènes, les juges sont des citoyens volontaires, tirés au sort. Six mille d'entre eux sont désignés au hasard chaque année. Ils sont répartis en douze sections de cinq cent un membres formant chacune un tribunal.

Ce matin, les cinq cent un juges viennent donc de prendre place. L'air agite leurs tuniques. Devant eux, au pied de l'estrade, l'accusé : un homme âgé à la barbe blanche, aux pieds nus, vêtu d'un rectangle de laine grossière à la propreté douteuse, qu'il a enroulé sur lui. C'est le fils de Sophronisque le sculpteur et de Philarète la sage-femme – autrement dit Socrate.

De quoi l'accuse-t-on ? L'acte officiel, qui émane d'un certain Mélétos, est clair : « Mélétos accuse Socrate de ne pas croire aux dieux de la cité, d'introduire de nouveaux démons et de corrompre la jeunesse. Peine requise : la mort. »

Mais qui est Socrate ? C'est d'abord un homme de 70 ans, assez laid physiquement. Ses gros yeux globuleux, son nez épaté, sa figure pleine lui donnent un visage de satyre, malgré sa barbe blanche et sa corpulence.

Il n'est pas très élégant non plus. Sa négligence vestimentaire est proverbiale. Alors que ses concitoyens portent pour la plupart une tunique de drap blanc, Socrate s'habille – s'attife plutôt – d'un manteau de laine sans ceinture et sans agrafe. Il ne porte jamais de sandales, préférant aller pieds nus, été comme hiver.

Qui est donc ce vieilard aux allures de sage et de vagabond à la fois, qui risque la peine de mort ?

Né à Athènes en 469 av. J.-C., dans une famille d'artisans sculpteurs, le jeune Socrate, contrairement à tous les usages, a refusé de reprendre l'activité paternelle. Pour quoi faire ? A vrai dire, rien. Rien, en tout cas, qui ressemble à une profession, rien qui ait une utilité sociale. Toute sa vie, Socrate l'a passée à discuter, à dialoguer.

Depuis cinquante ans, il se promène dans les rues d'Athènes, accostant les uns et les autres et les faisant s'exprimer sur les sujets les plus divers. Il les interroge sur leur conception de la morale, de la vie politique, il les écoute et il leur répond. Des milliers de jeunes gens, et de moins jeunes, ont ainsi bavardé avec lui sur l'Agora – la place du marché – dans les bains publics, ou à l'ombre d'un olivier.

Athènes, à cette époque, regorge de professeurs de philosophie, de politique et de morale qui parcourent la cité à la recherche d'élèves. On les appelle les sophistes. Dans une cité démocratique, où l'éloquence joue un rôle primordial puisque toutes les décisions se prennent en public, l'enseignement de ces sophistes est particulièrement recherché. Mais eux, ils se font payer et souvent fort cher. Pas Socrate, Socrate n'a jamais rien demandé à personne pour son enseignement. La philosophie, pour lui, est une pratique spontanée, quotidienne – et un mode de vie.

Socrate, décidément, n'est pas un citoyen comme les autres. Il a beau être marié – à une femme acariâtre, dit-on, répondant au nom de Xanthippe – et père de trois enfants, il reste un marginal. Son activité inlassable, son besoin d'interroger tout un chacun sur la morale ou la justice, tout cela est parfaitement incompréhensible pour la grande majorité des Athéniens. Et comme toujours quand on ne comprend pas, on se méfie et on se moque. On a même pu voir, il y a vingt ans, à Athènes, une comédie d'Aristophane, *Les Nuées*, dans laquelle Socrate apparaissait suspendu en l'air dans un panier, invoquant les nuages et enseignant l'art de rendre bonnes les mauvaises causes.

Socrate s'est pourtant expliqué sur son comportement. Il a répété cent fois qu'il était poussé par son « démon ». Il ne faut pas donner à ce mot le sens péjoratif qu'il a aujourd'hui. Le démon de Socrate est une réalité mystérieuse, une sorte de divinité intérieure qui le force à agir, et qui est peut-être simplement sa conscience. En disant cela, Socrate revendiquait tout bonnement le libre choix de ses opinions religieuses et morales.

C'est précisément cela qu'on ne lui pardonne pas et c'est pour cela que Socrate est aujourd'hui accusé, devant le tribunal d'Athènes, de corrompre la jeunesse et de ne pas croire aux dieux de la cité.

Comme dans pratiquement toutes les juridictions du monde, c'est l'accusation qui parle d'abord. Mais, il n'y a pas, à Athènes, de ministère public. Toute action judiciaire doit être engagée à titre individuel par un citoyen. Le premier accusateur de Socrate, Mélétos, s'avance devant les juges. C'est un tout jeune homme qui s'exerce à la profession de poète. La barbe ne lui recouvre pas encore les joues. Il a les cheveux lisses, le nez pointu.

Mélétos parle et, à sa suite, les deux autres accusateurs de Socrate : Lycon et Anytos, et tous trois terminent en réclamant sa mort.

Artisan et politicien, Lycon est un démocrate convaincu, une figure typique du nouveau régime athénien. Mais c'est

Anytos le véritable animateur de l'accusation. Anytos, citoyen puissant dont le père avait fait fortune dans le commerce du cuir, a été un jour ridiculisé par Socrate lors d'une discussion publique et ne le lui a jamais pardonné. Mais il y a pire. Le propre fils d'Anytos est un des disciples de Socrate, et c'est à la suite des conversations qu'il a eues avec le philosophe qu'il a décidé de ne pas embrasser la profession de son père. Ce qui justifie, aux yeux d'Anytos, l'accusation de corruption de la jeunesse.

D'autre part, si Socrate n'a jamais fait de politique à proprement parler, il déplaît à beaucoup de démocrates. Il a eu en effet pour élèves des personnages pour le moins compromettants : Alcibiade, le jeune aristocrate scandaleux, et surtout Critias lui-même, le chef du sanglant régime dictatorial pro-spartiate qui vient d'être renversé par une révolution populaire.

Indifférent aux opinions, aux idéologies, il s'est entretenu avec eux, comme il l'a fait avec tout le monde, sur la justice, la morale et la connaissance. C'est que Socrate n'est pas un homme de parti : il ne s'intéresse qu'aux individus. Crime impardonnable et grossière erreur dans une période d'agitation politique et d'affrontements civils.

Bref, Socrate dérange. Cet oisif mal vêtu, mal lavé, dont la seule occupation consiste à interroger les uns et les autres, a fini par exaspérer tout le monde. De quoi se mêle-t-il, à la fin ? Comme si les pères athéniens ne pouvaient pas se charger eux-mêmes de l'éducation de leurs fils !...

Anytos s'est tu. C'est maintenant au tour de Socrate de prendre la parole. Le soleil est déjà haut. Les cigales chantent dans les oliviers tout proches.

Selon le code athénien, l'accusé doit se défendre lui-même. Il n'a pas droit à un avocat. Ceux qui ne se sentent pas capables d'assurer eux-mêmes leur défense se font rédiger leur discours par un professionnel appelé logographe, et l'apprennent par cœur.

L'un des plus célèbres d'entre eux, Lysias, a d'ailleurs écrit un plaidoyer à l'intention de Socrate, mais le vieux philosophe a refusé avec une ironie douce : « Ton discours est très beau, Lycias, a-t-il dit, mais il ne me resemble pas. Crois-tu qu'un manteau et des sandales magnifiques me conviendraient ? »

Socrate se défendra donc seul. Le greffier a retourné la clepsydre, le sablier à eau, qui mesure le temps de parole. Socrate aura droit exactement au même temps que ses accusateurs.

Contrairement à ce qu'on pourrait croire, Socrate n'est pas un orateur. C'est un homme de dialogue, qui s'exprime d'un ton bonhomme, familier, le ton de la conversation. Ce qu'il dit n'en est que plus surprenant.

— Nous aurions beaucoup de chance avec les jeunes, lance-t-il à ses juges, si j'étais le seul à les corrompre et si tous les autres étaient leurs sauveurs !

Mais Socrate ne se contente pas de se défendre : il contre-attaque. Est-ce que le plus prestigieux de tous les oracles, celui du temple de Delphes, n'a pas déclaré que Socrate était le plus savant des hommes ? Et que voulait-il dire par là ?

— J'ai fait mon enquête, dit l'accusé. J'ai interrogé tous ceux que l'on prétend savants et je me suis rendu compte qu'en fait ils ne savaient rien.

Et Socrate énonce tranquillement sa conclusion devant ses juges :

— Je suis effectivement le plus savant des hommes, parce que les autres croient savoir quelque chose et ne savent rien, tandis que moi, je sais que je ne sais rien...

Brouhaha dans l'assistance, protestations sur les gradins. Socrate continue. Il parle maintenant de son « démon », son génie intérieur, et revendique le droit de suivre ses conseils. Il proclame hautement que s'il est acquitté, il continuera comme par le passé à enseigner sa philosophie et met en garde les juges contre une condamnation à mort.

— Si vous me tuez, Athéniens, vous ne trouverez pas un autre homme comme moi. Apollon m'a mis ici pour maintenir la cité éveillée; si vous me tuez, le dieu vous plongera dans un sommeil éternel.

Voilà, Socrate a terminé. Il n'a pas, comme il est d'usage, conclu sur une note larmoyante. Il ne s'est pas montré, comme le font presque tous les accusés, entouré de ses enfants, afin d'exciter la pitié. Les juges se communiquent d'ailleurs leur étonnement, tandis qu'ils se lèvent de leurs bancs et descendent des gradins de bois, pour se diriger vers l'urne dressée sur une table devant le président. Ce n'est qu'un premier vote: celui par lequel le tribunal se prononce sur la culpabilité de l'accusé.

Chacun d'entre eux a dans chaque main une espèce de toupie. Ce sont deux rondelles emmanchées sur deux tiges de métal, l'une pleine, l'autre creuse. Les juges les tiennent entre le pouce et l'index de chaque main, de manière à ce qu'on ne puisse pas les distinguer. La rondelle à tige creuse signifie la condamnation, la rondelle à tige pleine, l'acquittement. L'un derrière l'autre, les cinq cent un juges défilent devant l'urne et y déposent leur vote.

Puis, les magistrats-citoyens regagnent leur banc et le greffier fait les comptes. A une faible majorité – deux cent quatre-vingt-une voix contre deux cent vingt – Socrate est déclaré coupable. Conformément à la loi athénienne, le condamné a maintenant le droit de proposer lui-même la peine qu'il juge équitable.

Socrate reprend donc la parole et les juges n'en croient pas leurs oreilles. Au lieu de transiger en proposant une amende ou une peine de bannissement, Socrate affirme que, n'étant nullement coupable, ce n'est pas une punition, mais une récompense qu'il mérite.

– Je propose, lance-t-il, d'être nourri au Prytanée!

Cris d'indignation dans l'assistance! Ce que vient de dire Socrate est en effet d'une incroyable insolence. Le Prytanée est une institution qui nourrit aux frais de l'État les citoyens les plus glorieux. Chez nous ce serait quelque chose comme l'Académie française. Rarement un accusé aura lancé un tel défi à ses juges, se sera à ce point moqué d'eux !

Sur les gradins, un silence glacial a succédé aux trépignements. Les cinq cent un juges en tunique blanche quittent leur place. Ils vont maintenant procéder au vote sur la peine.

Socrate aurait pu facilement se sauver. La faible majorité qui l'avait condamné lui laissait toutes les espérances. Mais son attitude intransigeante, provoquante, a dressé tout le monde contre lui. Cette fois, c'est par une forte majorité – trois cent soixante et une voix contre cent quarante – qu'il est condamné à mort.

Et tandis que les juges quittent le tribunal après l'énoncé du verdict, Socrate dit seulement :

– Vous sortez d'ici pour vivre et moi pour mourir. Dieu sait lequel des deux est meilleur !

Cette mort qui l'attend à présent, Socrate n'a rien fait pour l'éviter. Mieux, il l'a cherchée. Pour lui-même comme pour ses disciples, il est évident que sa fin sera l'aboutissement, le couronnement de son existence, et qu'il saura mourir comme il a vécu : en philosophe.

Il y a un mois que Socrate a été condamné à mort par le tribunal d'Athènes. L'application de la peine qui lui a été consentie est la plus douce selon la loi athénienne. Il devra boire un poison préparé avec de la ciguë. Un suicide imposé, en quelque sorte.

Si l'exécution de Socrate n'a pas eu lieu plus tôt, c'est pour des raisons religieuses. Ce mois de printemps est celui des fêtes déliennes. Une procession sacrée d'Athéniens est partie pour l'île de Delos et jusqu'à son retour aucune exécution capitale n'est permise.

Il y a peu, Criton, l'un des plus fidèles disciples de Socrate, est venu le trouver dans la prison. Il lui a proposé de s'évader. Il était prêt à corrompre les geôliers, qui ne demandaient qu'à se laisser faire. Mais Socrate a répondu que non, qu'il fallait respecter les lois ; que la justice consistait à les suivre, même quand elles se montraient injustes. Depuis sa condamnation, d'ailleurs, Socrate dégage un rayonnement particulier. Sa clairvoyance, son calme étonnent tous ceux qui l'approchent.

Le bateau de Delos, ramenant la procession sacrée, est enfin revenu à Athènes. Dès le lendemain matin, les disciples du vieux philosophe se rendent à la prison. Il y a Phedon, Apollodore, Criton et son fils Critobule, Hermogène, Épigène, Ctesippe, Ménexène, Simias, le mathématicien Euclide, d'autres encore. Seul Platon, malade, n'a pas pu venir.

Dès qu'ils ont été réunis, le geôlier a délié Socrate de ses chaînes, et Xanthippe, la femme de Socrate, est arrivée à son tour. Elle a éclaté en sanglots. Elle s'est arraché les cheveux, a déchiré ses vêtements.

– Oh ! Socrate, c'est la dernière fois que tu parles et que tu vois tes amis !...

Socrate, incapable de supporter ces cris, l'a fait partir. Puis il s'est tourné vers ses disciples et s'est entretenu familièrement avec eux, selon son habitude, de musique, d'art, de la mort, de l'âme... Comme il s'échauffait un peu dans la discussion, le bourreau est venu l'interrompre.

– Ne t'agite pas trop Socrate, sinon le poison n'agira pas.

Alors, pour la première fois, Socrate s'est emporté :

– Eh bien, tu en mettras le double ou le triple ! C'est ton métier !

Et il a recommencé à parler. Tous ceux qui étaient présents le regardaient avec surprise et admiration. Il avait le détachement de celui qui a réussi à surmonter ses instincts et ses peurs. Son attitude calme contrastait avec le désespoir général. La discussion a duré quelque temps encore. Puis, comme le moment approchait, Socrate a gagné la pièce contiguë pour prendre un bain, en disant :

– Je veux éviter aux femmes le travail de laver un cadavre.

Le bain a été long. Quand il en est sorti, le bourreau est

arrivé sur ses pas, tenant la coupe de poison, et a dit, le regardant en face :

— Socrate, je sais qu'avec toi cela ne sera pas comme avec les autres. Eux, ils me maudissent et s'emportent contre moi quand je leur apporte le poison. Mais toi, qui es le plus sage d'entre nous, tu sauras supporter l'inévitable.

— Salut à toi ! a répondu Socrate. Allons, que convient-il de faire ?

— Rien de plus que quelques pas après avoir bu, jusqu'à ce qu'il te vienne une lourdeur aux jambes. Alors, tu dois te coucher et le poison fera son effet.

Le bourreau a tendu la coupe. Socrate l'a prise et en a bu le contenu jusqu'au fond. Alors, les disciples, qui jusque-là avaient pris sur eux, ont éclaté en sanglots, provoquant la colère du maître.

— Que faites-vous, âmes déconcertantes ? s'est indigné Socrate. C'est pour ce motif précis que j'ai renvoyé les femmes, pour qu'elles ne commettent pas de pareils excès. Car j'ai entendu dire qu'il fallait mourir dans un silence religieux. Ne faites donc pas de vacarme. Contenez-vous...

Du coup, tous se sont tus, et ils ont attendu, comme il le leur avait demandé. Peu après, sentant que ses jambes lui pesaient, Socrate s'est couché sur le dos, selon les recommandations du bourreau. Celui-ci est arrivé aussitôt ; il l'a examiné et lui a serré fortement les pieds.

— Sens-tu quelque chose ?

— Non.

Le bourreau a ensuite tâté ses jambes et a expliqué à ceux qui étaient là que les membres étaient en train de se refroidir. Quand le froid arriverait au cœur, Socrate mourrait...

Peu après, alors que son ventre était déjà froid, Socrate a appelé son fidèle Criton. Celui-ci s'est penché sur lui. La voix du mourant était faible :

— Criton, nous devons un coq à Esculape, paie-le sans discuter.

— Ce sera fait, Socrate, mais n'as-tu rien d'autre à dire ?

Socrate n'a pas répondu. Peu après, il a eu un léger mouvement. Voyant que ses yeux étaient révulsés, Criton les lui a fermés, ainsi que la bouche. Socrate était mort.

« Un coq à Esculape », une offrande au dieu de la médecine : telles avaient été les dernières et surprenantes paroles de cet homme sur le point de mourir. Était-ce l'ultime impertinence de Socrate ou un message signifiant, comme il l'avait affirmé plusieurs fois, que la mort était la véritable libération, la guérison de cette maladie qu'est la vie ?

En tout cas, ce pessimisme tranquille et ironique a été le message du premier condamné à mort pour cause de pensée.

Table des matières

L'impression de ce livre
a été réalisée sur les presses
des Imprimeries Aubin
à Poitiers/Ligugé

pour le compte de la librairie Arthème Fayard
75, rue des Saints-Pères à Paris

ISBN 2-213-01031-5

N° d'édition : 6337 — N° d'impression : L 14205
Dépôt légal, 1er trimestre 1982

Imprimé en France

H/35-6807-8